与君长相守

唐小蓝◎著

山西出版传媒集团

山西人民出版社

图书在版编目（CIP）数据

与君长相守 / 唐小蓝著. -- 太原 : 山西人民出版
社，2015.2
ISBN 978-7-203-07118-1

Ⅰ．①与… Ⅱ．①唐… Ⅲ．①言情小说－中国－当代
Ⅳ．①I247.5

中国版本图书馆CIP数据核字(2015)第014589号

与君长相守

著　　者：唐小蓝
责任编辑：吕绘元
装帧设计：张静涵

出 版 者：山西出版传媒集团·山西人民出版社
地　　址：太原市建设南路21号
邮　　编：030012
发行营销：0351—4922220　　4955996　　4956039
　　　　　0351—4922127（传真）　　4956038（邮购）
E—mail：sxskcb@163.com 发行部　　sxskcb@126.com 总编室
网　　址：www.sxskcb.com

经 销 者：山西出版传媒集团·山西人民出版社
承 印 厂：北京雷杰印刷有限公司

开　　本：720mm×1000mm　　1/16
印　　张：19.75
字　　数：323千字
印　　数：1—5000册
版　　次：2015年2月　第1版
印　　次：2015年2月　第1次印刷
书　　号：ISBN 978-7-203-07118-1
定　　价：29.80元

如有印装质量问题请与本社联系调换

目录

2

卷一 犹记前尘年少时

前尘梦·相见难

乾德五年，冬至。

一辆马车行驶至宫门之外，缓缓停下，驾车的是个粗犷的汉子，留着毫无章法的络腮胡子，他一手扯着缰绳跟门口的军士打招呼："嘿，张老弟，今天又是你当值啊！"

他们看起来显然是私交不错的模样。姓张的军士笑得十分亲切，一边走过来站到马车旁边。这马车十分朴素，他这个月已经是第三回看见了，知道马车里的人是什么身份，于是躬着腰十分殷勤地问候："青岚姑娘好！"

马车的垂帘底下伸出一只手，艾绿衣袖衬着白皙的五指，掌心上平躺着一块玄色象牙木腰牌。那只手的主人声音沉稳平和，仿佛不带一丝波澜："有劳张大哥了。"

"不麻烦！不麻烦！"

因为被称为张大哥，张军士的嘴巴已经咧到了耳朵根，只扫了一眼那只白净如玉的手，目光连往上再移半分都不敢，立刻挥了挥手放行："青岚姑娘慢走！慢走啊！"

垂帘于是又放了下来，车夫赶着马车继续前行，跟张军士一同当值的那位小新丁，见他满脸都是笑容，于是好奇地打听："这谁啊？哪位娘娘的大丫鬟，竟然摆这么大的架子？"

进宫仅凭一块腰牌，甚至连个脸都不肯露，在小新丁看来，这就是很大的架子了。

"你知道个屁！"

张军士用力拍了一把小新丁的脑袋，放低了声音教训他："这可不是哪位娘娘身边的大丫鬟能比得上的，青岚姑娘是在万岁爷跟前侍候的，虽然只是奉茶的丫头，但也是有名有姓的！看没看到刚刚那腰牌？那也是万岁爷给的，说是让她方便出宫办事。"

"一个奉茶的丫头有这么大的恩宠？"

小新丁顿时眼睛里泛起无比崇拜的目光，这太不可思议了。

张军士用"一看你就没见过世面"的神情瞪了他一眼："那是当然，听说就算是得宠的娘娘们，见了她都得喊一声'青岚妹妹'呢！"

"哇！"

小新丁望着马车渐渐走远的方向，心里的敬仰顿时犹如滔滔江水连绵不绝。

下次再遇见，一定要跟她说句话。

小新丁在心里默默地想着。

"阿嚏！"

青岚掩着口鼻打了个响亮的喷嚏，显然不知道她刚刚成了两个守门小兵讨论的话题。

貌似有点伤风，看来回去要泡一壶浓茶去去寒气了。这天真是冷起来了，青岚揉了揉鼻子，将双手拢在一起搓了搓，这趟出宫若是真的染了风寒，怕是又要被圣上取笑身体孱弱，逼着她去陪他一同练什么长拳了。

不当值的时候，她更愿意在屋里喝茶看书，如果能再配上一碟子御厨做的茶点就更好了。可是圣命难违啊！青岚无奈地摇摇头，伸了个懒腰，目光落在手边一本崭新的《风物志》上。

拿过来缓缓翻开一页，书中夹着薄如蝉翼的一张字条，上面只有寥寥数字。青岚盯着那字看了片刻，终究还是叹了口气，将字条揉成一团，捻着送进口中，嚼碎了硬吞下去。

几乎是一两个月才能收到一张他亲笔写的字条，吩咐之后会稍有嘘寒问暖，对青岚来说觉得弥足珍贵，一路上都拿在手中翻来覆去地看个不停。她回回都是如此，舍不得，但又无可奈何，只等入宫之后，才不得不把字条"毁尸灭迹"。

回到紫宸殿的时候，大太监王继恩正在殿门口忙得几乎脚不沾地，看到青岚立刻一把拉住她不肯放手："哎哟，我的姑奶奶啊！你可回来了！皇上说今儿议事之后，要留下诸位大人办茶宴，赵普大人还点了名要喝你沏的茶，你还不赶紧去准备着！这议事说不定一会儿就要散了呢！"

青岚端端正正给王继恩行了个礼，言语恭敬地答道："王公公您别急，奴婢这就去准备。"

"快去快去！"

王继恩像热锅上的蚂蚁，焦急地转来转去。皇上身边没有专门服侍的大宫女，一切饮食起居都由王继恩打理，他毫无疑问是皇上身边的第一红人、宫中的宦官总管，而青岚只是他手下一个专职奉茶的宫女。

沉过三天的井水以竹节滤过，灌入白釉茶瓶，青岚的动作缓而不慢，将茶饼研成细末，然后依次散入数个青瓷茶盏之中。

这些事情她已经做得无比娴熟，算一算，过了这个冬天，她入宫就已经满五年多了。七年之前，她被他所救，随后便被更改籍册，隐瞒了真实姓名，而以陆青岚的身份，被送往长兴顾渚山贡茶院学习茶艺。

两年之后，正逢各省采选秀女，她因此被选入宫，自后宫的奉茶丫鬟做起，如今已经能够侍奉皇上左右。宫中看似平静，圣上御前恩宠无限，但其实云谲波诡，青岚冰雪聪明，早将一切看破，深知自己只是被深埋在这九重宫阙中的一枚棋子而已。

尽管如此，但她一直视他为自己的全部，因为他救了她，也改变了她的命运，她分不清这份情是感激抑或是爱情，如今所做的一切，都是她对救命恩人应有的报答。

"青岚姐姐……青岚姐姐？"

小丫鬟茉莉见她走神，于是连喊了两声，才将青岚的思绪自回忆中拉回来："王公公派人传话来，说可以准备奉茶了！"

看来是前殿的议事散了，青岚拢起衣袖，露出一双雪白皓腕，拉着茉莉一起烧水沏茶。

她点茶的姿势优雅翩然，但动作极快，顷刻之间，醇白茶汤缓缓在数个茶盏中晕开。青岚挥了挥手，神色平静地吩咐道："奉茶吧，都手脚利落着点儿。"

诸位奉茶宫女依次端了茶往前殿走去，青岚取了皇上所用的茶盏来，调了膏然后以沸水点开，眼见茶汤色泽莹亮，这才小心地端在手上，转身准备至御前奉茶去。

忽然视线里飘过一抹碧蓝衣角，却不是宫女或太监该有的穿着，那道蓝影依稀隐在屏风背后，青岚心中警兆忽现，皇宫禁地，竟然有人如此胆大，在此

藏头露尾,她当场便冷喝了一句:"谁?"

疾风掠过身畔,青岚来不及反应,一股巨大的力道已经不知道从何处袭来,将她重重推到了墙上!

青岚脚下踉跄,后背撞上厚硬的墙面,硌得发痛,手中端着的茶盏当即掉落在地,瓷器碎裂发出清脆的声响,伴着滚烫的茶汤飞溅,青岚险些发出一声尖叫,却被一只伸过来的手硬生生地掩住了口鼻!

依稀闻到一股浓郁的酒香,浅淡流转,不同于青岚所熟悉的茶香,这味道更浓烈,也更富有侵略性。

四目相对,青岚的视线里闪过一张足以倾倒众生的面容,双眉浓黑如墨,一双杏眼浅波流转,只是脸上不带一点儿表情,冷得仿佛像一块千年寒冰。

青岚的第一反应是,这人生得真是好看,她虽是一介女子,却都不得不承认自己不及这个蓝衣男子貌美。

再然后,便突然意识到自己受制于人,而且还害她打翻了沏给皇上的茶!

青岚虽然外表温柔,但其实性子极烈,一旦被触及底线,便会奋力反击。她自恃跟着当今圣上学过长拳,虽然功力不深,近身交战时却颇有用处,当即握拳,照着男子的小腹狠狠砸下去!

男子显然没想到这看似瘦弱的丫头能突然来这么一下,毫无防备的他,闷哼一声,捂在青岚嘴上的那只手松了松,青岚身子一低便灵巧地从他的钳制下脱身,转身时接着力道顺势又挥出一拳!

这下是正面攻击,男子又有所准备,于是接得轻而易举。

再次目光交缠,青岚的目光凶狠而充满戒备,男子的目光冰冷坦然,两人相对而立,保持着一个僵持的态势。

"你是谁?"

青岚率先发问,男人并没有回答,只是冷冷地盯着她,目光锐利,仿佛一把刀子,要将她整个人剖开两半。

他一身暗纹蓝衣,以金丝绳边的锦带束腰,黑发仅以一条蓝色绸带束起,整个人风度翩翩,但仿佛没有半点温度。

"青岚啊!你怎么还不……"

王继恩风尘仆仆地冲进来,一句话却硬生生咬进去半拉,那一地的碎片不说,只是正互相对峙的两人,就已经够他头痛的了。

"来人呐，有刺……"王继恩的求救声在看到男人那张绝美的脸时，再一次硬生生卡在喉咙里。

男人不浅不淡地看了他一眼，收了手，轻巧地转身便跃向窗外，化作一道虚无的光，当即便不见了踪影。青岚刚想说话，王继恩连忙给了她一个"别多问"的眼神，顺手已经从柜子里又取了茶盏出来，死命推了她一把，怒道："还不赶紧的，难道要让皇上等你？"

对于九五之尊来说，未能及时奉茶也是一等一的大事，尤其是在冬至茶宴这么隆重的场合。青岚知道自己犯了大错，于是一言不发，赶忙又重新沏了茶，匆匆踏着一地碎片，往前殿给皇上奉茶去了。

前殿此时已经摆下坐席，宫女们奉上茶点和蜜饯果子，皇上端坐上首，次席自然是晋王殿下，王继恩口中所说的赵普大人坐了三席，其他人便按照次序一一就坐。

奉茶的宫女端上新沏的茶汤，正是青岚的手艺，赵普观茶色，又细细品味，忍不住赞道："青岚姑娘果然好手艺，臣自上次在皇上书房里喝了一盏她沏的茶，至今念念不忘。"

晋王赵光义听见"青岚"二字，仍是一副平静悠然的模样，他手上戴了一串紫檀佛珠，颗颗圆润，品相极佳。他取了茶盏抿了一口，便顺着赵普的话往下说："确实不错。"

"那大伙儿就随意吧，朕这儿别的没有，茶还是能管够的。"

当今圣上赵匡胤笑得极为爽朗，他少时从军，早就习惯了与将士们打成一片，不分尊卑，虽然登基也有些年头了，但还是跟以前一样平易近人。

"臣谢陛下！"

诸位大臣齐刷刷地举杯道谢，这会儿就算是不爱喝茶的，也要努力做出无比欢欣的模样来。

赵匡胤手边无茶可饮，只能乐呵呵地承了谢，又道："不知诸位家里今天都做了馄饨没有？"

"回皇上，今天一早王妃就吩咐府里备下了，这不，逼着我连新衣都换了……"赵光义说着展开衣袖比画了一下。

冬至又叫冬节，北宋时期，与春节、中秋节一起并称一年中的三大节日，这天汴京城里家家户户要吃馄饨以示庆祝。同时，还有除尘、换新衣、摆酒宴、

祭祖的习俗，宫中自然也不例外。

赵匡胤看起来很是开心，大笑着打量着弟弟的新衣，玄色素服，料子是米色"福"字暗花，看起来颇为淡雅，一如晋王其人。

"冬节是大日子，"赵普将茶盏　合，面带浅笑，似乎是不以为然地问道，"只是美中不足，未能得见德昭、德芳两位皇子。"

众人纷纷一愣，停了手中动作，不自觉地屏住呼吸，殿内顿时鸦雀无声。

唯有二人依旧坦然，一是赵普，二是赵光义。

赵匡胤并不说话，只是眼中隐有不悦，只答："他们二人年纪尚幼，难当大任，所以朕才不让他们出席此等场合。"

在场诸人其实都深知赵普这番话是什么意思，皇上登基之后，一直未曾立储，算起来今年皇子德昭已经年满十六，是能入朝听政的年纪了，可皇上仍然不让他出来见人。

相反，晋王赵光义深受重用，最重要的是他今年还不满三十，正值年轻力壮之时，而在朝中的势力也日渐壮大，令赵普等拥护皇子德昭的一众人如芒刺在背，担心不已。

赵普如今贵为当朝宰相，而晋王任开封府尹，双方势均力敌，所以赵普更盼着皇上立太子，以牵制晋王。

又来了……赵光义心道，这个赵普还真是烦，不过他神色未变，坦然伸手去取桌上的茶点，吃得颇为尽兴。

赵普不肯放弃，接话试图说服皇上："若不历练，怎能成长？臣以为，德昭皇子今年已经十六，也是时候出来学习治国之道了。"

他仗着皇上重用恩宠，所以一番话说得理直气壮。

此时青岚已经端着托盘匆匆自后殿赶来，不偏不倚将赵普的一番话听在心里，她趁着奉茶的工夫，偷偷打量赵匡胤的神色，见他眼角一抹怒气含而不露，便明白皇上已经生气了。

皇上不想立太子，更讨厌群臣一而再再而三上书恳请。

天子之威，岂是常人可触犯？

赵匡胤看到青岚在面前摆下茶盏，于是目光一闪，开口道："青岚，朕的茶为何迟了？"

青岚将茶盏端端正正摆好，然后双手合抱着托盘，走到赵匡胤面前，扶着双膝不慌不忙地跪下。

就知道，这一次罚是少不了的。

她口齿清楚，声音清亮，俯身叩首跪拜，然后从容答道："回皇上，奴婢知罪，刚刚奴婢不小心打翻了刚沏好的茶，只能重新沏了一杯，这才耽搁了。是奴婢失职，请皇上责罚。"

她说完再次俯身跪拜，表面看似平静，其实紧握的手心里全是汗。

赵匡胤冷哼了一声，挥了挥手，道："既然你知道自己失职，那就自己下去领罚吧！杖责二十，罚半个月的月俸！"

赵普的脸色一变，端着茶盏的手收紧，然后无力地缓缓松开。

青岚并没有半句求饶，只是低首答道："奴婢谢皇上。"

她的态度不卑不亢，十分平静。赵匡胤为人宽容大度，极少杖责宫人，此番的二十杖显然是震怒之下的重责，众人吓得大气不敢出，唯有赵光义咬着一块玫瑰饼，吃得津津有味。

青岚缓缓站起身来，朝着皇上屈膝行礼，抬头的瞬间，视线里划过晋王神情自若的脸，少女的眼中骤然泛起了波光，于是连忙转身，不让人看到她此刻的异样。

王继恩喊人收拾了后殿，这才赶来，结果一进来就听到皇上出言责罚青岚。

王继恩顿时变了脸色，刚想上前给青岚求情，青岚已经朝他走了过来，迎面时会意地朝他眨了眨眼，分明是示意他不要轻举妄动，于是他只能悻悻闭嘴。

"王继恩！"

赵匡胤朗声喝了一声，王继恩立刻连滚带爬地上前跪倒："奴才在！"

"吩咐下去，宫中众人，各司其职，都安安稳稳做好自己的本分便是，若是有违，朕必然严惩不贷！"

九霄龙吟，天子之怒，不杀一人，但却令整个宫禁内外不寒而栗。

青岚踏着众人的惶恐不安，缓步前行，平静如水。

谁不守本分，谁不够安稳，言者有意，听者自然也有心。

皇上罚的是她，但要警告的，却另有其人。

爷，这一仗，青岚帮您赢下了。

坦然地闭上眼睛，脑海中，仿佛又浮现出岁月里不知道曾经回忆过多少次的画面。

十二月的汴京，天也如同今天一样那么冷。年幼的女童一身素衣，犹如一只白鸟，从顶楼的窗户一跃而下，张开双臂骤然自风中坠落！

人群中发出一阵惊呼，瞬间纷纷退开，女童害怕地闭紧了眼睛，寒风刺骨，凛冽如刀锋一般，划过她的脸颊。她以为自己要死了，可是忽然身体一暖，温热的呼吸自耳畔蔓延开来，只觉得身子一轻，再睁开眼时，发现自己已然跌入一个人的怀抱之中。

明明万分惊恐，可急促的呼吸却因为一双眼眸温柔的注视而慢慢放缓。

"你个小贱人！竟然敢跑，把她给我抓回来，打、打断她的腿！"

衣衫不整的男人匆匆自楼上跑下来，领着一群家丁很快冲上来叫嚣，穷凶极恶地嘶吼着将他们围住。

女童渐渐安静下来，惊魂未定地打量着将她护在怀里的年轻男子。他看起来不过二十岁的模样，做武士打扮，一身玄衣虽然朴素，可长相英武中透着贵气，眉毛浓黑，斜斜飞入鬓角，仿佛刀削的一般干净整齐，双目坚定有神，闪着桀骜不驯的光芒。女童见他腰间悬着一把长刀，知道此时若不抓住机会，一切努力就都白费了，于是哑着嗓子，伏在男子肩头低声啜泣："救……救命……"

玄衣男子神情一凛，圈着她肩膀的那只手轻轻拍了一下，这才将她放下来，柔声道："站到我身后去。"

女童乖巧顺从地往后靠了靠。玄衣男子平静地扬起下巴，目光缓缓扫过将他们重重包围的家丁，然后定格在那嚣张的男人身上。

"哪里来的臭小子，竟然敢管本公子的闲事！识相的快滚，不然连你一起收拾！"

男人认为自己以十敌一，胜券在握，又自恃身份尊贵，完全不把其他人放在眼里。

玄衣男子将他上下打量了一番，一言不发，只是忽然抬手拔刀，动作干脆利落，手起刀落，只见血色飞溅，男人忽然惨叫起来，右手紧紧按着耳朵，指缝不断有鲜血渗出，众人尽数大惊失色，害怕地往后退出一丈远。

一只带着血的耳朵跌落在地，男人哭得声嘶力竭，家丁们全都呆住了，不知道是该上前替主子报仇，还是该当即逃跑。

女童惊恐地瞪大了眼睛，却抬手死死按住了自己的嘴巴，不让自己发出一点儿声音来。

玄衣男子收刀回鞘，脸上全然没有半点修罗肃杀之气，平静得骇人。他转过身低下头看着她，那张稚嫩的小脸上明明挂了泪痕，可眼神却坚定决然，澄澈明亮。他心中一动，开口问道："你叫什么名字？"

　　女童将捂着嘴巴的手放开，虽然声音青涩沙哑，语气却不慌乱，一字一顿，答得清清楚楚："回恩公，我叫李秀儿。"

　　"这名字不好，"玄衣男子不以为然地摇摇头，又问，"你家在何处？"

　　女童低垂的眼眸里闪过一丝悲伤："我没有家了。"

　　脑海里关于家的记忆，只剩下那一场烧尽了整个李家府邸的大火，熊熊火光吞没了她所有的亲人，唯有她被母亲事先交给了管家照看才得以幸免。所以她只是被当做了府中的仆役女眷，被宋军押回了汴京，准备充入教坊为婢，而险些被人凌辱，她奋力反抗，甚至不惜从楼上一跃而下，却恰好跌入他的怀中。

　　玄衣男子眉心紧皱，薄唇抿出一道弧线，沉思片刻，终于朝她伸出手去："你可愿意跟我走？"

　　女童被他眼中闪烁着的光芒蛊惑，顺从地迎着他的目光点头，伸出小手颤抖着送进他的掌心。

　　那是一双带茧的手，握刀时英武有力，挥刀时毫不留情。谁也不知道这只手到底拥有什么样的力量，翻手为云，覆手为雨，只在旦夕之间。

　　这时候人群骚动起来，带刀官差匆匆赶到，一见这个场景当时就呆住了。鲜血满地，玄衣男子一手牵着年幼的秀儿，立于重重围困之中，面不改色。

　　"赵公子，这是怎么了？"

　　一个官差认出满脸鲜血的男人来，于是语气都跟着恭敬不少。

　　"这……这个贼人，要劫走教坊的贱婢，还……还……哎哟！"

　　赵公子疼得说不下去，又觉得气愤不已，恨不得立刻扑上去把那人活活咬死才解恨。

　　"赵姓子弟，就能恣意凌辱充入教坊的婢女吗？你当街撒野，这只是一点小小教训而已……"玄衣男子说到此处冷哼一声，也不多做解释，随手从怀中取了一件什物出来，丢给距离自己最近的那名官差。

　　官差诧异地将那什物接在手里，仔细一看，顿时大惊失色，双膝一软跪倒在地，牙齿打战，只是盯着玄衣男子，半天连一个字都说不出来。

　　"下次再让我遇见你这般仗势欺人，就不止是削掉你一只耳朵这么简单了！"

他看向赵公子，目光一寸一寸往下，直直定在他的胸口要害，冷然丢下这么一句，便牵着女童转身离去。

可怜家丁们见官差都怕了，更是面面相觑却不敢上前动手，赵公子面目狰狞地挪上来正要质问，就见那官差双手捧着一块象牙令牌，上面端端正正刻着"延宜"二字。

"这、这、这是……"这下连赵公子也吓呆了，一屁股跌坐在地，这虽不是官府令牌，却比之有过之而无不及。

天下间，以"延宜"为表字的唯有一人，便是当今皇上的亲弟，天子亲征李重进未归时，奉命代为监国的开封府尹赵光义！

这位一人之下万人之上的天子近亲，年仅二十，位高权重不说，处事的雷霆手段也是朝内皆知，甚至还有坊间传言说，当今圣上在陈桥驿兵变夺位登基的一番谋略，也是出自他的手笔！

在众人惊诧的目光中，赵光义一手牵着秀儿，走向不远处的马车。

"秀儿这名字太过俗气，又显得娇弱了，"赵光义将秀儿抱上马车，拍拍她的小脸，嘴角一抹从容自得的笑容，"你现在既然跟了我，那我给你起一个名字，就叫……"

他目光一闪，略微沉思，这才低声道："青岚。"

青为苍翠，山风为岚。

就如同他初见她时，那满眼澄澈明亮的神采。

秀儿将眼睛眨了眨，一双眸子清澈透亮，泛着皎洁的光。她盈盈下拜请安，神色恭敬："青岚见过恩公。"

"不必喊恩公了，在我这里，没那么多礼数，你就跟他们一样，喊我一声'爷'便是了。"

赵光义挥了挥手，年轻的男人英俊潇洒，看得青岚几乎移不开目光："青岚，既然你认我是你的救命恩人，那么，你可愿意帮我办一件事？"

青岚依旧保持着跪拜的姿势，看着赵光义眼中的那团火光，一点一点地燃烧起来。

她知道，其实那时候自己根本无从选择，那个凭空出现在她生命里的男人，成了她唯一的希望和依靠。她不想今后的人生都生活在教坊里暗无天日，既然他说可以带她走，她便全然相信了。

可那时候她并不知道，那个男人，对她、对天下，到底意味着什么。

而现在，她所做的一切，都是为了他。

青岚被两个太监牢牢按住双臂，抵在长凳上，厚重的棍子一下下打在她的身上，像是五脏六腑都要挪了地方，她将衣袖咬在嘴里，死死撑住不让自己发出一点声音。

"一、二、三……"

太监尖声尖气地拖长声音数着，在青岚听来，却仿佛在九霄云外一般。

重击之下，一开始只觉得痛入骨髓，但后来便再感觉不到疼痛，豆大的汗珠布满青岚的额头，顺着脸颊滴落下来，她整个人仿佛是从水里捞出来的一样，汗津津湿漉漉，气息微弱。

此刻紫宸殿里，晋王应该依旧谈笑自若，赵普也不会再提起皇子德昭，皇上会吩咐其他宫女添茶，说不准还会问起各位大臣家里过冬节时的趣事。

仿佛什么都未曾发生过，唯有殿外那一声声尖厉的计数，那一下下责打在身体上的重击，证明了她的存在，更预示着一场惨烈的夺位之争，正缓缓拉开序幕。

终究还是逃不过这一场病啊！恍惚间，青岚迷迷糊糊地想了许多，最终化作心中的一声叹息。

从她选择将手伸向赵光义的那一刻开始，她就知道，结果一定会是这样的。

一枚棋子，就只能坚守一枚棋子的命运，想要不被舍弃，唯一的办法，就是让自己做一枚有用的棋子。

天空开始飘起小雪，伴着阵阵寒风。汴京的冬天冷得刺骨，青岚的一身冷汗早就化作了冰，洁白无瑕的雪飘落在殷红的血痕上缓缓融化，白的苍白，红的刺红。

她不知道什么时候失去了知觉，面色苍白，远比雪的颜色更淡。

蓝衣男子的一头乌发在风中被吹得凌乱，那张绝美的脸上仍是冰雪一般的冷漠，似乎连落在他发间的雪都会结冰。他双手负后，立在宫殿的屋顶上，没有人注意到他的存在，他就像是一个影子、一阵冷风，又或者是一片雪花，悄无声息，却又仿佛无处不在。

刚刚他只是口渴，找不到酒，便打算去找杯茶来解渴，没想到却碰巧被她发现了行踪。性子倒是很烈，被打成这样都不肯吭声，蓝衣男子用手轻轻蹭了蹭之前被青岚拳头打到的小腹，而且手劲也不小，他默默地想。

原以为她已经死了，可是没想到竟然在这里遇见了她。这么多年，她长大了，也变了许多，甚至连名字也……蓝衣男子沉默地看着二十杖打完，一直都保持着同一个姿势，仿佛已经在风里冻成了一尊冰制的雕像。

王继恩早就暗中吩咐了小宫女茉莉连同两个太监，一起来接青岚回房，青岚此刻已经昏死过去，毫无知觉地任人将她背在背上，任凭一路颠簸都没有再醒过来。

茉莉立刻打发太监去御药房领了伤药，自己打了盆热水，准备帮青岚换衣上药。可青岚的衣衫已经和绽开的皮肉粘在了一起，血肉模糊。茉莉胆子小，见了血就已经晕了一半，手伸出去颤抖了半天，硬是不知道要从什么地方下手。

此时忽然有人破门而入，茉莉吓了一跳，来人是个蓝衣男子，披墨色披风，相貌极美，但一双眼睛里闪着寒冰一般的光芒，被他瞪了一眼，茉莉觉得自己的手都凉透了。

这人她从未见过，也不是侍卫、太监的打扮，而且竟然敢这么明目张胆地闯入宫女的房间，似乎并没有觉得自己有任何不妥之处。

"你是谁？你怎么敢……"茉莉刚想质问，却被他森冷的目光直接硬逼了回去，男人连解释都没有一句，上前查看青岚的伤势，眉宇稍稍皱起，又很快平复下来，一边挽起衣袖，冷冷地朝着茉莉吩咐："剪刀！"

他的语气虽然冷漠，但是却有种让人难以抵抗的威严，茉莉知道他没有恶意，而且主动出手帮忙，于是连忙取了剪刀过来，看着他接过去，两下就剪开青岚背部的衣衫，然后又朝她伸出手："帕子。"

茉莉战战兢兢递了帕子，男人却没接，而是指了指水盆："蘸湿了。"

把水绞到半干，男人接过湿帕小心地擦拭伤口周围，等到凝固了的血迹化开，这才将衣衫一点点揭下来。青岚发出一阵低沉的呻吟声，似乎是觉得痛，身子动了动想躲，但还是被男人一把按住。

青岚的后腰以下此刻血迹斑斑，皮开肉绽，显得狰狞恐怖。

男人却面不改色，一声不吭地帮青岚将伤口擦拭干净，然后自怀中掏出一个瓶子，洒了伤药在她身上。受了杖刑不能坐卧，只能趴着，男人让茉莉取了个枕头，帮青岚垫在身下，又将被子往上拉了拉，不敢盖住伤口。

已是深冬，屋里格外阴冷，仿佛是从骨头缝里往外渗着凉气。

他倒是不畏寒冷，可这娇小的女子却显然不能。男子想到这里，于是抬手将自己的披风解了下来，小心地盖在青岚身上帮她御寒。然后又看了茉莉一眼，小宫女胆子本来就小，被这冷冰冰的一眼看过去，顿时魂都吓去了大半，冷汗涔涔地流出，大半个身子都缩到角落里去了。

青岚觉得自己整个人像是上一刻还被放在火上烤，下一瞬间就被扔进了结冰的深湖之中，忽热忽冷，备感煎熬，她忍不住在昏迷中呻吟，仿佛幼小的野兽一般痛苦地呜咽着。

半梦半醒之间，只见一个儒雅的蓝影在眼前闪动，仿佛是大雪之后初见晴空的蓝天，虽然寒冷刺骨，可那颜色却美得动人心魄。

"秀儿……"她仿佛听到有人在喊自己的名字，那人的舌尖仿佛有万分柔情轻颤，可在唇一张一合之间，便化为一片寂静。

是谁？谁在喊她？

那已被她丢入岁月深处的名字：李秀儿。

扬州的深冬，并不如汴京这般寒冷刺骨。

乾德元年的九月，淮南节度使李重进起兵反宋，圣上命石守信、王审琦等诸将领兵平叛。十一月初八，宋军自泗州登岸，三日后，天子亲临扬州城下督战，李重进被困数日，弹尽粮绝，最终选择在都督府中放火自焚。

那一场大火烧了数日才熄灭，巧夺天工的园林楼阁化作一片残垣断壁，李重进与妻儿更是尸骨无存……

青岚觉得自己仿佛又回到了那时候，母亲带着泪痕的脸在火中楚楚可怜，她朝着自己伸出手，却仿佛在遥不可及的地方，恋恋不舍地一遍遍唤着自己的乳名："秀儿，秀儿……"

"娘亲……"青岚哽咽着想要挣扎上前，却发现自己根本无法动弹。

"秀儿，你要好好地活着……"眼看着火舌将母亲一点点吞没，青岚只听见她带着哭腔的低语，"你已经许了亲，可惜娘……看不到你出嫁的那一天了……"

"娘亲！"

青岚惊呼一声，满头冷汗自梦中惊醒，也许是动作太大，触及了伤口，痛得她几乎当场背过气去。

王继恩人还没到眼前，声音倒是先到了："哎哟，姑奶奶哟，你可总算是醒了！"

青岚缓缓撑开眼睛，王继恩那张滚圆的大白脸已经凑到了跟前："醒了就好，醒了就好啊！"

青岚勉强朝王继恩笑了笑，这才敛目打量周围。记忆中，在她昏迷时，曾经看到一个蓝影在身边出现过，可此时房间里空空荡荡，除了这位白胖的王公公之外，哪还有什么别人！

不知道为什么，她的心里竟有些莫名的失望，只是不动神色地藏起了情绪，只将目光又转向了王继恩。

"有劳……"青岚原本想撑起身朝着王继恩道谢，可只动了一下便又痛得趴下了，"王公公了。"

"姑娘说的哪里话，"王继恩笑呵呵的样子就像个大白馒头，"太医院的沐大夫过来看过了，说是只要高烧退了，人醒过来了，就没什么事儿了，只要静养就好。你可不知道，你这一睡就睡了两天两夜啊！可把我吓得哟！"

两天两夜……原来自己睡了这么久。

青岚略微失神，目光散乱一瞥，却见到身上盖着的黑色披风，忽然愣住了。

她伸手摸了一下，厚重柔软，显然是男子所用之物。

"王公公，这是……"青岚心中一阵激荡，忽然浮现出某个人的影像来，虽然她知道他不可能会来，可心中仍然忍不住奢望。

王继恩神色一紧，连忙摇手："姑娘就别问了！"

在宫中，有些人，有些事，知道得越少就越安全，这个道理青岚自然懂得。既然王继恩一副"此事不可说"的紧张模样，她便也就不问，只是心中已有定论，那人必定不是晋王赵光义。

蓝衣……青岚将眸子敛下来静思，当日在紫宸殿后殿那冰冷却绝美的脸忽然涌入脑海，蓝衣锦带，一身肃杀之气直冲云霄。那个画面，她与他目光交错，互不相让。

难道是他？想起王继恩那日闪躲而顾忌的眼神，青岚的心中越发好奇起来。

这般神秘、这般冷傲，他，到底是谁呢？

前尘梦·今日情

杖责二十虽然打起来快，可养起来就真是颇费时间。等到青岚伤好了大半能下床行走时，眼看着就是春节了。

青岚惹得龙颜大怒被杖责二十的事情，早就在宫中传开了，理所应当的，众人都觉得这丫头很快就会失了圣宠，所以根本没人过来探望，寒冬腊月，甚至连一盆炭火都不愿意来送了。

王继恩虽然对青岚很是照顾，可毕竟要时刻候在御前等候差遣，能分身过来探望她的时候也不太多，小茉莉又被调去了宋皇后宫中，只留了两个粗使的宫女照顾着她，态度也只是不冷不热的。

青岚早就习惯了宫中人情冷暖，倒也不在乎这个，只是默默养伤，能下床了就开始扶着墙练习行走。

"哎呀！"

这已经是今天第十二次摔倒了……青岚揉着摔痛的膝盖慢慢站起来，她的伤刚刚愈合，所以使不上力，走不了几步，腿一软就摔下去。

不知何时，那个蓝影悄悄立于红漆木柱之后，一双眼眸里仿佛冰雪覆盖，望着青岚执拗地一次次从地上爬起来，继续蹒跚着一步步前进。

青岚知道自己必须很快站起来，否则，她这枚失去了作用的棋子，将彻底成为晋王的弃子。她不想再被抛弃。

前日王继恩来探望她，一时口快说起皇上有意为晋王选侧妃。虽然知道赵光义早有正妃，而侧妃也不止一个，可青岚觉得仿佛有只看不见的手紧紧揪住了自己的心，有一瞬间，她的心很痛，可发不出半点声音来。

她的救命恩人，她曾经无限仰慕的少年英雄，那一人之下万人之上的晋王千岁，是她倾尽一生都无法抵达的高度。

手指紧紧扣着墙面，那双白皙漂亮的手上此刻多了许多擦伤淤痕，她咬紧牙关，忍着疼痛艰难地缓缓行走，豆大的汗珠不知道何时从额角落下，悄无声息地跌入她的衣襟。

"啊！"

又是一声惊叫，蓝衣男子甚至听见什么东西重重撞上地面的闷响，这次青岚没有很快爬起来，而是跌坐在地上大口喘气。他无奈地沉下眼眸，身形闪动，人已经在数丈之外。

青岚痛得眼泪在眼眶里打转，她这次是真的摔得狠了，坐在地上半天动弹不得，心想着缓一缓再慢慢爬起来，可她试了试才发现腰根本使不上半分力气，最重要的是，她为了不让人看到自己这副狼狈的样子，所以把照看她的宫女都支走了，这会儿身边连半个人影都看不见……

正当她绝望地再一次准备尝试站起来的时候，忽然感觉一阵清冽浓郁的酒香迎面袭来，她脚下一空，整个身子已经被人给直接从地上抄了起来。青岚抬头就迎上一张毫无表情仿佛冰雕般的脸，乌黑的眼眸里沉寂空旷，直盯着她却没有半分顾忌。

"是你？"

青岚立刻认出面前的这个人，就是害她打翻了给皇上那盏茶的蓝衣男子。

男子嗯了一声，似乎是在回答她的疑问，大步流星地抱着她往房间走去。

"劳烦请放我下来！"

青岚不怕他，也不挣扎，只是非常平静地在他怀里说话。

男子脚步一停，却不说话，只是拿眼瞪她。

"劳烦请放我下来，我还想继续练习走路，暂时不想回房。"

青岚将话又重复了一遍，接着语气不紧不慢地把情由说明白。男子似乎是从未遇见能在他面前将话说得如此无畏的女子，愣了一下就真的弯腰将她放下来。

青岚勉强站定，艰难地屈膝朝着他福了福，权当是道谢。王继恩告诉过她，要她不要过问此人的身份，想来他能自由出入深宫内院而不惊动任何侍卫，青岚也猜到他必定不是一般人，所以对他的态度也格外恭敬。

慢慢地转回去继续挪着步子走路，原以为男子会离开的，没想到再一次跌倒时，那个蓝衣身影又飘到眼前，默默地朝她伸出一只手来。这一次，青岚没有回绝他的好意。这男子的身上自始至终环绕着一股子酒香，淡淡的，辨别不出是什么酒的味道，只是觉得，并不惹人讨厌。

她将手送入他的掌心，在他的帮助下缓缓站起身来。可没想到的是，男子握了她的手，便不肯松开。青岚执拗地挣扎了几次，奈何这人手劲儿实在是大，后来干脆抬眼淡淡瞪他，语气不卑不亢："请放手。"

男子沉默了片刻，终于缓缓开口，语气平静如水："我……扶着你。"

青岚一怔，凝神仔细端详，看不出这男子脸上有半分轻薄怠慢的模样，他的眼神十分诚恳，只是表情过于淡漠，所以，她一时间才没看出来他竟然是心怀善意的。

她向来对人和善，况且此种情景，恐怕就算是拒绝也没用，于是干脆权当这人不存在，继续跌跌撞撞地往前挪步。

青岚能听到他清浅平缓的呼吸声，男子一直没有说话，只是从旁扶着她。他的手沉稳有力，掌心却不似他的人那般冰冷，反倒有令人眷恋的温度，帮她卸去大部分的力道，这几步走来，倒是容易了许多。

"青岚姐姐！"

小宫女的声音从远处传来，青岚顿时一惊，循着声音转头去看，下意识地就要把手往回收。男子倒是抢先了她一步，只在片刻之间便将手松开。青岚看到原来是紫宸殿的宫女连翘，只感觉手上一凉，再回头时，那蓝衣男子已然不见了踪影，只残留浅浅的酒香环绕，才证明了他曾经存在。

"什么事？"

青岚回过身来，连翘已经一路小跑到了跟前，她头上亮闪闪的全是汗，语气清脆利落，仿佛连珠炮一样说道："姐姐怎么跑这儿来了，可真让奴婢好找，王公公刚才派人来传话，说是皇上刚刚在讲武堂发了火，把奉的茶都砸了，说是沏得不好，现在那儿跪了一屋子人等着责罚。王公公请姐姐赶紧过去看一看！"

"赶紧走，"青岚行动仍是有些不便，但一听事情就知道严重，既然连王公公都跑来向她求助，可见皇上这火发得不是一般大。她将手一伸，连翘会意地扶着她，两人匆匆往讲武堂的方向走去。

青岚步履蹒跚，又因为刚刚练习走路搞得十分狼狈，只不过事情来得突然，也来不及梳洗换装，到了讲武堂匆匆进了侧室，王继恩早已经等在那儿了。

王继恩这会儿确实急得像热锅上的蚂蚁，见青岚进门，于是赶忙迎上来："姑奶奶你终于来了，快点快点……"

"怎么这般急？"

青岚虽然嘴上问，可手上并没停下，匆匆挽了衣袖，连翘没扶稳，她险些迎头栽倒在地，所幸王继恩眼疾手快在旁边扶了一把。

"别提了，也不知道到底是怎的了，刚刚三司使的楚昭辅楚大人觐见，跟皇上单独议了一会儿事儿，这楚大人刚走，奴婢们奉茶进去，皇上就尝了一口，说沏得不好，直接就给扔地上了。"

青岚一边听王继恩说着事情的始末，一边净了手，把茶饼取出来，用竹夹捻着在火上烤。

"后来换了几次，皇上的脾气越发越大，茶盏都给砸了不说，奉茶的那几个，现在还都在里面跪着呢！"

王继恩也搞不清楚到底是怎么了，皇上极少发这么大的脾气，也不知道那位楚大人到底说了什么，竟然惹得皇上如此震怒。

青岚动作娴熟地研茶烧水，然后调膏冲泡，她特意用的是墨色兔毫纹瓷的茶盏，茶汤纯白透亮，连绵不绝。将茶沏好，青岚原本想将茶交给连翘，连翘惊恐地往回缩了一下，青岚才意识到，现在这个风口浪尖上，谁也不敢给皇上奉茶，生怕被迁怒责罚。

王继恩狠狠地瞪了连翘一眼，正打算再喊一个宫女过来接茶，青岚这边轻轻叹出一口浊气，抢先道："王公公，还是让我来吧！"

王继恩露出几分愧疚之色，他其实也不敢去给圣上奉茶，这才想着叫青岚回来。但见青岚此刻从容坦荡，他心里反倒有些犹豫了，支支吾吾地想说什么，可又不敢说出口来。

青岚朝他笑了笑，缓缓将挽着的衣袖放下，又将鬓发整理妥帖，这才步履艰难地端起茶盏往前殿走去。

她休养了月余，讲武堂倒是没什么太大的变化，只是今日气氛比较凝重，一进门就看到地上跪了五六个宫女，个个害怕地在发抖，地上到处都是碎瓷片，混合着茶水的气味。赵匡胤余怒未消，本想看份奏折的，可看了一半又直接给砸到了地上。

青岚走得很慢，提醒自己打起十二分精神来，小心翼翼地走到皇上面前，将茶盏放在书桌上皇上触手可及的地方。

赵匡胤没有看她，径直拿了茶盏就喝，但只抿了一口突然眉目一挑："青岚？"

青岚连忙跪下应道："奴婢在。"

赵匡胤没有说话，只是又喝了口茶，这才道："起来吧。"

青岚在心中长长地松了一口气，还好这回没再砸茶盏，看来她暂时还是安全的。只是不敢有丝毫放松，安静起身立在一边。

赵匡胤放下茶盏，又拿了一份奏折来看。这大殿里顿时寂静无声，奴婢们连喘气儿都抱着十二万分的小心，生怕一不留神声音大了，再惹得万岁爷生气。

"青岚，你的伤好些了吗？"

赵匡胤看了一会儿奏折，忽然问道。青岚礼貌答道："谢皇上关心，奴婢的伤已经没什么大碍了。"

赵匡胤嗯了一声，抬起头忽然看到地上还跪着宫女，于是极为厌烦地挥了挥手，道："你们都下去吧！"

众人听了，如同大赦般，赶忙叩头谢恩，然后连滚带爬地退下了。青岚也正想告退，忽然听到赵匡胤道："青岚，你留下。"

青岚觉得自己有点冒汗了，她伤没好透，挺直腰背站得久了，此刻便觉得腰痛难耐，几乎要站不住了。

只是圣命难违，她只得咬牙硬撑着，低垂着头，脸色煞白。

赵匡胤把手上的奏折看完，合上放在一边，这才又转过头来看着一直安静站着的青岚。

他忍不住又多看了她一眼，脑海中却不由自主地浮现出另一个人的影子来。赵匡胤抬手按了按鼻梁，终于放松下来，将身子靠在龙椅的椅背上休息，一边问道："你今年多大了？"

青岚把紧咬着的唇松开，努力让自己的声音看起来平缓一些："回皇上，过了这个年，奴婢就满十五了。"

她不满十岁便被送入宫中，时光荏苒，眼看着便要行及笄之礼。

赵匡胤轻轻摇了摇头，这几年把青岚留在身边，除了她办事谨慎，为人勤快又知分寸，更重要的是，他总是能从她身上，看到另一个人存在的痕迹。

"你的父母如今可还健在？"

青岚眼眸一垂，语气放轻却不失恭敬："五年前家乡瘟疫流行，奴婢的父母和弟弟，先后都染了病死了……"

这是赵光义早就为她编造好的身世，籍贯出身、户籍资料，甚至是入宫的前因后果，都写得翔实无比，只怕就算是有人费心去查，都查不出半点端倪来。赵匡胤听了沉默片刻，谁也看不出他眼中到底深藏着怎样复杂的情感，终究他只是挥了挥手："下去吧，告诉王继恩，别让人进来，朕想一个人静一静。"

青岚俯身福了福，规矩地行礼之后，后退几步，这才转身往殿外走去。

她感觉到后背泛起一阵阵凉意，冷汗浸透了内衣，手掌冰凉没有半点温度。

青岚咬牙硬撑着，直到看到王继恩和连翘迎上来，内心紧绷的一根弦才终于放松了。她脚下一个踉跄，迎头就要栽倒在地，亏得连翘手脚麻利，冲上来将她扶住。这才看到她脸色苍白如纸，整个人已经站不住，软绵绵地就往连翘身上倒去！

王继恩已经张开手上前要去把人搀扶起来，毕竟青岚也算是救了这一殿的人，只是他圆滚滚的身体动作稍慢，片刻之间已经有一个蓝衣人影自身边掠过，轻盈飘缈，宛若一道云烟。

"啊！"

连翘被吓得不轻，顿时一声尖叫，王继恩死命掩住了她的嘴，警告了她一句"闭嘴"，连翘猛点头，王继恩这才敢放开她。

连翘害怕地往王公公身后缩，王继恩回过头怒骂："小祖宗啊，你知不知道，万岁爷还在里边儿呢，惊了圣驾，你就算是有十颗脑袋也不够砍的！"

"公公恕罪，奴婢知错了！"

连翘一边赔不是一边打量将青岚抱在怀里的男子，那人虽然俊美无比，但总像是个没有生命的冰雕蜡像。他推开了连翘，将王继恩挡在一边，青岚于是毫无悬念地跌在他的怀中，被他的长臂一把捞住腰肢，这才稳住了重心。

青岚只是脚软腰痛，而并非昏厥，所以意识尚算清醒，那股子酒香她已经十分熟悉，不必怀疑，来的自然还是那位神秘的蓝衣男子。

青岚感觉到男子身上传来灼热的温度，不过这短短几日，她已经与这男子有过几次亲昵接触了。他沉默寡言，对青岚毫无恶意，青岚反倒觉得与他多了几分亲近。

"我还好，可以自己走。"

青岚用力撑着男子的手臂站稳，尝试着直起腰来，从他怀里脱身出来，侧身在旁坚持着屈膝行礼："多谢大人……"

她并不知道这男子的身份，但猜想必然不是寻常人物，所以便以"大人"称呼。男子安静地看了她一眼，见她脸色略惨白，但神色坚定，于是这才放下心来，略微点一点头，转瞬之间，人已经不见了踪影。

王继恩和青岚各自都长长松了一口气，冷不防连翘嫩声嫩气地问出一句："公公，那是谁啊？"

青岚已经朝她摇摇头，淡淡开口吩咐道："连翘，劳烦送我回去吧！"

连翘一肚子话都被堵了回去，王继恩满意地点了点头，青岚这丫头果然还是识大体又懂事的，难怪圣上如此赏识。

"公公，那青岚就先回去了。"

青岚俯身拜别，连翘在一旁小心地搀扶着她，憋着嘴巴怪委屈的样子。直至走出很远，青岚见左右无人，这才压低声音对连翘道："有些事情，不该是咱们做奴婢的人知道的，所以，还是不要多问得好。"

连翘一副半懂半不懂的样子，点了点头："知道了。"

青岚走出两步，不小心牵扯了腰背的痛处，于是忍不住皱了皱眉。

说来也怪，不知道为什么，只要觉得痛，就会想起男子那张冷若冰霜却俊朗的脸，仿佛是一个无声的印记，不知何时，就已经印入了她的心里。

青岚后来又休养了几日，期间王继恩来探望过，还带来了皇上赏赐的金疮药，之前众人大多都以为她这次再难翻身了，没想到竟然峰回路转，一下子，这御前奉茶宫女竟然又成了宫中的红人，只是青岚的表现一如既往，她不想惹祸上身。

稍好一些之后，她便回了紫宸殿当值。此时腊月将尽，眼看就是新春佳节，宫中张灯结彩，气氛十分喜庆。一进厢房就听见几个小宫女在窃窃私语，青岚走过去，隐约就听到"晋王""赐婚"等几个词。

青岚咬了咬唇，低头走过去取水。然而宫女们议论的声音却越来越大，显然这宫中是藏不住任何消息的，台面上的一点风吹草动，传到众人的耳朵里，那就成了惊天动地的大事。

晋王上书，请圣上赐淄州刺史李处耘之女为侧妃。

青岚侧了侧头，抬手默默地理了一下鬓发，将水缓缓注向白釉瓶里，日光穿过窗棂，映照得清亮透明。

看来，晋王很快又要迎娶王妃了。那个在她七岁时牵着她的手，将她带离恐惧的男人，从一开始就高高在上，而她注定只能站在低处仰望，渺小地自尘埃里开出花来。

那份遥不可及的思念，谁会懂得？

手上一阵冰凉，带着刺骨的寒意倾泻而来，青岚迅速地回过神来，这才发

现是白釉瓶的水满了溢出来。

怎么能如此大意！青岚在心中责备了自己一句，然后急忙找东西擦拭水迹。连翘急匆匆从前殿跑来，一路穿过众人挤到青岚身边，如同倒豆子般地道："晋王来了！王公公说，让咱们赶紧备了茶和点心送过去！"

青岚的手一顿，随即收敛眼底涣散的悲伤："好！我知道了！"

她转身仰起头，朝着刚刚停下聊私闲的众人道："都听到了？还不赶紧去准备！"

诸位宫女各有分工，听到是王继恩吩咐，哪敢怠慢，立刻四散忙碌起来。

晋王时常入宫，后殿备了他专用的茶盏，连翘早就熟悉地找出来，然后连同圣上御用的茶具一起小心地送到青岚面前。

青岚趁着煮水的间隙研茶成末，将茶末倒入茶盏中，静候水沸，然后点茶冲泡，动作行云流水，一气呵成。

四色茶点备下，青岚亲自端起托盘，领着宫女们至御前奉茶。

圣上议事多在讲武堂，天气寒冷，炭火烧得正旺，殿内倒是暖融融的。皇上身披紫貂大氅，晋王着白狐轻裘，地形图平铺在书桌上，两人一左一右，正在商议着什么。

青岚只看了一眼就不敢再看，心怦怦地跳个不停，她低下头去，将茶盏小心地摆在皇上手边的桌面上。

"哦？青岚啊！"

皇上先伸手拿了茶盏过去，这才注意到来奉茶的是青岚。他看起来心情不错，语气也很轻快："身子好些了吗？"

青岚俯身行礼："谢皇上关心，用了皇上赏赐的药，奴婢已经没事了。"

皇上爽朗一笑："不用这么拘谨，今天朕这里没有大臣，就朕跟弟弟两个人闲聊。"说着转头朝着宫女们挥了挥手，吩咐道："你们都忙去吧，青岚留下照应着就行了。"

"奴婢告退！"

宫女们齐齐跪拜告退，青岚原本只是想见晋王一面就离开的，但是没想到皇上竟然把她留下了，只得应了声"是"，然后垂首站在一旁候着。

晋王看了一眼青岚，端起茶盏抿了一口，然后赞道："今天这茶，又是青岚姑娘的手艺吧？很不错。"

青岚福了福："奴婢谢王爷夸奖。"

晋王露出温润的笑意，但下一秒忽然横眉竖立，骤然转至窗口的方向，厉声喝道："谁？"

青岚被吓了一跳，忍不住跟着晋王的目光看过去，只见一个蓝影干净利落地跃窗而入。来人身形挺拔，只穿一袭宝蓝色单衣，腰间挂一块白玉双鹤纹环佩，面容沉静如水，冷漠如冰。

是他！青岚心中一惊，她认得这人！

皇上朝着晋王摆了摆手，示意并无危险。这时候已经有侍卫听到动静，自殿外冲进来。男子脚步微错，瞬间隐于屏风之后。晋王顿时明白过来，抬头朝着严阵以待的侍卫们挥了挥手："没事儿了，你们都下去吧！"

青岚低下头，心中清楚，自己似乎是看到了什么不该看到的事情。只是皇上不让她退下，她便不能轻易走动，只能继续站着。

皇上放下茶盏，一切重归于平静，蓝衣男子这才重又闪出身来，在皇上面前单膝跪下，行的是军礼："见过皇上、王爷。"

皇上抬了抬手，示意他起身，不必多礼。

晋王侧头打量了男子片刻，忽然眼前一亮，将信将疑地指着他却看向皇兄赵匡胤，问道："这是……云溪吗？"

见皇上露出确认的神色，晋王显得十分惊喜："我还说呢，谁竟然能避开宫中那么多侍卫，都到了讲武堂窗外了还没人发现，原来是云溪，怪不得！"

青岚听到"云溪"二字，心中略微一动，杨云溪？莫非他就是传说中的清平侯？

她入宫五年，宫中逸事倒是听过不少，其中一则秘闻就是关于清平侯的。传说，当今圣上在登基前曾娶过一个侧室韩氏，此女过门时已经育有一个儿子。虽然并非亲生，但圣上还是将其认为义子，后来韩氏病故，圣上登基后还追封其为妃子，可见对其情深意重。

而这个义子，虽然没有皇家血统，但是皇上恩准他可以跟皇子一样可以自由出入宫禁，同时还许给他一个身份尊贵的爵位。

原来，她眼前这位就是鼎鼎大名的清平侯杨云溪！

"青岚，这里不用你侍候了，你先退下吧！"

皇上挥了挥手，显然是与杨云溪有话要说。

云溪为古酒之名，青岚由此便联想到他身上那股浓郁清冽的酒气，一时间忍不住心思恍惚，竟然就那么轻而易举地走了神，甚至连皇上开口喊她都未曾听见。

晋王见状，上前一步，掀袍跪拜："时候不早了，臣弟也先行告退了。"

他的声音清朗洪亮，一下子把青岚的思绪拉了回来，她这才反应过来晋王是在为她救场，于是也急忙福了福："奴婢告退！"

紧跟在晋王身后走出讲武堂，青岚一直望着那个熟悉却又陌生的背影，目光流转，那双明眸仿佛会说话一般，此刻倾诉的都是内心深埋已久的温婉深情。也许更多是对救命恩人的感激，又或许有一个少女心中可望而不可及的倾慕，青岚想，自己或许这辈子都没办法分辨得清那种感情。所能做的，也只有心甘情愿地为他做一枚有用的棋子了。

晋王悠然擎着一串红檀木佛珠在手中把玩，一边沿着回廊小径缓步向前，仿佛只是谈天说地一般地发问："青岚姑娘最近都读些什么书？"

青岚神色一凛，低头道："前些日子在读《山海经》……"

"那些稀奇古怪的，倒是难得你喜欢，"晋王呵呵一笑，神态自若，"本王记得府中倒是也存了一本，只是从未翻过，你若是喜欢，我改天让人送来给你可好？"

青岚连忙屈膝行礼："奴婢谢王爷赏。"

晋王抬手作势扶了她一下："小事一桩，不必谢了，听说皇兄时常派你出宫帮他买书，若是以后见了什么有趣的,也记得给本王捎上那么一两本就是了。"

说完之后又压低了声音轻声吩咐道："去查一查，皇上急召清平侯自岭南归来，所为何事？"

青岚不动声色地起身："奴婢记下了，请王爷放心。"

晋王这才放开她，转身大步离去。青岚站在原地不动，只是望着晋王的背影，心中百感交集。

那是七岁的李秀儿人生中遇到的第一个旷世英雄。如果说那时候的赵延宜还带着一点年少轻狂的意气风发，如同刚开了封的女儿红，清冽香醇，而如今的晋王位极人臣，早已经变成了一盏新茶，于沸水中仍能悠然自处，波澜不惊。

只可惜她无缘在他身边侍候，哪怕只是当一个奉茶的侍女也好。在这九重宫阙之中，女子最美好的年华注定要葬送于此，看尽花开花落，物是人非，最终也不过是化作一抔尘土而已。

青岚缓缓走回讲武堂后殿，皇上虽然与人密谈，但是外面总归是要有丫鬟守着的，热水要备着，茶点也要有，青岚将桂花酥糖装入食盒当中放好，只等着皇上召唤。

天色渐渐暗下来，讲武堂紧闭的大门终于开启，杨云溪缓步而出，一直在外候着的王继恩一脸笑容地迎上前去："侯爷可有什么吩咐？"

杨云溪面无表情地瞥了他一眼，语气倒是没那么冷淡："劳烦公公，请传膳。"

王继恩知道这必定是圣上的意思，哪敢怠慢，御厨房的晚膳早就备下了，有了皇上的一声吩咐，太监、宫女们便流水般地奉上碗碟杯盏，然后是各色膳食，只是当今圣上历来节俭，一众菜式也都朴实简单，清蒸鱼、八宝酱萝卜、白菜豆腐羹，外加一碟酱牛肉，因为杨云溪被皇上留下同用晚膳，所以王继恩又命御厨房多加了两屉包子。

席间倒是不需要青岚在旁边侍候着，只是饭后的茶要先备下，她跪拜之后，就回到后殿忙活着煮水烹茶去了。

皇上兴致很高，席间一直频频为杨云溪夹菜，不时拉着他谈天说地，只是杨云溪话却一如既往地少，就算回答皇上的问话也只是寥寥数字，不过皇上显然已经习以为常，所以殿内一直回荡着他爽朗的笑声。

愉快的用膳氛围一直持续到王继恩来报："楚昭辅大人在殿外求见。"

皇上的脸色骤然肃穆凝重，停下筷子，沉声道："宣吧！"

杨云溪仍默默低头吃着盘中的酱牛肉，仿佛什么都没有听到一样。

三司使楚昭辅进殿时并未身着官服，而是一席素衫，面色沉重，疾步上前立即跪拜在地："皇上！臣死罪！"

皇上似乎是颇为生气，厉声呵斥："既然知道是死罪，那你还来见朕干什么？"

青岚听到动静，放下手中正在擦拭的茶盏，缓缓走到门口，侧耳倾听。她还记得三司使楚大人上次入宫与皇上密谈，结果惹得皇上勃然大怒，在他走之后，皇上连着砸了数个茶盏，还朝着殿中的宫人们发了好大的脾气。不知道楚大人到底是犯下何种过错。

青岚屏息听着，听见殿内传来隐隐的对话声，她静静地听着，眼底一丝光

亮悄然燃起，犹如一团火光。竟然是这样啊……

楚大人一直匍匐在地上，头抵着地不敢抬起来，一边反复地悲悯求饶："臣死罪……"

皇上双目怒睁直盯着他："让你死还不容易吗？朕要的不是你的命，朕要你给朕一个解决的办法！"

楚大人颤巍巍抬起头来，瑟瑟发抖："为今之计，只能从江淮调运粮食，走水路入京，可是……"

欲言又止，皇上冷哼一声，似乎是看穿他的犹豫："朕不会下这道圣旨的，若是让百姓知道国库粮食存量不足，人心动荡，怕是会生更多事端！"

青岚低下头，于心中无声轻叹，前次楚大人惹皇上大怒，就是因为在清点国库时发现储存的粮食只够吃到来年二月，皇上勒令他清点核实之后再做禀报，看来，这位楚大人是真的走投无路了，才来自请皇上降罪。可是，想要不惊动地方官府，又要从江淮走水路调来大批粮食，对于楚昭辅来说，确实是比登天还难了。

楚昭辅左右为难，后背已经被汗水浸湿，仍是不停地往外冒着冷汗。皇上忽然转头看着冷静不语只专注用膳的杨云溪，轻声问："云溪，这件事你怎么看？"

杨云溪被皇上点到名字，于是停下筷子，平静地抬起头，两道如同寒冰般的目光从楚昭辅身上掠过，看着他惊恐地往后缩了缩，这才开口答道："楚大人确实办不到。"

就因为这一句，楚昭辅心中已经把这位清平侯感谢了八百次了，皇上的要求确实太难，他虽为三司使，位高权重，但确实没有那通天的本领。

皇上很嫌弃而又无奈地瞪了楚昭辅一眼，随手挥了挥："既然办不到，就在这跪着吧！跪到能办到为止！"

说完站起身来，不再理会楚昭辅，只往身后唤了一声："云溪，陪朕去外面走走。"

杨云溪低下头，起身跟在皇上身后，仍是一副冷若冰霜的表情。王继恩忙取来披风，服侍皇上外出，宫人们开始忙着撤掉碗筷，然后匆匆离去，最后只剩下楚昭辅仍直挺挺地跪在那儿一动不动。

青岚站在垂帘之后看了楚大人一会儿，便回身去沏了一盏茶，端到他面前去，俯下身柔声道："楚大人，喝盏茶吧！"

楚昭辅自然认得青岚，心中十分感激，双手接了："多谢青岚姑娘。"

青岚双手抱了托盘，笑容很柔和，在楚昭辅看来觉得暖融融的，仿佛是一盏茶暖了心。他将盏中茶一饮而尽，然后把茶盏递还给青岚。

青岚接了茶盏，一边悠然问："大人觉得这茶如何？"

楚昭辅只觉得这会儿齿颊留香，于是连忙点头，忍不住赞道："很不错。"

青岚露出很开心的表情："这茶是奴婢自坊间集市买来的，难得大人不嫌弃它粗俗，以后若有机会，奴婢再为大人冲茶。"

青岚笑着朝他福了福："奴婢先行告退了。"

楚昭辅望着她袅娜聘婷的背影悠然远去,耳畔回荡着她刚刚说过的话："自坊间集市买来的……买来的……"想到此处，他眼前骤然一亮，似乎是责备又仿佛懊恼地重重拍了拍自己的脑袋，之前怎么就没想到呢！

既然无法公开自江淮的州府各地征粮，但若是请旨下拨些银子，以商贩的名义至民间采购，再租借商船由水路运送抵京，不就可以解国库缺粮的燃眉之急又不惊动地方官府黎民百姓了吗？

楚昭辅又惊又喜，但略一沉思，忽然又一个念头涌上心头：这丫头究竟是有意提点……还是无心插柳？

虽然只是御前奉茶宫女，但能站在天子之畔数年，被杖责后却仍能深得圣宠，想来必也有一颗七窍玲珑心吧！就算是她想卖自己一个人情，也是有可能的，又或者是出于皇上的授意也说不定……楚昭辅在瞬间已经变换了无数个念头，但终了一想，毕竟自己是能逃过一劫了，而青岚到底是有意还是无意，此刻想想，也就不那么重要了。

青岚端了茶盏行至后殿，拿了沸水冲洗刚刚楚昭辅饮过茶的茶盏，眼眸垂落，神情安然。想必以楚大人那么聪明的人，必定能听懂自己言语间的真意吧！

她虽然和楚昭辅没什么交情，但能卖个人情给他，也总算是件好事，况且，若是真要以商贩的名义采购粮食，此事必然要经过晋王的手，三司使楚昭辅位高权重，晋王一直想与他结交，这下他倒是能主动送上门去了。

想到这里，青岚的脸上有笑容缓缓流转，温润如玉，那一刻绽放出的璀璨风华，只是隐于后殿之内，偏偏无人得见。

　　皇上出去转了一会儿，总算是觉得气顺了不少，这才折回来，进殿就看到楚昭辅还在那儿跪着，于是没好气地："你怎么还没回去？"

　　楚昭辅抬起头，他心中有了主意也就有了些底气，朗声回答，把自己的打算说了。皇上听完忍不住笑出声来："也亏得你能想出这么投机取巧的主意！"

　　但这么说，就是不反对的意思了。他面色柔和下来，俯身扶起楚昭辅，语气极为笃定："银两朕可以给你！但务必要在一个月内解决这个问题！"

　　青岚从后殿端茶出来，恰好听到皇上的话，心中不禁喜悦，社稷倾覆，毕竟非她所愿。

　　她为皇上奉茶，不经意间扫视一圈，却没有看到杨云溪，他并未跟在皇上身边，不知去了哪里。

　　青岚松了口气。不知道为什么，杨云溪在场的时候，她总觉得有种莫名的不自然。他身上的酒气时浓时淡，却总是在不经意间让她想起他的怀抱，他虽然冷漠如冰，但是，掌心却温暖灼热，令人不由自主地想要去信任和依赖。

　　那时候她牵着他的手，一步步蹒跚地练习行走。他轮廓分明俊秀硬朗的脸，再淡然的人，也会因为那一瞬间落入眼底的风华而倾倒。

　　青岚觉得自己的心骤然跳快了几拍，她垂下眼眸，掩饰了所有异样的情绪，俯身行礼，然后悄无声息地立在一旁候着。

　　皇上与楚昭辅商量了一阵子运粮入京的事情，楚大人告退之后便开始看奏折。书房里一片沉默，只能听见烛火爆开噼啪作响的声音，一杯热茶冷透了，不等王继恩朝青岚使眼色，她已经上前将一盏新茶换上，又小心地摆上一碟子桂花酥糖。

　　皇上一边看奏折，一边伸手去端茶，触到杯壁时感觉到微热的温度，于是抬起头来看，昏暗的烛光映衬下，少女的容颜显得分外娇俏动人，这一瞬间竟是像极了记忆中的那个人。

　　瑾画……那个在记忆里念念不忘的名字险些就脱口而出，皇上顿时慌了神，却还是勉强保持了理智，清了清嗓子："现在什么时辰了？"

　　王继恩忙答道："回皇上，就快到子时了。"

皇上起身伸展了一下四肢，坐得久了有些疲惫，他望了一眼看了一半的奏折，又看看神情平淡如水丝毫不见波澜的青岚，于是朝王继恩挥了挥手："夜深了，歇了吧！"

王继恩立刻躬身应道："奴才遵旨。"

青岚见状便上前来收拾茶盏，皇上沉默地凝望了她片刻，忽然开口吩咐了一句："青岚，明天出宫去帮朕找找，看看有没有关于江南风土人情的书，挑一两本买回来。"

青岚连忙应了声"是"。皇上不知道又想到了什么，指着桌子上那碟桂花酥糖道："朕不及你们这群丫头喜吃甜食，这个就赏你了！"

青岚一愣，随即跪拜叩谢。她毕竟是少年人心性，本就喜欢这些甜食点心，得了赏赐忍不住面露喜悦，跪在原地恭送皇上安歇了，这才兴高采烈地用食盒把桂花酥糖装了拿走。

她所住的厢房距离紫宸殿不远，索性就先回去放了食盒，这才又出来。刚一出院子，顿时一股寒风迎面吹来，穿透衣襟冷得刺骨。青岚穿得单薄，于是缩起身子，心想后半夜怕是起风了天才会这么凉，早知道就多添一件棉夹袄了。

她一手提着纺纱宫灯，一路拐向御膳房去。子夜时分，四处漆黑一片，风吹过树木林间，簌簌作响，她心悸之下，竟然想起闲暇时宫人们所讲的那些古怪逸事来，忍不住打了个哆嗦。

这时候人迹稀少，正是传递消息的好时候。晋王在宫中的细作众多，自然有一套安全有效的传讯方法，青岚已经通知了将来接消息的那个人，而会面的地方，正是御膳房。

好在紫宸殿到御膳房并不太远，青岚脚步匆忙，心想着夜长梦多，还是快去快回的好，只是越急偏巧就越心生慌乱，脚下一滑，不知道是踩到了树枝还是石头，身子一歪，惊叫一声当即跌倒在地！

脚腕一阵疼痛，青岚扶着青石板慢慢地坐起来，借着微弱的光亮看到宫灯打翻了。真是够倒霉的！她在心中暗自埋怨，自己怎么就这么不小心呢。挣扎着想要爬起来收拾，结果刚一用力就觉得脚腕软软地用不上劲儿，青岚身子一晃又坐了回去！

这时似乎面前骤然有凉风刮过，青岚心中顿时警觉，抬头定睛望去，却真是结结实实被吓了一跳！

杨云溪一身玄色衣袍立于她面前，几乎就要这么融入黑夜中去了，目光却毫不掩饰地落在她身上。他不说话，只是朝她伸出手，乌黑的眼眸在黑夜中亮如繁星，带着值得信赖的光芒。

青岚心中一动，仿佛被那个人的眼神蛊惑，不由自主地朝他伸出手去。

杨云溪稳稳握紧了她的手，搀扶着她重新站起身来，然后重又弯腰帮她拾起宫灯。青岚攀在杨云溪的手臂上，小心地踩在地面上试了试，这会儿疼痛似乎缓解了些，只是还不敢使力，只好无奈地皱了皱眉。

"多谢……侯爷。"青岚勉强站稳便主动挣脱杨云溪的手，毕竟她只是一介宫女，被人看到就不好了。

杨云溪望着青岚微微敞开的领口，隐约露出一条红绳，似乎坠着什么沉甸甸的饰物，他愣了愣，终于开口说了今晚的第一句话："杨云溪……我的名字。"

青岚被他这没头没尾的一句话惊住了，仔细思索了半天也没明白他的意思，不经意间扬起头来，满脸都是不解的神色。她早就知道他的名字啊！为何他还要再说一遍呢？

杨云溪沉默了一会儿，不知道想到了什么，于是又道："不要喊侯爷。"

青岚把这两句前言后语顺在一块儿，终于才明白过来杨云溪的意思似乎是不要喊他侯爷，但可以喊他的名字。只是，这似乎不合规矩啊！

她被杨云溪肆无忌惮的目光看得有些芒刺在背的感觉，于是从他手中拿过宫灯，后退两步屈膝行礼："奴婢告退了……"

原本脚腕就不能用力，青岚觉得自己做行礼的动作已极为小心了，但这一下还是痛得脱了力，直接一头就朝着地面栽了下去！

青岚以为这次必定是又要摔了，但就在这时一只手伸了过来，稳稳地扶住了她完全失去了重心的身体！

杨云溪很自然地张开怀抱，将青岚整个儿接住，顿时温香软玉跌了个满怀，他脸上仍然保持着冷冰冰的模样，似乎对什么都不感兴趣的样子，但是心中却禁不住一阵轻颤。青岚惊恐之下竟然不自觉地伸手环住了他的脖颈，肌肤紧贴，自她身上传来清冽的茶香，应该是长年累月与茶为伴而侵染的，而且一切源自天然，所以显得格外清新脱俗。

杨云溪深吸了一口气，茶香充盈了鼻息，他虽然天性爱酒，但却并不厌恶这样的茶香。他关切地看着她，目光柔和，青岚的眼眸清澈如同琉璃，色泽稍显浅淡，却极为纯粹。他忍不住心驰荡漾，挽着青岚纤腰的手臂骤然收紧。

青岚忍不住皱眉，抬头不经意间便迎上杨云溪的目光，他的眼神此刻并不如往昔那般冰冷刺骨，而是温暖的，乌黑的眼眸轻轻闪动，那一双眼，似乎在记忆中的某一时刻似曾相识。

薄唇抿成一线，鼻梁高挺，眉目如水墨远山，在一片烟雾缭绕中渐渐清晰凝聚。他没有如同一般达官显贵那样以金玉发冠束发，长发只是以一条水蓝丝带结在一起，被风一吹，便飞舞起来。

此情此景，美得令人心驰神往。

与杨云溪的对视让青岚慌了神，时光恍若停滞不前，唯有二人的心跳声越发清晰……雪花无声无息间自空中飘落，细软微凉，落在脸上便骤然化作一片冰凉的水。青岚被这凉意唤回神来，有些脸红羞涩地松开挽着杨云溪的手，小心地从他怀中脱身。

"呀，下雪了！"

青岚又惊又喜地探出手掌，试图将缓缓下坠的雪花接住，但雪被风一吹便飘然远走，握紧了再张开，掌心里仍是空空荡荡，不过少女的脸上却满是藏不住的欢喜。

杨云溪看着她毫不掩饰地露出孩子般活泼的神情，与平素那个沉稳内敛的青岚判若两人，忍不住也动了动嘴角，似笑非笑。

青岚在雪中站了一会儿便感觉到抵挡不住的寒意，她本就穿得少，再加上雪落在身上，化开一片湿冷。她忍不住哆嗦了一下，伸手放在唇边用力呵了一口气，手掌交错着搓了搓取暖。

带着男人体温的披风稳稳落在她肩头，青岚意外地抬头，杨云溪面色平静地帮她系好带子，然后细心为她拉上帽子，这才放心地自她肩头把手收回。

青岚此时几乎被石化，站在原地手足无措，心跳却骤然加快，她只能低下头，庆幸现在是深夜，杨云溪应该看不到她此刻满面飞霞的模样。长这么大，杨云溪是第一个对她如此悉心呵护的男子。在他面前，她仿佛成了尊贵的公主，他倾尽心思，只为博她红颜一笑。

"你要去哪？"

杨云溪自她手中接过宫灯，取了怀中的火折子重新点燃，然后便这么从容地一手撑着："我送你。"

青岚心道不好，她这是要去御膳房传递消息出宫，若是让杨云溪跟去了，很容易被他发现。她想了想找了个借口："奴婢之前有些肚子饿，想去御膳房找吃的。不过现在又不太饿了，想回去休息了。"

杨云溪看了她一眼："我想喝酒，一起去。"

他的语气是笃定的，似乎是青岚说的后半句"想回去休息了"之类的话，他根本就没听进心里去。青岚眼前一黑，心想自己怎么半夜出门还能遇上这尊大神，甩都甩不掉的。

杨云溪伸出一只手到青岚面前，没说话，只是看了她一眼。青岚知道他愿意扶着自己，于是后退半步，摇了摇头："奴婢不敢，奴婢自己能走。"

说完就咬紧牙蹒跚往前走，杨云溪只是沉默，但提着宫灯走在青岚身侧，不动声色地为她照亮面前的路。

两人各自沉默前行，却各怀心思。

青岚心中盘算的是如何才能将消息传递出去却不被杨云溪察觉，又担心来会面的那人行踪举止会引起杨云溪的怀疑，心中颇为纠结，而杨云溪心中则很是无奈：这丫头倔强要强的性子倒是半点都没有变过。

虽然是子夜，但御膳房仍有人值守，生怕皇上或是宫中诸位主子有什么临时的需要，杨云溪虽然极少有宫人认识，但是青岚却是熟面孔，她轻而易举地就拿到一碗热汤面，还顺手帮杨云溪找来一坛冷泉。

杨云溪也不温酒，直接拆了封就喝，冷泉酒如其名，浓香醇厚，入口透着凉意。青岚捧着碗坐在那儿吃得正香，热腾腾的清汤面上撒了几片葱花，虽然不是什么山珍海味，但似乎是因为天凉湿气重的关系，忽然就觉得格外美味。

杨云溪几口酒下肚，见青岚吃得香，顿时觉得肚子也有些饿，只是不好开口，闷闷地又喝了两口酒，放下酒坛仍是盯着青岚手中的面不动。

青岚吃着吃着觉得一道目光一直盯着自己看，抬头就迎上了杨云溪的注视，她看出了杨云溪眼中藏不住的渴望，于是朝他扬了扬手中的筷子："要一起吃吗？"

青岚见杨云溪站在那儿拎着酒坛子发愣，于是干脆自己找了双筷子塞进他手里，然后笑吟吟地将碗送到他面前道："呐，快吃吧！凉了就不好吃了！"

她完全笑开的时候，鼻子微微皱起来显得十分娇俏可爱。杨云溪感激地看了她一眼，沉默片刻，最后还是从她手中接过了筷子。

杨云溪吃面的样子十分优雅，一看就是出身名门。青岚比他吃得要快，但也只是小口闷闷嚼着，一边满怀心思地倾听着周围的动静。

担心什么偏就来什么，青岚心中还想着那个跟自己接头的人何时会出现，这边杨云溪忽然眉梢上挑，厉声喝道："谁？"

话音未落，杨云溪的人已经化作一道黑影，于瞬间便从青岚面前掠过，直奔那个传来异动的方向而去！

青岚阻拦不及，心急如焚，但又偏偏无计可施，便赶紧丢下碗追了出去！

来人身着黑衣，刻意隐藏踪迹，从身形上来看，应该是有武功底子的。杨云溪追上黑衣人，挥手出掌，和他缠斗在一起。

青岚追出来就看到杨云溪和黑衣人交上手了，那人身手倒是不弱，至少也能做到在宫中不惊动侍卫来去自由，只是杨云溪的武功要远远在他之上，所以从一开始就逼得他节节败退，只有招架之功，而无还手之力。

青岚这才意识到杨云溪的武功竟然这般精湛，显然不应该是闲散侯爷该有的。再一联想到之前皇上单独与杨云溪密谈，顿时就觉得他的身份应该没有表面上的那么简单。

只是这时候来不及多想，青岚抬头就看到黑衣人的手腕上染着一抹朱砂，这是与她确认身份的标记。她脑子转得飞快，片刻之间便有了主意。

青岚不动声色地上前一步，低了低头，让对方能清楚地看到她鬓发间的翠色暖玉发簪。那是她身份的标记，只要是晋王的人，就算不认识她，也能凭借这支发簪确认她的身份。

在来之前，青岚就已经将要传递的信息写在了字条上封于蜡丸之中，这时候干脆取出来扣在手心里，垂手掩袖，然后又往两人的战圈靠近了一些。

那人只一眼就看到青岚头上的发簪，见她靠过来，顿时猜出了她的用意，于是趁着与杨云溪对掌的工夫，疾退几步，顺势转身冲向青岚的方向！杨云溪以为他被逼的要逃，想要拿青岚掩护，于是心急地追上去阻拦。

青岚见那人朝自己跑过来，于是心领神会地装作后退要躲闪，结果脚下一滑，恰好就被黑衣人扯了胳膊拉在身前，于是她顺势将扣在掌心的蜡丸往他手里一塞，然后故作惊讶地尖叫起来！

杨云溪被她的尖叫声吓了一跳，只是稍稍迟疑的工夫，黑衣人已经将蜡丸接了过去，然后从背后将她用力往杨云溪的方向一推！

青岚这才放下心来，闭上眼睛放松四肢，就那么直直地跌了出去……她心中极为清楚，杨云溪一定会及时接住自己。果然毫无悬念地落入了一个熟悉的怀抱，男人身上带着冷泉的凛冽酒香，浓郁扑鼻，熏得她仿佛都有些醉了。

不知道为什么，脑海中竟然浮现出早已经被她深藏在记忆中的画面。

七年之前，京都繁华喧闹的街头，她舒展双臂宛若白鸟般自高处坠落至赵延宜的怀抱中。

那时候，她也是这样小心而胆怯地抬起头来，看那英武男子棱角分明的侧脸。

时过境迁，物是人非。现在，她仿佛又回到了从前，依偎在厚实安全的怀抱里，温暖如昔。

青岚缓缓睁开眼睛，从杨云溪注视自己的眼神中察觉出些许不易流露出的款款深情。青岚顿时一个激灵，两人此时的动作太过暧昧，若是被人撞见了那便是大罪，她猛地推开杨云溪，心却抑制不住地跳得越来越快。

青岚整理了一下衣襟鬓发，朝着杨云溪福了福道："多谢侯爷，奴婢先行告退了！"

说完匆忙转身就跑，脚踝还隐隐作痛，她顾不上多想，只一门心思地要从杨云溪面前逃开。

杨云溪静静立于斑驳夜色之中，望着青岚惊慌失措地跑远，冷冽的目光中透出了一丝不易察觉的哀伤，但他很快收敛了这种表情，一脸沉静地从怀中取出一支短笛，送至唇边。

笛声尖厉，仿佛肃杀之气直入云霄。

随着这笛声缓缓传开，不一会儿的工夫，便有十几道黑影自各处飞驰而来，他们全都身着玄色暗服，以黑巾蒙面，奔至杨云溪面前纷纷跪拜，杨云溪抬眼横扫一圈，见人到齐了，于是朗声开口："宫中有细作出没，彻查。"

众人领命，便又在瞬间四散而去，只剩下树枝在风中摇曳，这些人仿佛从未出现过一般，唯有杨云溪一人立于纷飞的大雪之中。

这不过是一场梦而已……青岚在雪中疾走，心中不住地这么告诫自己，可是无论她怎么努力想要抹去杨云溪的面孔，最终却只能是徒劳。

有些人、有些事，若是不想再提起，那不妨就在这个下雪的深夜，从此忘记。

晋王此刻也正立于庭院中，他身披狐裘，底下是一袭月白长衫。

他的身后站着一位红衣女子，一袭干练的武士服，短襟窄袖，她双手捧着一把青色宝剑，坚毅的表情下面，不乏女性的柔美，不施粉黛，却也丽质天成。

晋王抬头望向天空，忽然抬手脱下身上的狐裘，随手扔在雪地里，单手抽出红衣女子手中的宝剑，利刃出鞘，寒光四溢。晋王似乎是来了兴趣，刷刷舞出一套剑术来！

白衣冷剑，在飞雪连天之中更显得飘然灵动，晋王的剑招一路走下来，红衣女子双手依旧捧着剑鞘，在旁面带笑容，静静注视。

"真是一场好雪！"

晋王反手将剑收于身后，大步走到红衣女子面前，手臂一扬便将宝剑还于剑鞘之中。

红衣女子取了锦帕递上，笑道："爷的心情看起来很好呢！"

晋王接过锦帕擦拭额头的汗水，一边轻喘："何以见得？"

红衣女子笑道："若不是心情好，那么夜都这么深了，爷您为何还不安歇呢？"

晋王哑然失笑："你这丫头，明明是我问你，倒是变成你问我了。"

晋王看起来确实心情愉悦，所以也就直接用上了"我""你"的寻常称呼，晋王将手一挥道："算了，告诉你也无妨，本王总觉得，今夜宫中会来人，所以干脆就在这儿等着了。"

红衣女子躬身接过晋王擦汗用的锦帕，然后奉上一盏茶。晋王重新披了狐裘，抿了一口茶，见红衣女子咬了唇却没问出半句话来，于是调侃道："怎么还赌上气了？本王也没说不让你问啊！"

红衣女子道："王爷多虑了，奴婢只是在猜想，是不是因为收到风声说楚昭辅大人进宫面圣，所以您才觉得宫中今夜会有消息送出来？"

晋王点点头，语气颇为赞许："你倒是很聪明，本王确实是这么想的。只不过，连夜送消息出宫，势必要惊动影堂的人，本王有点担心……"

红衣女子见晋王欲言又止，于是主动接话："王爷可是在担心他们被宫中暗卫察觉行踪？"

晋王的眼中闪过一丝不易察觉的神情："原本是不怕的，只是杨云溪回来了，事情似乎有点难办了。"

红衣女子十分诧异地："清平侯？"

"若只是一个富贵闲人，就算是封侯封爵本王半点都不会放在心上，可是，以杨云溪的身手，只要他留在宫中，影堂暗卫若有所行动，势必会被他察觉到。"

晋王轻叹一口气："更何况，本王到现在还不知道，杨云溪这次到底为什么回来……"

这也是他吩咐青岚去调查的事情，一天不搞明白这件事，他们就没办法及时做出防范。

"可需要奴婢去查？"

红衣女子朗声问道，晋王摇摇头："暂时不用……"

他话音未落，风中忽然寒光一闪。红衣女子抢先一步，抬手将那一点寒光接在掌心，摊开一看，原来是一枚蜡丸。

晋王这时候才缓步上前，自那掌心中把蜡丸取走，抬手微微用力一捏，便露出当中的字条来。

红衣女子心领神会地取来一盏纱灯，摘了灯罩，晋王看过字条便直接放在火上烧了。

"果然是宫中来的消息，"晋王略有兴趣地看向红衣女子，"醺丫头，你不妨猜一猜，这字条上说的到底是什么事？"

醺丫头凝神沉思片刻，语气带着试探："该不会是……国库真的要断粮了吧？"

他们已经得到风声，称三司使楚昭辅已经盘点国库完毕，但是发现所有的粮食只够吃到来年二月。

晋王将双手一拍，似乎并没有受到坏消息的影响，大笑道："应该不会了。楚昭辅向皇兄提了个解决的办法，以银两自民间采购粮食，运河畅通的话，不出一月必能运入汴京。"

"王爷打算怎么办？"

对这个办法，醺丫头将信将疑，总觉得过于冒险，能否真正实施还是一说。晋王悠然一笑，不以为然地挥了挥手："既然什么都知道了，那就在府里坐着，等着他上门来就行了！"

晋王钱粮充足船又多，而楚昭辅就算不缺钱，也一定会缺船，运粮最重要的是船，所以，晋王料定楚昭辅迟早都会自己找上门来的。

想到这里，晋王露出些许得意的神色，随口吩咐："醺丫头，吩咐下去，凡是要租船往江南走的，一律扣下，等我定夺。"

醮丫头欣然领命，脆生生地应了一声"是"。

晋王抬头望着天空纷然落下的雪，心中暗想，赵普啊赵普，你这最得意的伙伴，很快就要投入我的麾下了，我倒是很想看看，你知道这件事后会作何反应呢？

前尘梦·笑倾城

清晨时分雪已停了，只是一片银装素裹覆盖了整个宫闱内外，显得分外别致，给庄严肃穆的宫禁增添了几分淡雅。

青岚走出门，雪后清爽的气息扑面而来，顿时觉得心情愉悦了起来。因为被皇上吩咐出宫办事，所以她并没有一早就去紫宸殿侍候，而是打算出趟宫，把书买回来。

正要走，青岚抬眼就看到一个杏色身影从隔壁厢房走出来，那是与她住同院的尚仪女官崔曦墨，只见崔曦墨脚步很快，看起来行色匆匆。青岚虽然在御前侍奉，但没有官品，见到尚仪理应是要问安的。她正打算上前行礼，却见崔曦墨看也不看她一眼，一阵风般地自她面前掠过。

青岚耸了耸肩，她与这位尚仪大人其实不是很熟，既然对方有事要忙，那就不打扰了。

青岚带了出入宫的腰牌，和平常一样叫了马车出宫。皇上虽然是武将出身，但极喜爱读书，每隔一段时间就会吩咐她出宫去买几本书回来，青岚回回都会去相国寺东大街上的一家书局买书，去的次数多了，连掌柜都与她十分熟络，一见她进门，立刻就热情招呼："青岚姑娘，今儿要买什么书？"

青岚笑容温和亲近："我家爷想看有关江南风土人情的书，不知道掌柜有什么推荐？"

掌柜想了想便列出几本，拿来给青岚一一挑选，她大略翻看着，想要从中挑出那么一两本来，掌柜这时候却突然又拿出一本书来，恭敬地放在她面前："对了，这是前日有位客人留在这里的，说是等您来了，要转交给您。"

青岚抬眼定睛一看，脸上顿时浮现出惊讶的神色，那赫然是一本《山海经》，她缓缓翻阅，却发现这只是再平常不过的一本书，连扉页印着的都不是晋王常用的"延宜"私章，而是他极少用且鲜为人知的一方印信"偶得藏书"。

是晋王送给自己的吗？她垂下眼眸，那日她曾对他说起自己在读《山海经》，晋王便笑称自己府中有一本，要改日拿来了送她，没想到他竟然不是说笑。

青岚双手捧着那本书，沉思良久，终于将它小心地收在身边，然后从一堆书中挑出两本，礼貌地递了银钱过去："掌柜，就要这两本吧！"

她虽然表现得十分平静，心中却百感交集，她确实想不明白晋王让人送来这本书的用意。从她入宫以来，晋王除了派人传话或者亲手写字条给她之外，从未送过她任何什物。而这一本让她心潮澎湃的《山海经》，青岚不知道到底意味着什么。

就这么一路胡思乱想着回宫，青岚把《山海经》仔细地收在了房间里，然后捧着两本书直接送到皇上的书房。此时皇上尚未下朝，书房外只有几个值守的太监在打扫，青岚已经不是第一次出入，所以也就没人拦她，反倒主动向她问好。

青岚进门就看到连翘正往外走，见到她露出两颗小虎牙："青岚姐姐，怎么一早上都没见你，天这么冷，你这是去哪儿了？"

青岚向她晃了晃手中的书："出宫了，给皇上买书去了。"

连翘露出十分羡慕的表情："出宫哎！我都好久没出宫了呢！"

青岚悠然一笑："下次带你去就是了。"

连翘兴高采烈地拍拍手："太好了！要说话算数哟！"

青岚点点头，正欲往里走，连翘拉了她一把，抬手指了指一旁小几上放着的炭炉："都是刚放的，姐姐可小心着点，千万别烫着啦！"

"知道了，"青岚亲昵地拍拍连翘的手，"外面冷，你也小心别冻着了。"

书房被炭火一熏，渐渐暖和起来。青岚把书小心翼翼地摆在桌子上，目光一瞥，便落在一旁成叠的奏折上，她谨慎地抬头看了一眼，见房中无人，于是飞快地抬手在桌上翻起来！

果然是有密信的！

青岚翻着翻着骤然停下，指尖一僵，顿时变得寒冷彻骨，仿佛坠入冰窟。

竟然是这样的啊……青岚盯着那密信看了半晌，终于果断地将它放回原位，然后快步往门口走去！

昨晚扭了的脚腕，此时还有些隐隐作痛，但她此刻心中只有一个想法：一定要尽快把这件事通知晋王！

刚迈出门口，不远处忽然传来王继恩尖细的声音："皇上驾到！"

青岚脚步一停，连忙跪倒在地，低首恭迎圣驾。

皇上下了早朝略显疲惫，但仍是大步流星地迈进书房，看到跪了一地的宫人，于是随口吩咐道："都起来吧！"

青岚拎着裙摆起身，原本以为皇上没看到自己，所以打算悄悄退下。

当值的宫女立刻送上茶来，皇上接过抿了一口，忽然开口："青岚，上午不是你当值吧？你怎么过来了？"

青岚冷不防听到皇上喊自己的名字，赶忙应了一声，转过身来答道："回皇上，上午确实不是奴婢当值，奴婢出宫去帮皇上把书买回来了，这趟是过来送书的。"

皇上眼睛一亮："书在哪儿呢？"

皇上抬手将茶盏往青岚面前一递，青岚很自然顺手接了，双手捧着恭敬地立在那儿答道："回皇上，已经搁在您桌子上了。"

皇上快走了几步，胳膊伸长一抄将书拿起来在手上简单翻了翻："青岚，你可知朕为什么要你去买这些书？"

青岚默默地端了茶盏跟过去，搁在书桌上，低下头："奴婢不知。"

嘴上虽说不知，青岚心中却明镜儿一般，当今圣上如今对江南之地十分看中，现在已经开始着手了解当地风土人情，看来是心中已经有了出兵南征的打算。

她一介宫女，这种军政大事自然没有开口议论的资格，在宫中若想平安无事，最好的办法便是让自己看起来笨一些才好。

王继恩在一旁乐呵呵地帮青岚打圆场："皇上就别为难岚丫头了，万岁的心思，咱们做奴才的怎么可能猜得到呢？"

皇上似笑非怒地说了王继恩一句："就你会拍马屁！"

青岚低下头，迅速将事情的前因后果在脑海中依次串联起来，因为有了出兵南征的打算，所以要先稳住朝中不安分的某几位。皇上才将一直在外的杨云溪急招回来，刚刚看到的那封密信也证实了她之前的猜测，杨云溪果然不简单。

必须通知晋王早做准备，否则……青岚心中想着，不自觉地就往后退，却丝毫未曾留意到她的身后正是那放了炭炉的小几！

"青岚？"

皇上抬头看到青岚正往后退，心中不解便开口喊她。青岚冷不丁被吓得心怦怦直跳，顿时脚下一歪，昨夜扭伤的脚腕一阵刺痛，身体便无法抑制地往小几撞了上去！

"小心！"

蓝色身影如同一道寒风迎面而来，竟是连身形都看不清楚的凌厉敏捷。王继恩胖胖的身躯一震，似乎是被结结实实地吓了一跳，但没忘了张开双臂挡在皇上身前。反观皇上倒是没那么紧张，他早就习惯了杨云溪这种来去毫无半点征兆的举动。

青岚原本以为自己要跌倒，而且在跌下去的瞬间感觉到灼热气息扑面而来，她忽然想起连翘出门时对她说的，那是刚放的炭炉，她毕竟只是个年轻少女，顿时心中一阵恐惧，躲闪已经来不及，只是下意识地紧闭了双眼！

但是似乎她并没有跌倒，而且，也没有撞翻滚烫的炭炉……青岚猛地睁开眼睛，杨云溪面无表情地看着她，半句话也没有，只是将她扶起来站好，然后迅速地松开手，将手掌默默地垂了下去。

"侯爷……"青岚惊魂未定地望着突然出现的杨云溪，忽然注意到他垂在身侧的手背一片通红，似乎是被烫伤的样子。

"奴婢该死！请皇上恕罪！"

青岚大惊失色，连忙跪倒在地请起罪来，她刚刚这一番动静毫无疑问是惊了圣驾了。

皇上爽朗一笑："没事儿，你起来吧！"

说着朝王继恩摆了摆手，后者立刻会意地招呼人来把炭炉给撤了下去。

青岚战战兢兢地站起身来，见皇上脸上挂着笑容，似乎真的没有生气，于是这才放下心来，心道自己得要镇定，不能像刚刚这般乱了分寸才好。

青岚的目光从皇上身上转到杨云溪那儿，刚一落定，杨云溪立刻就抬眼回看过来，默默往后退了一步，将那只烫伤的手背到身后去。

碍于皇上在场，青岚又不好意思开口询问杨云溪的伤势，心中有些担忧，只能低下头暗自发愁。皇上看了杨云溪一眼，对众人摆了摆手："朕和清平侯有事要议，你们都先下去吧！"

青岚稍稍迟疑，被王继恩从身后扯了一把，将她半拖半拽地给拉走了。

"岚丫头，你今天这是怎么了？这次是你命好，皇上不计较，否则惊了圣驾，你有几颗脑袋也不够砍的啊！"

刚出了殿门，王继恩就开始数落起青岚来，他平常就对青岚十分关照，责备也是好意。青岚立刻点头受教，一脸惭愧的模样："公公恕罪，奴婢许是昨夜下雪时受了凉，所以有些不适，才惊了圣驾，奴婢下次一定小心。"

说着她还以手掩口，轻轻咳嗽了几声。

王继恩叹了口气，青岚的为人处事他平日里看得明白，就知道今天她频频走神，必然是有原因的，他挥了挥手："既然受了寒，那么这几天的当值，我让别人替了你便是了，只是你在御前犯了错，不罚不行，月钱还是要扣的。"

青岚福了福："多谢公公。公公的教诲，奴婢一定谨记，绝不再犯。"

没被皇上责怪，这几天还可以不必当值，这对她来说，已经是最好的结果了。

回到房间还不到午膳的时间，青岚觉得四肢无力，身上又有些冷，似乎是真如她所说有些不适，于是连忙烧水，沏了一杯浓茶驱寒。

此刻她心中万分焦急，仍是牵挂着那封皇上桌子上的密信，但是上次与人传讯，已经惊动了杨云溪，这一次想要故技重演估计是怎么都行不通了。可是，事关重大，她必须找机会与晋王一见。

青岚思前想后，终于想到了一个办法。她飞快地站起身来，打开衣柜，把藏在里面的《山海经》取了出来，捧在手上凝视了半晌，终究还是深深地叹了口气。

这本书，注定与她无缘啊！

她写了一封信函，与这本《山海经》一起，以一方锦布仔细包好，然后抱了布包匆匆出门而去。

"什么？是她让人送回来的？"

晋王看着面前桌子上的《山海经》，心中有些诧异，他前一刻刚收到书店掌柜送来的消息，说青岚已经将书带走了，可是竟然没过一会儿，书竟然就自宫中退了回来。

醺丫头点点头："是托了一个宫中驾车的车夫，然后送去店里的，还写了一封书函，上面只说，这不是她的书，许是掌柜弄错了，希望将其物归原主。"

说着醺丫头将信函呈上，晋王接过来凝眉细看，片刻便道："青岚不是那么冲动的人，这次这么急切地把书送回来，一定是有原因的。"

他说完，将手腕上戴着的一串佛珠摘下来，缓缓在手中转着，似乎在思索什么，忽然眼前一亮，语气极为笃定："她不用影堂暗卫，一定是宫中有什么变故！"

晋王随手将信函一抛，站起身来："本王要进宫一趟！"

醺丫头欲上前阻拦："可是爷，您这般仓促入宫……"

晋王这时候已经披上狐裘披风，哂然一笑："放心，本王自有打算。"

醺丫头知道晋王行事向来周密，所以也不再担心，俯身行礼："奴婢去为您备车。"

不一会儿，一辆马车自晋王府邸而出，朝着皇宫急驰而去。

此时尚未到正午时分，皇上与杨云溪的密谈刚刚结束，杨云溪一直将手背在身后，脸上虽然未有所表现，但是，烫伤的地方确实火辣辣地痛，他握紧了拳头，试图让痛感稍稍减轻一些。

皇上似乎并没有察觉到他的这个小动作，说完了正事，想起先前的情景，随口问道："朕看你对青岚，似乎特别注意。"

杨云溪低垂的眼眸突然轻颤了一下，随即恢复正常，淡淡答道："臣没有。"

他越是表现得不在乎，皇上就越好奇："青岚过了年就满十五了，也是个聪明灵巧之人，又跟了朕这么久，朕将她许给德昭做个侍妾，你觉得如何？"

皇上的话音刚落，杨云溪抬眼望了皇上一眼，目光流转，带着彻骨的寒意，但立刻就又掩饰地低下头去。

皇上见他如此表情，忍不住哈哈大笑起来："朕只是说笑而已，你可别当真！"

杨云溪沉声回答："臣不敢。"

皇上拍了拍他的肩膀，语重心长地说："青岚是个好姑娘，若是你对她有意，还是早早明说得好！"

"千万不要如同朕当年……如今想起来，只能空留遗憾。"说到此处，皇上似乎有些感伤，"朕总归是……绝对不会阻拦你们的。"

杨云溪仍是沉默，只是望着皇上的目光略有些复杂。

这时候王继恩进来禀告："皇上，晋王求见！"

皇上望了杨云溪一眼，后者朝他欠身行礼，然后便大步流星走到门口，抬手将门拉开。皇上随之笑道："让光义赶紧进来吧，这么冷的天，可别冻着了。"

晋王原本就候在门外，听得皇上这么说，便大步上前，正迎上杨云溪冰雪一般的脸："哟，原来云溪也在这儿啊！"

杨云溪掀起前襟正欲下拜，被晋王抬手拦下："不必拘礼！"

杨云溪便起身后退两步，等晋王进殿之后，又缓缓将殿门重新关上。

晋王向皇上跪拜问安，皇上笑了笑说了句"平身"，便问道："光义此来何事？"

晋王站起身来，立于一旁，笑容清朗："臣弟此来，是想请皇上帮个忙。"

皇上挥了挥手："要朕帮什么忙，坐下慢慢说！"

晋王在下首坐下，叹了口气："臣弟最近遇上了个颇为棘手的案子，有人在茶馆喝茶中毒丧命，可检验那茶品，却怎么都验不出个所以然，臣弟想起皇上身边有个精通茶艺的青岚姑娘，所以想向皇上借人，帮臣弟验茶断案。"

皇上对此只是一笑："此事说来不算难，这样吧……"

他转头看向杨云溪吩咐道："云溪，你去将青岚喊来。"

杨云溪领命匆匆离去，皇上继续说道："光是一个青岚，朕怕不够帮你，不如你一起带上云溪，他身手算是不错，真要是遇见了什么事情，还能照应你们一二。"

晋王原本是只打算借着查案的名义，将青岚接出宫，但是没想到皇上虽然同意了，竟然又多派了这一尊冷面佛来，表面上是帮忙护卫之责，实际上，怕是还有暗中监视的意思吧！

毕竟青岚是御前宫女，身份有些特殊，皇上起疑心也是应该的。

晋王倒是成竹在胸，他既然敢进宫来，就已经做好了万全的准备，所以，也就不怕有什么人跟着了。

他面露喜色："能得云溪相助那真是太好了！臣弟谢皇上！"

两人寒暄了几句，杨云溪这边已经把青岚带过来了，只是她神色略显疲惫，而且一脸迷茫不解的样子。这也要怪杨云溪实在是话太少，换了旁人早就将事情始末说个明明白白。结果到他这里，连半句话都不说，直接冲进房间，看到鼻子囔囔有些伤风的青岚，直接上手，一把抓了对方的手腕，拖着就走！

青岚在迷茫混乱中就被杨云溪给拖进了紫宸殿，见皇上与晋王各自端坐，威严肃穆，于是连忙下跪参拜。

晋王入宫，那意味着他应该已经明白了自己的意思。青岚这才放下心来，看到晋王那一番笃定的样子，她就知道他此刻早已经成竹在胸，不用再为此担心了。

最后还是皇上开口把事情解释清楚，青岚自然没有反对的权利，杨云溪一言不发，只是他的沉默便意味着同意了。

于是三人很快就一同出宫，杨云溪骑马，晋王与青岚坐在马车之中，四目相对，晋王并不说话，只是朝着她淡淡一笑。青岚顿时心中巨震，仿佛时光回溯，她依旧是那个流落教坊的李秀儿，危难之中，得一位少年英雄相救，从此心怀感恩，愿效犬马之劳。

青岚的一双玉手忍不住轻轻颤抖起来，她自小娇生惯养，虽然曾经被送入教坊，但也未曾做过什么粗笨的活计，入宫之后更是得到晋王的暗中照应，很快便被调拨到御前奉茶，所以一双手指修长白净，看起来十分漂亮。

"别紧张，你只要协助本王检验茶叶便可，不会有危险的。"晋王伸出手来，将她的手握在掌中，感觉到少女仿佛受惊般地想要将手抽离出来。他朝着青岚浅浅一笑，食指压在唇上，做了个噤声的动作。

青岚只觉得心跳骤快，脸颊顿时飞起红霞，一双水汪汪的大眼睛恍若失神地望向晋王。

晋王低头，以指尖在青岚掌心缓缓写字。

青岚只觉得一盆冷水当头泼下来，顿时身心内外清凉一片。顾虑到杨云溪就在车外，以他的武功造诣，他们说的话，恐怕尽数都会被他听了去。所以晋王早有防范，只是握了青岚的手掌，一笔一画地写道："所为何事？"

"奴婢自当尽力而为。"青岚一边口上答道，也仿效晋王，在掌心写道："今上欲出兵南征……"

晋王目光骤然亮起，嘴角轻扬："青岚姑娘可知道，何物与茶叶形状相似、味道相近，但却是有毒的？"

手上却写："可是暗卫有所异动？"

青岚点点头："奴婢记得，似乎在古书中看过，有一物名为红芙罗，倒是与王爷所说的十分相似。"

青岚接着写下："奴婢偷偷窥见暗卫密报，才知今上派暗卫监视爷与赵相，并要清查宫中细作。"

所以她才不敢轻易与影堂暗卫联系，生怕暴露身份，牵连晋王。

晋王略一沉思："红芙罗？"

抬手在青岚手中写了"杨云溪"三字，青岚轻轻摇头，以字答道："杨云溪为何回京，奴婢尚未查明。"

晋王捻着手中佛珠神色平和，淡若云烟："既然如此，那就有劳青岚姑娘费心了。"

明指红芙罗与假茶叶案，但实际上内里说的却是杨云溪的身份。不过在马车外的杨云溪听来，两人的对话再平常不过了，没有丝毫可值得怀疑之处。

一行人径直往开封府而去，自命案发生之后，晋王已经命人将所有相关证物都收入府中，并派专人看管，而相关人等，也都问了口供，证词签字画押，暂时拘禁起来。

晋王亲自带杨云溪与青岚到证物房查看，当日死者所饮的茶叶残渣仍在，青岚以发间玉簪挑了一点儿，放在鼻下轻嗅，又细细观看分辨。

杨云溪也没闲着，他面色沉静地把茶具一一看过，然后放回原位。

青岚忽然惊讶地咦了一声，语气十分不解："这是上好的雨前龙井，其中确实是掺了红芙罗的，只不过……为何会？"

"是茶匙，"杨云溪冷冷的声音于青岚耳畔响起，"红芙罗并无剧毒，但长饮会成瘾，让人出现幻觉，神智不清。不过，一遇桃木，便生致命之毒，且无解。"

这是青岚第一次听到杨云溪说这么多话，他似乎是天生少言寡语，语气又冰冷无人间温度，只是这一番话说来，却条理分明。

晋王蹙眉沉思，原本只以为是一桩普通的投毒案，不过是带青岚出宫的借口而已。只是这会儿看来，似乎又不是表面上看起来的那么简单了。

"原来是桃木……"青岚眉宇间的疑惑刚有些头绪，却又再次凝结起来，喃喃道，"红芙罗生于北疆苦寒之地，怎么会被掺入雨前龙井之中呢？"

她扬起头来，果断地朝着晋王问道："王爷，这里可有尚未冲泡的存茶？"

晋王思虑周详，早就把茶馆里所有的存茶都一并查抄了过来，于是很容易就找出来，让青岚一一查验。

青岚对茶道涉猎颇深，所以只需要观色辨味，便能说出此茶的种类和年份。她查验许久，终于脸色一沉，指着当中的一块茶饼道："就是这个！"

她双手取了捧到晋王面前，神色极为严肃："这就是掺了红芙罗的雨前龙井，而且……"

说到这里她停了停，左右观望一番，晋王便挥了挥手，朝着一边的下属们吩咐道："你们都先下去吧！没有本王的命令，不准进来！"

青岚见晋王屏退众人，这才放心道："这雨前龙井，是今年春天的贡茶。"

晋王与杨云溪皆神色一惊，贡茶乃是皇室御用，流落民间已经是难以想象，而其中更掺了他物，一旦被皇上饮用……两人齐齐想到这个问题，目光于是不约而同地落在青岚身上！

青岚似乎是看出这目光中的意思，缓缓摇头："王爷、侯爷大可不必担心，皇上并未饮过此茶。"

见两人都露出疑惑的神色，青岚于是娓娓道来："说来也巧，今年春天的贡茶入京时，偏巧赶上了一场大雨。杂务太监在搬运时不慎将箱子给打翻了，存放茶饼的瓷罐碎了好几个。奴婢在挑选皇上用茶时，发现这一批雨前龙井有些受了潮，还有些走了味道，所以就自作主张给剔除出去了。"

晋王长舒了一口气，不由得感叹："幸好你当时自作主张，否则，此刻你我都是死罪。"

青岚与杨云溪对望了一眼，她此刻只觉得后背发凉，瞬间便是一层冷汗。当时若是她心中有一丝犹豫，任凭此茶留下，那皇上此时岂不是会有生命危险？

"能在茶饼中掺入红芙罗，必是贡茶院的人所为，此事必须彻查！"

晋王断然做出决定，杨云溪思索片刻，忽然开口道："贡茶如何流入民间，也需彻查。"

晋王点点头，在这一点上，他与杨云溪的想法倒是不谋而合："茶馆老板的供词提到，这些茶饼都是从一个姓严的茶商手中买来的，因为比市价要便宜了三成，而且品质也不错，所以他才大批买进。"

青岚脑海中顿时闪过存放贡茶库房里堆积如山的场景，一个大胆的念头骤然浮上心头，禁不住脱口而出："莫非是……"

晋王心领神会，接口道："想来青岚姑娘已经猜到了。"

杨云溪从青岚的表情已经洞悉一切，于是沉声道："若是如此，只能顺藤摸瓜，找出贡茶外流的来源。"

晋王点头赞同："本王这就让人去调查那位姓严的茶商。"

青岚在旁怯生生地开口插话："请恕奴婢多嘴，王爷若是现在找人调查，怕是必定查不出什么。”

杨云溪眼底闪过一丝波光，只是沉默，但似乎是明白了青岚的担忧。

晋王一愣，先是问了句"为何"，瞬间便心中分明："本王懂了，青岚姑娘担心的确实有道理，是本王疏忽了。"

青岚福了福，深深地低下头去："奴婢不敢。"

晋王嘴角浮现出一抹狡诈的笑容："既然如此，那就先了结此案，待风平浪静时，不愁这鱼儿不上钩。"

前尘梦·连环局

青岚既然得了圣命协助晋王查案，于是便没有回宫，被暂时安置在晋王府。

赵光义未封王时就居住于此，后来虽然皇上有意为他择址另建王府，但是被他婉言拒绝，只是将府邸略微修葺一番，再挂了晋王府的匾额，就此了事。晋王府从内到外都十分素雅简朴，既没有雕栏玉砌金漆描画，也没有富丽堂皇的园林楼阁，门口的两个金漆红纱灯笼随风摆动，一对石狮子神色肃穆，红漆大门中开，正迎上小桥流水，回廊曲径通幽，倒是与皇家内院完全不同的一番景致。

青岚跟着晋王府中侍女的脚步匆匆而行，她还记得，年幼时曾经短暂在此居住过一段日子，只能待在狭小的院子里，虽然三餐不缺，生活却是暗无天日。

时过境迁，没想到竟然有一天，她能堂堂正正地自中门入府，就算只是以一介婢女的身份，也足够覆盖那一段她不愿再提起的卑微记忆。

那侍女将她引进王府客房中，反手关上房门，忽然冲她灿烂一笑："青岚！还能见到你真是太好了！"

青岚一愣，少女明媚的面容瞬间沉入记忆中，与那张青涩稚嫩却又倔强的脸渐渐重合，她忽然喜上心来："小醺？你是小醺？"

这人正是晋王身边随侍的那位喜红妆更爱戎装的醺丫头，年幼时曾在这里与她结识，那时候算是谈得来，只是尚未交心就匆匆分别。一别经年，记忆中那笑容爽朗的幼女，如今也已经出落得英姿飒爽，明媚动人了。

小醺的名字与青岚一样，都是得晋王赐名。晋王当年曾经微服北上，途径乌兰河畔，见一个大木盆静静躺在河岸边，里面有个玉雪可爱的婴孩，不哭不闹，只瞪着一对滴溜溜的黑眼珠直盯着晋王看个不停。

晋王觉得颇为有趣，便将这婴孩捡了回来，因为那一日薄雾浅雨，烟色微醺，所以为她取名雨微醺，小名便叫作醺丫头。

雨微醺用力点了点头，神色喜悦："是我呀！"

说着张开双臂，一把将青岚拥进怀中："王爷说要接你回来，我还不信呢！没想到竟是真的！"

她的语气提高了几分，青岚顿时警觉，按住她的手制止："嘘，隔墙有耳！"

雨微醺不好意思地吐了吐舌头，小声道："我太高兴了，竟然失了分寸，这事儿可千万别让爷知道了，否则又要说我性子冲动，不堪大用了。"

青岚无奈地瞪她一眼："哪有你这样妄自菲薄的？"

雨微醺似乎对此并不以为然，只是亲昵地拉着青岚的手兴高采烈地问："不说这个了，你累了吧？用过午膳没有？"

青岚被她这么一说还真是觉得有些饿了，此时早已经过了晌午。她从出宫就一直奔波在路上，与晋王、杨云溪讨论案情，根本没吃过什么东西。刚进王府，晋王便拉着杨云溪说是去品尝他收藏的好酒去了，只让雨微醺把她送去客房歇息，也就没人理会她是否用过午膳的事情了。

她低下头，闷闷地摸着肚子点了点头。雨微醺见状便笑着亲昵地扯起她出门："走，跟我去厨房，咱们张罗点好吃的去！"

青岚作势微嗔："你可别忘了，咱们可是第一次见面呢！"

雨微醺悻悻放开手，摸了摸头，有些不好意思地道："又忘了……"

青岚忍不住笑出声来，将手一扬："醺姑娘请！"

雨微醺拉开门，像模像样地学起来："青岚姑娘请！"

两人彼此对望，不约而同地会心一笑。

王府的膳房虽然不比御膳房，但各色美食却也不少，雨微醺是王爷身边随侍的大丫鬟，所以所到之处人人神色恭敬，再一听她身边这位青衫少女是圣上御前侍女，这回是奉旨出宫办事的，于是哪敢怠慢，给两人张罗了不少吃食，满满摆了一桌子。

青岚是真的饿了，也就不再客套，狼吞虎咽地吃了起来，雨微醺见她吃的模样，忍不住笑道："你慢点，可别烫着了！"

青岚咬了半个豆沙包在嘴里，听到雨微醺的话，于是一愣，忽然想起上午在紫宸殿时杨云溪手背上的那一抹殷红烫伤。先前光顾着想怎么把密报之事奏报给晋王了，也就没顾及上杨云溪，说到底他都是为了自己而烫伤，现在想起来，总归是觉得有些惭愧的。

自冬至那日撞见他开始，似乎就已经与这个男人缠绕难分：她受杖责后他留下的温暖披风，她蹒跚练习走路时他默默扶着她的手，雪中不经意的深深相拥，御书房及时的搀扶相救……他于自己而言，虽然表面冰冷，但因这些事而觉得温暖。

青岚默默地用手把衣襟绞成一团，硬是想不明白自己到底为什么而烦恼。

雨微醺见她咬着豆沙包发呆，于是抬手在她面前挥了挥："青岚，你怎么了？"

青岚这才回过神来，连忙掩饰："没事，想到有件事情没办。"

说着把豆沙包抓在手里，犹豫着问道："小醺，你能帮我找点烫伤药吗？"

雨微醺很豪爽地拍了拍胸口："没问题！"

说着站起身来，身形微动，一溜烟就跑了出去。青岚看着她匆忙的背影，心道，王爷真是没说错，这丫头还真是个急性子啊！

雨微醺去得快回来得更快，当即将一个白瓷瓶放在青岚面前："呐，上好的烫伤药，保管你一点疤都留不下。"

青岚很认真地说了句"谢谢"，这时候她已经吃的有八分饱了，剩下的不想浪费，便用食盒装了，两人一边谈些无关紧要的事情，一边悠然信步往回走。

深冬时节，王府的花园里也只剩下枯木枝干，但因为临近除夕，府中下人早就用绢布扎出朵朵彩花，另以绿纱为叶，系在树上，映衬着树下未化的残雪，竟然也别有一番景致。

半路遇上丫鬟来传话给雨微醺，说是王爷临时有事要外出，喊她去服侍，雨微醺听了便把食盒匆匆往青岚手里一塞，转头没多久就跑得不见人影了。青岚无奈地摇头笑了笑，拢了拢衣袖，提着食盒继续往前走。

王府虽然不大，但小路却是不少，她原以为自己能记得回房的路，但是走着走着才发现有些不对，似乎是越走越僻静，沿途竟然连半个人影都没有。青岚想了想决定掉头往回走，却根本搞不清楚遇岔路应该往左还是往右，她站在那里踟蹰不前，就在这手足无措之时，一阵清亮悦耳的笛声仿佛穿透重重屏障而来！

既有笛声，那就会有人了！青岚心中一喜，立刻寻着笛声的来处追了过去！那笛声时而低沉时而委婉，但并不悲伤哀怨，其中隐隐藏着一股豪迈之意。青岚追着笛声而去，辗转寻觅，脚步越来越快，最后竟然一路小跑起来！

青岚终于停下脚步，气喘吁吁又极为惊讶地抬头望着屋檐上那一抹蓝色身影。此时天色稍显昏暗，暮色渐落，杨云溪十分随意地斜靠着青瓦，手持一支短笛缓缓吹奏，整个人气定神闲，仿佛一尊美丽的玉雕。

青岚脚步微错，脚下不慎踩了碎石子，发出一阵细微的响动。

笛声骤停，杨云溪目光移过来，见是青岚，于是飞身而下，稳稳立于她面前，双眸显得不那么冷傲，反倒有些温柔之意。

他身上酒气环绕，此刻分外浓郁。青岚被他的目光注视得有些羞涩，忍不住低下头去，忽然又记起怀中的烫伤药，于是连忙取了出来，小心地双手奉上："侯爷……"

杨云溪神色安然如水，低头扫了一眼那白瓷瓶，冷然开口打断："不需要。"

青岚侧目看他，那只手果然藏于他身后，男人眼中明晃晃闪烁着固执僵硬，冷得她有些胆怯，她咬了咬牙，鼓起勇气又道："您是受奴婢牵累，这权当时奴婢给您赔不是了！您若是不收，奴婢心里便总是过意不去。"

杨云溪目光冷冷瞥过，青岚缩了缩脖子，似乎多了几分凉意。

他抬手接过瓷瓶，径直揣入怀中，转身便走。青岚这才长舒了一口气，却忽然意识到她还在迷路，于是快走几步跟上去，怯怯地却不知道怎么开口请杨云溪为她指路才好。

杨云溪大步流星地走出几步便停了，回身淡淡道："跟紧了！别再迷路了。"

他刚刚居高临下，其实早就发觉她在林中迷了路，这会儿便主动帮她领路。青岚心中大为窘迫，扯着衣角匆匆跟在杨云溪的身后，两人一前一后，只是沉默不语，不一会儿便出了这重院落，青岚看到自己所住的客房回廊就在眼前。

这时杨云溪停了脚步，只站在原地不动。青岚上前来，低头屈膝行礼："多谢侯爷。"

目光骤然落在了手中的食盒之上，她心思一动便问道："侯爷可用过饭了？"

该不会是光顾着与晋王品酒，真的就什么都没吃吧？青岚心中正琢磨着，杨云溪已经面无表情地点头承认，她于是赶紧将食盒往他手中一塞："这里有些点心，若是侯爷不嫌弃的话……"

杨云溪望着青岚满脸诚恳的模样，心中一动，确实觉得饥饿，于是抬手将食盒接了过去，沉甸甸地还散发着食物的香气，他试图让自己的表情看起来和煦一些："多谢。"

青岚被他这一句分明就没什么感情的话惊得心怦怦乱跳，于是满面飞霞地拜别，然后一头冲进房里，关上门，用后背抵住了，才感觉四肢有些脱力，几乎要站不稳。

杨云溪低头凝望手中的食盒，半响终于抬起头来，嘴角似乎抹过一丝浅到不宜察觉的微笑。

这便是两人在晋王府中暂住的第一夜。

毒茶叶命案于第二天清晨时分便宣布告破，开封府列出大幅告示，贴遍了汴京城的每一个角落，凶手与死者乃是旧识，因为二人之间曾有些冲突，所以找到机会暗中投毒将死者杀害。

青岚心中明白这是晋王的障眼法，只等候真正的凶手以为此案已了，放松警觉，他们才有机会顺藤摸瓜，找到贡茶外流的源头所在。

第二日风平浪静，晋王吩咐杨云溪与青岚扮作寻常客人，在相国寺西街、金明池外的多家茶铺和茶馆走访，暗中查探是否还有其他的贡茶流入民间。杨云溪沉默寡言，又生了一张冷冰冰的脸，所以大部分时间都是青岚一脸和气地去问话挑茶，杨云溪只需要在旁边看着就成。

这一日下来，青岚也累得够呛，腰腿酸痛不已，只是幸好再也未曾发现外流的贡茶，所以就算是累，也觉得甘之如饴。

第三日时青岚本是打算继续去查访的，但是临出门时正巧遇见晋王匆匆而来，硬生生将他们堵了回去："有个差事，还需要你们陪本王走一趟。"

杨云溪扬起眉眼轻扫，晋王爽朗地拍拍他的肩膀："有云溪在，看来本王这趟可少带好几个侍卫了！"

他将两人扯入内室，仔仔细细地交代了一番。原来晋王之前没少对严姓茶商威逼利诱，那人为了自保，答应从中斡旋，帮晋王介绍个中间人，说就是经他手中买茶的。此案颇为古怪，甚至牵扯宫中人士，晋王思前想后，还是决定亲自出马，去会一会这个人。

青岚原本是打算劝一劝，总觉得晋王这么冒险前往不太妥当，但她毕竟身份特殊，见杨云溪也只是沉默领命而已，于是也就没发表意见。

雨微醺匆匆取了衣饰来服侍晋王更衣，三人扮作主仆，晋王穿了赭色绸缎，上面明晃晃铺满了如意纹暗花，雍容华贵，手持牡丹芙蓉的象牙折扇，腰间坠了八宝吉祥环佩，倒是活脱脱一副阔商的模样。

青岚与杨云溪各自都是素服示人，随侍两侧。晋王又调用了开封府中的数十名侍卫，换过便服，暗藏在四周待命。

约见地点定在了城西的风华楼，这是汴京比较有名的一间酒家，门口的彩楼欢门扎得花团锦簇，高阔大气。楼上雅间更是雕梁画柱，极尽奢华，桌上的紫金香炉雕刻着松鹤，栩栩如生，燃着袅娜香气，散开一室旖旎。

晋王晃着手中的折扇，漫不经心地看光景的模样，眼中隐隐有寒光闪烁，杨云溪忍不住敛眉肃穆，看向这平素慈眉善目的年轻王爷。

总感觉这房间里有股肃杀之气，但绝不是从青岚身上散发出来的。杨云溪自小与刀剑为伴，对此感觉极为敏锐，忍不住暗暗观察，但那股杀气瞬间就消弭殆尽，仿佛从未出现过一般。晋王仍是优雅淡然，一派王者气派。

杨云溪不禁心道，晋王这般内敛隐忍，果真不可小觑。怪不得今上对他又是欣赏又是顾忌，甚至派暗卫私下监视亲弟弟的一举一动。只可叹德昭、德芳两位皇子资历太浅，东宫无主，也怪不得晋王蠢蠢欲动，对皇位动了不该有的心思。

现在朝中分为两派，宰相赵普支持立嫡，认为皇子德昭如今已经成年，完全可以胜任一国储君之位，而另一派则奉晋王为尊，晋王乃是当今圣上的亲弟弟，圣眷亲厚，正值年轻力壮时，主掌开封府，权倾一方，同样也具备了竞争皇位的资格。

帝王之术，本就在于借力打力，委婉转圜，恩威并施，所以两派互相钳制，虽然私下明争暗斗，但朝中风平浪静，倒是没出什么大事。

晋王赏了一会儿装潢，又细细看起了墙上的字画，虽然几幅都是赝品，但笔走龙蛇，浓墨重彩，技法笔力倒能算是同辈里的个中翘楚。

"看来，这间主人倒是爱好风雅之人呐！"

晋王折扇唰啦一声展开，在身前缓缓摇动两下，这时候就听自身后传来粗声粗气的一句"兄台过奖"。青岚循声看过去，迎面一个身高脸阔的中年男子缓缓走来，周身绫罗绸缎，玉带束腰，更悬着一块红珊瑚璎珞，一看就价值不菲。

看来这便就是那位中间人了，晋王合拢折扇握在掌中，主动上前问好："莫非尊驾就是曲老板？"

那人拱了拱手："正是鄙人，金老板，幸会幸会。"

晋王先前威逼严老板从中斡旋，便取了"晋"字的同音，化名金贵。曲老板见这位爷器宇轩昂，贵气逼人，就连带出来侍候的仆从都非同寻常。杨云溪感觉到他的目光扫过来，于是低了低头躲开，幸好曲老板心中只对"金贵"比较看重，其他人只是匆匆瞥一眼而已。

晋王笑着也作了个揖："不客气。没想到曲老板竟是这风华楼的老板，我倒是久仰，只是一直无缘见一面。"

曲老板乐呵呵："只不过是做个生意而已，都是大家捧场，捧场！"

双方客套之后便携手落座，立刻有四位紫衣侍女端来茶具、茶叶，在小几上"一"字排开，似是要煮水烹茶，于客前献艺。

青岚见了那茶具、茶叶，忍不住轻轻皱了下眉，正巧被曲老板看在眼里，略带几分不满地笑道："看来，这位姑娘对风华楼的茶艺颇有微词？"

其实青岚只不过是觉得四位侍女同时冲茶有些多余，这会儿听见曲老板主动问话，又不好实话实说，一时词穷，就听到晋王悠然开口："曲老板见谅，我这使唤丫头只是懂些粗浅茶艺，无意冒犯诸位。"

曲老板提高声音，显得颇为粗犷："话可不是这么说的，既然金老板的丫头有此质疑，不若咱们就来一场斗茶如何？"

虽然宫中并不常见，但自盛唐起，民间就一直盛行斗茶，以茶色和茶沫散开的快慢而一较高下。

晋王扬起嘴角看向青岚，半怒半嗔道："你看吧，都是你惹出来的祸，既然曲老板盛情相邀，那你就去献个丑吧！"

曲老板看了青岚一眼，见她低垂眉眼，弱质纤纤，但神色淡然，仿佛落满了天水一色的沉稳柔和，当即挥了挥手，吩咐道："再去取一套茶具来！"

青岚与晋王瞬间对望，见他眼中波澜不惊，似乎并没有把输赢放于心上，于是缓缓下拜："主子见谅，容奴婢献丑了。"

青岚盈盈起身，抬手缓缓挽起衣袖，露出圆润晶莹的一双手臂来，皓腕如雪，杨云溪看得顿时呆住了。很快有人送上茶具，青岚率先以瓷瓶煮水，随后撩裙端坐，以夹子捻了茶饼，在火上缓缓烘烤起来。

这番功夫，在过去的几年里，她几乎日夜都要完成多次，茶饼加热后刮去外表薄薄一层，然后取下数块，轻轻研碎。水以炭火煮沸，但不可久放，更不可久开，冲洗茶具，然后将碎茶末放于杯中，冲入滚水，以茶匙缓缓搅拌，看茶汤皎洁，如同月色撩人。

青岚双手捧着那一盏茶汤，看着茶沫缓缓在杯中回荡，稳稳递于晋王面前，轻声道："爷，您请用茶。"

晋王颇为赞许地望着她，抬手接了，满脸都是骄傲的笑容。

第二杯递向曲老板："奴婢献丑了。"

曲老板一开始表情还有些不屑，但只轻嗅一下青岚递上来的茶，顿时大惊，连忙追问："敢问青岚姑娘，师从何处？"

青岚摇摇头，她生性倔强，既然得了晋王的默许，自然要争着一胜，只是这师门来历，怕是真的不好说了，只得装出大户人家普通丫头的笨拙模样做掩饰："没人教我，给爷的茶冲得多了，也就会一些了。"

曲老板抬了抬手，挥退那四位尚在沏茶的紫衣少女，显然这时候她们已经没有必要在这里待着了。他这时候的目光里已经有了变化，从之前的讥讽变成了忧虑。

一个丫鬟都如此厉害，那么这位主子又会如何呢？幸好，他早做了决定，否则，怕是后患无穷啊！

"金兄，请！"

曲老板想到这里，态度似乎亲近了些，甚至都用上了兄弟的称呼，他率先举盏品茶，晋王便举杯与他示意："请。"

青岚也并不收手，只是很习惯地开始将茶具理好，然后默默站在一旁。这房间里香气扑鼻，但她习惯了茶香清淡，总觉得紫檀过于浓烈，熏得她有些头晕。

"我听严老板说，金兄有意做些茶叶的买卖？"

曲老板放下茶盏却似乎意犹未尽，他忍不住又看了青岚一眼，显然这个丫头给他留下了十分深刻的印象。

晋王摇摇扇子，从容地把喝了一半的茶盏交过去给青岚收着，漫不经心地笑道："是啊！我最近恰好买了两条商船，正愁着要去哪里，买点什么回来做生意呢！"

曲老板见他言之凿凿，完全不像是信口开河的模样，于是连忙附和："那种回本多慢啊……"言罢忽然想起一事，连忙走至门口细细观望了片刻，却看着杨云溪和青岚欲言又止。

晋王点点头，示意自己身边的两人绝对可信，他可以继续。

曲老板于是神秘兮兮地笑道："说来也巧，我手中恰好有一批今年的春茶，若是金兄喜欢，为表诚意，进货价嘛，打个对折就是了！"

晋王露出十分感兴趣的样子："春茶？什么茶？"

曲老板笑道："雨前龙井、铁观音，都有。"

晋王哈哈一笑："若是好茶，那我可要看看了！"

曲老板让人取来四五个瓷罐，依次打开，将其中的茶饼一一介绍。晋王依次看过，便赞道："果然是好茶。"

但忽然脸色一变，顿时阴沉浮上一层异色："你放了什么？"

晋王脚步踉跄，竟是站不稳的样子！

曲老板稳稳而立，神色从容："紫檀炉的焚香加上这茶罐里的药粉，便是无可匹敌的上好迷香，我这支香的名字，叫作风华绝代，配上三位的身份，倒是相得益彰！"

青岚这才意识到似乎并不是她一个人觉得头晕，原来竟是因为有人动了手脚！她扶额转头看向一旁默不作声的杨云溪，他面色冷若冰霜，只是也已经站不稳，一手扶在墙上，怒目圆睁，却是半点不肯认输的样子。

晋王跌跌撞撞寻了个椅子坐下，只觉得手脚酸软，凝聚不起半点气力，只能无力道："你认得我们？"

曲老板呵呵一笑："晋王殿下与清平侯爷二位，鄙人就算无资格得见，总归是看过画像的。"

青岚脚下一软，身子撞在桌边，连忙手忙脚乱地扶住。曲老板的话被打断了一下，随即又道："至于这位，应该就是御前的青岚姑娘了吧！"

晋王虽然受制于人，但仪态神色依旧不露怯色："提你的条件吧！"

"我与宫中那位贵人，只为求财，请王爷不要断了我们的财路，否则……"曲老板轻轻击掌两下，房间的一面墙骤然旋开，里面走出四个彪形大汉，手中

明晃晃的利刃闪着寒光，两人站在晋王身旁，将刀架在他脖颈上。

晋王只觉得寒气逼人，轻哼一声，却是宁为玉碎不为瓦全的神情："本王堂堂开封府尹，岂能受你一介犯人威胁？"

杨云溪背靠着墙竭力站立，却被一个大汉猛扯了一把，径直飞了出去，跌在房间的角落里。青岚见状上前欲阻止，却摔在地上无法动弹，只能死死盯着杨云溪的额头撞在墙上，发出沉重的闷响。

曲老板露出阴险的笑容："怕是现在，由不得王爷发号施令了！"

说着将手一挥，贴着晋王脖颈的刀子便又用力压下几分，锐利的刀锋顿时在皮肤上划出一道血痕。

"宫中的那位贵人，知道你此刻所作所为吗？"

冷冷的问声响起，这一次说话的却不是晋王，而是杨云溪。他靠着墙角无力地跌坐在那里，但眼中凛然的光芒却丝毫未减。曲老板转过头迎上他的目光，竟然硬生生打了个激灵。

"总归都是要掉脑袋的事，若是不想死，也只有杀人灭口了。"

曲老板满不在乎地笑道："王爷不必担心，就算你派了诸多侍卫在外驻守，我一样能让你们在这里死得神不知鬼不觉。"

说着抬手一指，那尚未合拢的墙面缝隙漆黑恐怖，似乎通往未知的死亡尽头。

"你既然能杀人灭口，别人也能。"

杨云溪扬起头，语气平缓却意味深长，这是青岚第二次听到他一次说这么长的话，而且带着某种不可抗拒的威慑力："你所说的那位宫中的贵人，就是车舆司的秦喜吧？"

此话一出，青岚与曲老板皆是一惊，倒是晋王面露笑容，似乎是早就洞悉其中隐情的模样。看曲老板此刻的模样，想必是错不了了！

曲老板惊愕地："你……你怎么知道的？"

杨云溪沉默地看着他，却不作声，只是冷风般的目光，看得他遍体生寒。

晋王在旁悠然开口："要想将茶叶运出宫，势必要借助车马，而在车舆上做手脚是再方便不过了，贡茶存在内库之中，在搬运其他物品时夹带而出也十分容易。本王查过车舆司众人，唯有秦喜最近频频在宫中赌钱，出手阔绰，一掷千金，此事大有可疑，所以就派人悄悄盯上了他。"

被人道破真相，曲老板咬了咬牙，狠狠道："既然你们什么都知道了，那就更不能留着你们了！"

他略一挥手，大汉们便要挥刀杀人灭口。就在此时，忽然一道寒光破空而来，只听两声闷响，晋王身侧的两人竟然同时手腕现出一道血痕！

两人手腕剧痛，手一抖的工夫，蓝影如疾风骤雨自身边掠过，竟是在未察觉的工夫，就将两人手中的刀子夺了去！

寒光再闪，这次不再是手腕，而是直奔二人咽喉而去！

两道血痕蜿蜒，青岚眼睁睁看着那两人的巨大身躯轰然倒下，剩余两人当即一愣，但片刻便挥刀朝着杨云溪砍了过去！

杨云溪纵身躲闪，指尖寒光正盛，青岚只看到一柄小指长的短刃凌空回旋，竟是不偏不倚地划过一人咽喉，喷出丝丝血迹，那人面目狰狞，号啕着倒了下去！

青岚离得太近，恰好被喷了半身血，当即吓呆了。她本就不能动弹，此刻更是觉得连一根指头都抬不起来了。

"哼哼，人算不如天算。算你开了眼，能见到传说中的蝉翼刀。"

晋王此时还不忘冷嘲热讽曲老板一顿，曲老板难以置信地望着仿若修罗降临的杨云溪，心中却是极为不解："你明明……中了那迷香！"

杨云溪的声音如冰似雪："迷香，于我无效。"

曲老板顿时一股恼火直冲眉心，气愤之下，当即伸手从衣袖中掏出一把匕首，上前便要朝着躺在椅子上无法动弹的晋王胸口刺下去！

青岚眼见他手中紧握匕首，凶险万分，不知道哪来的力气，竟然挣扎着从地上爬起来，一头朝着曲老板撞了过去！

一命之恩，一生之情。

此时此刻，她心中只有一个念头，就是不能让晋王有半分闪失。

曲老板毫无征兆地被她这一撞，匕首倒是没刺下去，身子歪在一边，见青岚就倒在他身边，而杨云溪已经解决了所有麻烦，站到了晋王身边，于是知道刺杀无望，心中愤恨不已，干脆抬手挥落匕首，打算杀死青岚泄愤！

杨云溪刚确认晋王安全无恙，却见青岚已危在旦夕，此时若是以蝉翼刀制止，因为曲老板与青岚距离太近，又怕误伤了她，越是牵挂越是难以决断，一时间，竟是鲜有地左右为难……

刀尖朝着青岚直刺下去，她惊恐之下，竟然也抬手拼死去挡，双手撑着曲老板的手肘，只是她毕竟是一介女流，又中了迷香，怎能敌得过身强力壮的男子？眼看着匕首距离她的面门越来越近，青岚绝望地紧闭了眼睛，似乎已经被迫接受自己即将丧命的事实。

也罢，本在七年前她就应该死了，上天多给了她七年的时光，已是莫大的恩赐。

然而令她诧异的是，濒临生死的瞬间，她的脑海里浮现出的却不是晋王，而是杨云溪寒冷如冰的一张脸。

时光仿若在那一刻静止，只听到鲜血滴答滴答缓缓滴落的细微声响。青岚以为那是自己的血，却在下一刻感觉到温热湿腻的液体滴落在脸颊上，顺着肌肤一路向下流淌。

她猛地睁开眼睛，眼前的画面却让她骤然一惊！

匕首距她近在咫尺，却硬生生悬在视线上方无法动弹，一只肉掌握紧了刀尖，掌心血肉模糊，鲜血顺着匕首一滴滴落下，那景象看得人触目惊心。

青岚倒吸了一口冷气，似乎全身都僵硬了，眼泪却止不住地涌出眼眶，大颗大颗地落下来，冲淡了脸上的血迹，顿时模糊一片。

杨云溪面无表情地一掌拍出把曲老板当场打翻在地，匕首在掌中打了个转，就已被他握在手上，锋利之处直指他的咽喉要害，沉声逼问："解药？"

曲老板此时已经抖成了筛子，连忙颤巍巍地从怀中取出一块香木。杨云溪瞟了他一眼，手起刀落，用匕首刀柄径直将他打晕在地，然后站起身来，无视满掌鲜血流淌，只是快步走到香炉处，以匕首将原本的香挑了出来，然后换上曲老板给他的那块香木。

房间里很快流转起让人心生愉悦的茉莉香气，虽然味道极为轻淡，但却丝毫未被浓重的血腥味道所掩盖。晋王只觉得身上一轻，顿时四肢便又恢复自如。青岚从地上爬起来，抬头就看到地上一线血迹蜿蜒远去，她的心没来由地一痛，眼眶酸涩，当即反手自衣襟撕下一片布帛，不再说话，只是飞奔到杨云溪身边，抬手就要去拉他受伤的右手。

杨云溪顿时警觉，当即将手一抽，让青岚扑了个空。原以为青岚能就此放弃，结果没想到她碰了一鼻子灰之后，竟然又追着去抓杨云溪的手，一边急切道："侯爷，这伤口不小，请容奴婢先为您包扎！"

杨云溪听到她担忧的语气，又见她哭花了脸可怜兮兮的模样，心中一暖，竟然恍了神，被青岚一把抓住了手掌，然后以布条小心包扎起来。她的手很灵巧，五指纤长白皙，颜色晶莹如玉，上下翻飞，把布条一圈圈缠绕，又小心地打了个蝴蝶结。

杨云溪想，这一定是自己看过的最美的一双手。

只是这双手的主人，此刻在哭。

只道世间最难消受便是美人泪，青岚的眼泪仿佛止不住，杨云溪看得心都痛了，于是抬手为她擦拭。青岚扬起头来，呆呆地任凭他的指尖抹过脸颊，沾染了微凉的水迹，将悲伤消弭于无形。

晋王站起身来，抬手将窗子推开，向着远方做了个"来人"的手势。暗藏在四周的侍卫立刻倾巢而出，将风华楼包围起来，另有一队人冲上楼来面见晋王领命，一见房内惨状，当即跪地谢罪："属下失职，让王爷受惊了！"

晋王摇摇手，用手中折扇遥遥往地下一指，厉声喝道："立刻查封风华楼，相关一干人等悉数拿下，关入开封府大牢等候发落！"

侍卫们单膝跪地，低首应道："是！"

开封府的侍卫训练有素，领命之后瞬间散去，一切有条不紊，封店、拿人、查抄店内物品，连着那位曲老板都一并用麻绳捆成一团，安排了专人看管，生怕有什么闪失。

青岚为杨云溪包扎伤口完毕，眼中凄然悲伤的神色始终不退，心中的愧疚感越发浓重起来，红肿着眼睛，像个小兔子一样。

"云溪受了伤，不如让青岚陪着你先回王府歇息去吧！"

晋王关切地为杨云溪出起了主意，杨云溪敛目摇头："曲老板或许不是主谋。"

"为何？"

晋王神色骤然凝重起来，杨云溪目光幽深："王爷可还记得他身上的红珊瑚璎珞？"

青岚被杨云溪这么一点拨，也跟着努力回忆起来，隐约想起来一桩旧事。

记得两三年前，吴越王遣使者入京，曾带来一批珊瑚制作的稀罕物件，后来收入宫中内库。那一年的上元节，皇上召群臣猜谜对诗，宰相赵普连答数题，皇上龙心大悦，赏了他一堆小玩意儿，当中就有这么一块红珊瑚璎珞。

晋王扶额沉思片刻，终于露出释然神色："有道理。"

那个名字浮上心头，带着针锋相对、不死不休的寒意。赵普啊……你终究还是决定对本王下杀手了吗？

晋王嘴角隐隐露出奸诈的笑容，看来楚昭辅的倒戈确实让你伤筋动骨了。既然你不顾及旧情，那么就休怪本王也不客气了！

"此事牵连甚广，云溪、青岚，即刻随本王入宫面圣！"

青岚与杨云溪不约而同地扬起头来对望了一眼，在彼此的目光里，看到了同样的深切担忧。若此事真的与赵普有关，那么，恐怕更大的暴风骤雨还在后头。

"如今此事恐怕已经不只是一桩毒茶案这么简单了，所以臣弟斗胆，还请皇上下旨着刑部调查！"

紫宸殿偏殿御书房，皇上披了棉披风端坐在御座之上，聆听晋王讲述事情的详细经过。杨云溪垂手而立，手上裹了厚厚一层棉布，显得动作不太方便的样子，于是只是背在了身后。

刚刚太医院来人帮他处理好了伤口，皮肉翻开，伤可见骨。青岚在旁看得担惊受怕，紧握着拳头，竭力忍着不让自己再哭，可是眼泪还是不争气地又落了下来。

杨云溪扬起头来看了她一眼，表情淡淡的，仿佛那伤口并不在他手上一样，只是开口安慰她："别哭，不好看。"

只是他的语气仍是冷冰冰的，不似安慰更像是警告。青岚咬着唇小声抽泣，一边匆忙抬手胡乱擦拭眼泪，但却不知为何眼泪越擦越多，连皇上都忍不住笑了："行了云溪，岚丫头是担心你，你就别再吓唬她了。"

杨云溪一片好心终究被误解，但表情还是分毫未变，他本就不善言辞，这时候也不知道自己还能再说些什么别的话来安慰她，只是默默低下头去。

青岚一边抽泣一边抹泪，表情颇为可怜，只是此刻皇上与晋王关注的焦点并不在她身上。

皇上抬手拢了拢披风，天气寒冷，殿内虽然放了炭炉，可还是觉得阴寒透

与君长相守

前尘梦

骨难耐，他皱眉沉思片刻，缓缓开口："行刺一事，可着刑部调查。至于贡茶掺入红芙罗及秦喜私下贩卖贡茶等，既然光义开了个好头，那就还由开封府接着查下去吧！在宫中若有什么需要协助的，找王继恩便是。"

得到皇上允诺，晋王当场跪谢，随即行色匆匆地前往调查去了。杨云溪看了青岚一眼，低首道："臣有事奏。"

皇上于是立刻将众人挥退，连同还泪眼婆娑的青岚一起，都匆匆行礼告退，青岚走在最后，在关上门的瞬间，隐约听到类似"赵普""晋王"以及"太子"等几个模糊的字句。

立太子这种事确实瞬息万变，总是令人始料未及。青岚想，以她了解的皇上，势必不会这么快册立太子，或许他更希望看到晋王与赵普正面交锋，最终两败俱伤，此时再扶正一位皇子，就不会有人在朝中权倾一方，威慑储君地位了。

不过，让人始料未及的是，第二天上午连翘就兴冲冲来敲青岚的门了。青岚恰好得了皇上的口谕，可以歇一日再回紫宸殿奉茶，再加上这两天担惊受怕，倒是睡得很熟。被连翘的敲门声吵醒，她揉了揉眼睛，披着夹袄一把拉开门："怎么了？"

"姐姐，这是小德子刚刚送来的，说是给你的。"

连翘双手捧着手掌大小的木盒，脸上露出孩子般无比期待又兴奋的表情，似乎就等着青岚当场给打开，好让她也能看看到底收到了什么礼物。

青岚一脸诧异："谁给我的？"

连翘嘟嘴认真回忆了一下，秀眉微蹙："小德子没说啊！姐姐你就快打开了看看吧，说不定打开就知道是谁送的了！"

青岚无奈地摇摇头，拉了连翘进房，将木盒放在桌上，这才打开。一阵茶香扑鼻而来，她忍不住微笑。她极为中意这个味道的，也亏得这送礼人如此有心思，竟然懂得投其所好。

连翘倒是满脸失望的样子，原本还以为会是些稀罕物件呢，没想到竟然是茶叶！

青岚用力深吸了一口气，鼻息里全都是清雅茶香，宛若鲜花一般。武夷岩茶中有一种名为水仙的，茶汤有浓郁的鲜花香，甘馨可口，回味无穷。连翘眼睛亮闪闪地望着青岚，看得她有些无奈，幸好桌上还有前几日皇上赏的桂花酥糖，她没舍得吃光，于是连忙拿了两块塞在连翘手里："真拿你没办法，呐，这个给你吃！"

于是连翘立刻就无限欢喜地咬着糖笑着出门去了。青岚关了门，这才重新取了木盒过来仔细端详，只有一张字条，上书："多谢姑娘提点之恩，无以为报，小小心意，权当是给姑娘压惊安神。"

原来是三司使楚昭辅。青岚想了想，说到什么提点，也只有在楚昭辅被皇上罚跪时，她借着奉茶的机会，出言提点了他两句，当时不过是为了做个顺水人情，好让晋王之后有机会拉拢此人，没想到他竟然还送礼过来了，看来，运粮的事情应该进行得很顺利。

她看了那块装在木盒中被包裹的严实安好的砖茶，心中倒很是喜悦。她天性爱茶，见了好茶自然动心，只是转念一想，身为御前侍奉，私下收取大臣的礼物，此事要是传到皇上的耳朵里，势必会给她惹来麻烦。她身份特殊，在宫中能明哲保身、本本分分才是最好，于是忍不住又皱了眉，轻叹一口气。

只是东西都收了，再退回去会更麻烦，现在只能想个两全其美的解决办法了。青岚想了想，一边又忍不住将砖茶取出来放在鼻前轻嗅，却见眼前珠光熠熠，砖茶之下，竟然另有一条珍珠项链！

这楚大人出手倒是阔绰啊！青岚在宫中多年，也见多了奇珍异宝，一眼就看出这条项链价值不菲。她在心中感叹，真是怕什么来什么，之前收一块砖茶她都觉得不太好，这再加上一条项链，估计足够让她被贬谪去给宫女、太监洗衣服了。

这该如何是好呢？青岚捧着木盒在房间里来回踱步。皇上向来对下人宽厚，所以如果她主动请罪的话或许还不会责罚太重，但若是被人告发的话，那可就不一样了。

或许，可以先去跟王继恩公公说一声，他向来比较照顾自己，可以求他说说情。青岚想到这里，心中已经有了决定，只是先点起了火烛，将字条烧了个干净，这样一来，也不会让楚昭辅受到牵连。

穿戴整齐出门，青岚捧着木盒，一路脚步匆匆。途中几次遇见宫人，都亲切地跟她打招呼请安，态度温顺恭敬。这让她颇为愕然，心中暗暗不解，直到紫宸殿后殿的侧室里，众人见青岚来了，也都兴冲冲地将她团团围住，然后亲昵地寒暄起来。

"你们这是……"青岚被搞得有些莫名其妙，纠结地摸了摸头，心想大伙儿这些年都一起在紫宸殿侍奉，也从未表现得如此亲近，只是相处还挺和睦，现在这一下子殷勤过了头，反倒让她觉得有些别扭了。

尖细的声音忽然响起来："得了吧你们这些猴崽子，别围着岚丫头套近乎了，再不好好干活，小心都把你们撵出去扫御花园去！"

众人顿时后退，为圆圆胖胖的王继恩让路，躬身问候之后，没过多久便走了个干干净净。青岚捧着木盒子一头雾水地望着他，诧异道："公公，这到底是怎么回事？"

王继恩笑出一脸褶子："你还不知道啊？今日早朝，晋王于朝堂之上得皇上嘉许，说案子办得不错。晋王谢恩时，不但替清平侯请功，还特意点了你的名字呢！"

青岚诧异地啊了一声，随即意识到自己的失态，赶忙掩住了嘴，双眼瞪得大大的，清澈透亮。

王继恩倒是十分高兴地继续说下去："所以论功行赏，势必也有你的一份。"

此时此刻，青岚显得平静了许多，她其实并不想站在风口浪尖上，反倒觉得平平淡淡会更稳妥些，只不过，既然晋王点了她的名字，也就意味着他自有打算，她到时候坦然接受便是了。

她欠了欠身："奴婢只是奉旨办事，尽本分而已。"

王继恩一直就十分赏识青岚这个宠辱不惊的劲儿，这会儿见她仍是温和浅笑，并无情绪上的大起大落，于是干脆凑到她耳边，尖声细气说道："皇上的意思，是有意晋你为尚宫。"

青岚心头一震，波涛翻涌，竟然是酸甜苦辣诸多滋味混合在一处，张了张嘴，却发现自己竟然说不出话来。

尚宫乃是正五品女官官职，青岚之前一直只是御前奉茶宫女，并无官品，一跃便升迁为尚宫，虽然荣宠无限，但也顿时就被推向了万众瞩目的境地。青岚暗想，那样一来，自己在宫中的处境恐怕要更加凶险了。

晋王到底是何打算？为何突然就要将她推向那样一个位置？是因为宫中的影堂暗卫遭到清洗，所以，他急需一个能在后宫之内身居高位的人为他奔走办事吗？

王继恩只当她是欣喜之下惊呆了，于是拍了拍她的肩膀，笑道："圣旨不日就将降下，你就只管放心等着好消息便是了。"

青岚愣愣抱着木盒，心想，莫非楚昭辅的这份礼物不只是道谢那么简单，其中还暗含了要巴结她这位即将上任的尚宫的意思？

她心中反复思量，却是觉得自己已经被高高架在了油锅上，上下不得。众人此刻望向她的眼神中带着些许深邃的意味，许是很快就会有她要被收入后宫的传言了吧？后宫……想到这里青岚顿时一个激灵，皇上该不会是……对她抱了其他的意思了吧？

不会不会，自己一定是多想了。青岚在心中安慰着自己，当务之急是韬光养晦。所以……青岚低头看了看怀中的木盒，顿时计上心来，她正欲开口向王继恩承认自己收礼的事情，忽然身旁拂过一阵浓郁的酒香，那味道是她已经极为熟悉的。

青岚与王继恩几乎同时抬起头来，朝着来人下拜行礼问安。杨云溪抬了抬手，衣袖上的暗紫祥云花纹依稀可见。他今天的打扮凸显贵气，玉冠束发，锦带环腰，腰间仍是坠着他平素从不离身的那块白玉环佩，随着迈步的动作，流转出皎洁无暇的光晕。

杨云溪在一旁的椅子上端坐下来，抬眼看向青岚，道："有热茶吗？"

这显然是在主动讨茶喝了，青岚连忙应道："请侯爷稍候，奴婢这就去沏。"

说着赶忙转身去取了器具沏茶，她其实并不知道杨云溪的口味，只知道他十分好酒，所以就干脆挑了一款香气浓郁的，沏了满满一盏，这才双手捧过来小心奉上。

杨云溪端起茶盏，掀盖观色抿茶，沉思片刻，以盏盖指了指青岚刚刚放在一旁的木盒，问道："那是什么？"

青岚见他注意那木盒，心中顿时抽紧，瞬间转过几个念头，但自己率先就在心中一一否认，最后咬一咬牙，干脆快步取了木盒过来，恭敬地在杨云溪面前跪下，双手举高，将木盒递到他眼前。

杨云溪眼眸中透着冰一般的寒意，只是目光环视一圈，正在忙碌的众人顿时胆寒，其中有几个胆子小的，还不由自主地抬手抱紧了双臂打哆嗦。

他单手接过盒子来，却不打开，只是拿在手中掂量，上下打量着青岚。

青岚扬起脸，勇敢地直视他的目光，只是纤瘦的双肩却还是止不住轻抖。杨云溪沉默片刻，忽然抬手拉了她的手腕，将她一把扯至身前，俯身压下来，清楚地感觉到少女的气息凌乱。他压低了声音开口，甚至连一旁的王继恩都听不清楚："楚昭辅送来的礼，你打算怎么办？"

原来什么都瞒不过他……青岚自杨云溪的阴影中不经意侧头，唇险些贴着他的脸颊蹭过，感觉到浓郁醇厚的酒香将自己重重包围，她似乎已被逼至绝路，无处可逃。她喃喃开口，轻音袅袅，却仿佛不是说给杨云溪听的："此事并非我所愿……"

事到如今，愿与不愿，似乎也已经不那么重要了。

<h2 style="text-align:center">前尘梦·尘缘错</h2>

青岚挺直了腰背静静跪在御前，杨云溪立于皇上身边，受了伤的手仍是背在身后，垂首不语。楚昭辅送来的木盒如今就放在一叠奏折旁，砖茶被拿出来搁在一边，只剩珍珠项链孤零零躺在盒中。

皇上也不理这两人，只是自顾自地翻看着手中的奏折，一页看完，便执笔蘸了朱砂，在奏折上批上意见。他写了片刻，忽然想起什么，于是抬起头来问杨云溪："人抓到了吗？"

杨云溪声音沁凉刺骨，令人遍体生寒："共十六人已经悉数落网，其中两人是驿站杂役，这才得以将掺了红芙罗的砖茶混进贡茶之中，严刑之下，有人招供，他们乃是李重进旧部……"

这个名字一出，如同一道惊雷，瞬间在青岚心间炸开！

李重进……李府当日那场熊熊大火中的斑驳惨状，尽管时隔多年，依旧历历在目。青岚低下头，掩住剧烈的目光流转变幻，梗在心中的那个称呼却依旧按捺不住，自心底深处缓缓浮现。

父亲。

淮南节度使李重进，数年之前与当今圣上同事后周，原是至交好友，后来却起兵反叛，最终落得个家破人亡、尸骨无存的下场。

她不恨，也无心复仇。记得那时扬州被困数日，母亲也曾言语悲戚地对她说："萤火之光，不可与日同辉，你父亲虽身为太祖外甥、福庆长公主之子，但却并无天子之运，一味强求，结果也只会是飞蛾扑火，身死殒命罢了。"

那时候她尚且年幼，还听不懂这其中的深意，没想到，母亲竟然一语中的，所有的推测，最终都变作了无可挽回的事实。

母亲只是李重进诸多侧室之一，所以青岚自小与父亲并不亲近，有关的记忆不过寥寥而已，现在唯一的震惊与彷徨，也只为了那一抹血脉里无法斩断的骨肉亲情罢了。

似乎并未有人注意到青岚的异常，杨云溪的话音未停："红芙罗能乱人神志，他们的目的，只是陛下一人。"

皇上搁下御笔，气韵风度都如常："距扬州之乱已有七年之久，没想到这群人竟如此执着，若是将这心思用在正途上，那该多好！罢了！既然朕先前发了话，一切就交由开封府发落吧！"

杨云溪并无半点异议，回答的也言简意赅："是。"

皇上这才看向青岚，一边用指尖轻轻扣了木盒："岚丫头，这尚宫还没当上，倒是先学会收礼了啊？"

他的语气中带着调笑，听不出丝毫怒意。青岚小心地抬起头察言观色，见皇上面色如常，于是便实话实说："回皇上，奴婢实在是委屈。今早正睡着被人叫醒，懵懵懂懂就接了这个，只有礼却连个落款都没有。让奴婢想退都没处退去，只能带了来找王公公，打算请他帮忙想想办法给退回去，没想到恰巧就被侯爷给见着了……"

她一番话说得条理分明，语气略带委屈，目光闪闪透着晶莹泪光，完全是一番楚楚动人的模样。

皇上略一沉思，板起脸严肃地瞪着她："这么说来，倒是朕的不是了？"

青岚急忙低首叩头："奴婢不敢！"

皇上轻哼一声："朕原本看你老实本分，这次又立下大功，打算封你尚宫之职，现在看来，朕觉得自己错了，你还是去洗衣服吧！"

青岚心道不好，皇上怎么突然就变脸了？莫非是要把她贬去做洗衣宫女？

杨云溪听到这里忽然闪身上前，单膝跪地，单手扶膝，身子挺得笔直，行的却是军礼。他一句话都不说，只是低首静待，但这一刻却仿佛无声胜有声。

皇上见状，顿时朗声大笑起来："既然云溪有意，那么青岚，你就去清平侯府上帮他洗衣服吧！不洗完府中所有的衣服，就不准回宫。至于那礼物，既然退不回去，那就留着吧！"

青岚被这连番起伏吓得已经不知所以,从即将赐封尚宫到险些被贬去洗衣,天家官职到跌落尘泥,天威难测,一切都只掌控在天子的一念之间。好在最后只是小惩大诫……她只能俯身下拜,口中虔诚道谢:"奴婢多谢皇上。"

杨云溪得了这句话,也拜了拜,然后站起身来,取了木盒和砖茶重新装好,然后一把扯起青岚的手腕,头也不回地将她拉走了。

青岚就这样莫名其妙地被杨云溪给拖出了紫宸殿,好在这位侯爷大人还给了她回去收拾行装的机会,然后就把她丢上马车去了。

皇上只说帮清平侯把衣服都洗完了才能回宫,可到底如何才叫洗完了呢?青岚心中想着,若是杨云溪不愿意,她估计就要在这里洗一辈子的衣服了。青岚把身子蜷缩在马车的角落里委屈地想着,一面抱紧了怀里的包袱,越想越觉得难过,忍不住从中摸索出琥珀璎珞,在手中轻轻蹭了蹭。

她低了头,脖颈上那一截红绳露出来,坠着沉甸甸的一块羊脂玉佩,上面是栩栩如生的观音像,神情悲悯,光泽晶莹。青岚忍不住抬手轻轻抚摸,想起母亲将玉佩交于她时的情景。

那时候她尚且年幼,那日在院子里玩耍归来,见到母亲端坐在窗边,一手托腮,整个身影都笼罩在午后的微光里,竟是模模糊糊的,却觉得那个轮廓极美。

自己蹑手蹑脚地蹭过去,但忽然眼前一亮,抬头就看到一块纯白晶莹的羊脂玉观音像在眼前晃动,母亲笑容暖暖地揽了她在怀中,问道:"喜欢吗?"

自己仍是小孩心性,见了漂亮的东西便想要抓在手中,于是肉乎乎的小手伸过去,奶声奶气地答道:"喜欢!"

母亲将玉佩的红绳解开,帮她戴在颈间,一边柔声念叨:"秀儿,你已经五岁了,娘亲帮你许了一门亲事,这玉佩,是你婆家给的信物,你要好好收着,可别弄丢了哦!"

感觉到暖玉在掌心微微颤动,仿佛有生命一般。青岚无奈而苦涩地扬起嘴角,信物仍在,可这桩亲事,除了自己之外,恐怕已经无人记得了吧?

哀叹一声,忽然马车一晃,青岚险些从车里一头栽出去,匆忙扶住了才没让自己摔倒,只是手中的琥珀璎珞骨碌碌滚出去好远。青岚扑上去追着捡,但眼前一亮,竟是马车的帘子被人掀开了!

青岚身子一僵,直挺挺地看着杨云溪抄手捡起自己的琥珀璎珞,面无表情。

杨云溪盯着琥珀璎珞看了片刻:"你的?"

青岚把头点的跟拨浪鼓一样，目光闪闪。杨云溪随手将璎珞扔在了她怀里，然后沉声丢下一句："到了，下车。"

青岚赶紧将璎珞小心揣起来收好，这才抱着包袱跳下车。迎面就是侯府，她只一眼看过去，心中却甚是愕然难挡。这清平侯府也太……寒酸了些吧！

杨云溪的府邸位置不在繁华的官街区域，而在小巷深处，左右邻居都是普通百姓，门口也并未有什么招眼的装潢，唯有一片青瓦灰墙、几株爬墙的枯藤，大门上方悬着一块竹匾，上面是描金手书："水落云起。"

青岚看在眼里，心中惊诧难平，顿时怦怦急跳个不停，她忍不住以手抚胸，渐渐才平缓呼吸。

这四个大字，竟是当今圣上的亲笔御书！

就连晋王府也无幸得此恩宠，却挂在了杨云溪的简朴府宅门外，可见皇上对其的态度果然格外亲厚。这么一看，就算再寒酸的府邸，都能从中感受到一股莫名的天朝威严。

青岚不由得望向杨云溪，他跳下了马背，随手将缰绳交给迎上来的老管家，

老管家的目光移过来正巧与青岚打了个照面，青岚不知道该怎么称呼，只能乖巧地屈膝问了安。老管家眯起眼睛反复上下打量，最后才将头转向了杨云溪："少爷，这位姑娘是？"

杨云溪看了青岚一眼，面无表情地："洗衣丫头。"

老管家听完了杨云溪说的，目光又飘过去扫了几眼，显然一个粗使的丫环是不该有这番楚楚动人又风姿清好的相貌的。青岚生于江南水乡，本就具有南方女子楚楚动人的风雅气质，再加上她平素衣着打扮都极尽淡雅，与她的姣好容颜相得益彰，虽然不比宫中嫔妃，但是，也还算是颇有些姿色的。

不知为何，青岚心底竟有丝丝悲切失落之感，忍不住于心底无声哀叹，原来自己在杨云溪眼中，只是个洗衣服的丫头而已……

杨云溪跟着望了一眼，见老管家似乎正在为难，于是发号施令："带她去住下。"

说完便不再理会青岚，径直穿过那道不甚宽敞的木门，疾步进府去了。

老管家心道，怎么说也是皇上御赐的，毕竟是宫里出来的人，也不能真的怠慢了，而且看这位姑娘十指纤纤，就不是个能干粗活的样子，而且，府里就几间厢房，哪里还有空置的地方安顿人了！

他思前想后，最终还是做了个大胆的决定，竭力温和地对青岚道："老夫姓杨，是府里的管家……"

青岚再度欠身行礼："见过杨管家，奴婢名叫青岚。"

老管家见面前的这位姑娘态度不卑不亢，笑容温和淡然如同一股暖流深入人心，心中甚是满意，主动为她引路："青岚姑娘，这边请。"

青岚不敢逾越，停步不前，只等着老管家走在前面，自己才敢跟上。

清平侯府邸格局简单，一如杨云溪其人，干净冷漠，仿佛不带半分温度可言。两进院落带着一个小小花园，院内栽种了一排松柏，棵棵英姿挺拔，在寒冬腊月一样色泽鲜亮，是这府中唯一的一抹鲜艳颜色。

一路走来，青岚发现府中下人极少，与老管家打听之下才简单了解，除却他之外，就只有两个小厮，外加厨子夫妇，连个年轻丫头都没有，也怪不得老管家发愁要把她安置到哪儿去了。

杨管家匆匆将青岚领到一间厢房门口，停下来面露难色。青岚察言观色，顿时柔婉一笑："杨管家，有什么难处但说无妨。"

杨管家无奈解释道："府里厢房不够，唯有西厢的一间一直没人住，只是先前堆了不少杂货，需要打扫。今天就要委屈姑娘，在这休息一晚了。"

他抬手一指，只见房间一角放着一张软脚小榻，上面铺着雪白软垫，手旁就是赭色书架，书香满怀，夹着淡淡酒香，书架上摆着两个钧瓷酒瓶，倒是个素雅安宁的去处。

"书房？这是侯爷的书房？"

青岚陡然一愣，抬眼环视，见墙上不见字画，而是挂着一把墨色宝剑，剑鞘上镶嵌了七颗朱红宝石，古色古香，旁边是一张金丝漆木长弓，非是武器，而只为了显示出这房间主人的身份。

杨管家点了点头："姑娘放心，少爷本来就鲜进书房，我亦会向他禀报此事，你大可放心。"

青岚抿了抿唇，这房间弥漫着一股若有似无的酒香，让人有种说不出的慵懒，仿佛现在就想倒下好好睡一觉。既来之，则安之，既然也没有别的选择了，杨管家的一番好意，她也无需拒绝，于是答道："有劳杨管家了。"

杨管家见她很快同意，这才放下了心中的石头："我会让人尽快收拾好房间。"

青岚福了福，送杨管家出门，这才松了口气，拎着包袱在榻上坐下。

淡然的酒香忽然转浓，青岚腾地站起身来，迎着门口僵硬地俯身行礼问安："见过侯爷。"

心中却无奈道，刚才是谁说少爷鲜进书房的？

杨云溪换下了入宫时的一身锦袍，只穿一件月白长衫，一头黑发也只以一根青色缎带松松垮垮地束起，信步而来，脸上全无半点喜怒哀乐。他抬了抬手，连句话都懒得说，只是径直走到书架前，抬手拿了钧瓷酒瓶，拔去瓶塞仰头灌了两口酒。

顿时房间里酒香扑鼻，青岚从未闻过这个味道，却忍不住脱口赞道："好香！"

杨云溪将酒瓶晃了晃，抬手递向青岚，清亮的目光中带着邀请。

青岚被他似水清澈的目光与俊美的容颜蛊惑，竟然真的慢慢走过去，伸手接了酒瓶。但她自知酒量不佳，所以只是浅尝辄止，琼浆入口化作甘甜香醇，连宫中都未见过这么好的酒。

青岚将酒瓶握在手中，忽然一愣，顿时满面飞霞，双颊竟然灼烧得厉害。刚刚才意识到，两人竟然是饮了同一瓶酒！

她指尖稍稍有些僵硬，杨云溪这时大步走到她面前，取了酒瓶在手中，幽幽道："这是云溪。"

青岚抬眼望去，无意识地跟着重复了一句："云溪？"

杨云溪目光中生出些许温存笑意，应道："嗯。"

青岚险些被他这似笑非笑的表情摄去了心神，恍惚间忽然看到杨云溪把酒瓶送到唇边浅浅抿了一口。她忽然想起在一本古籍上读到过，云溪为古酒之名，但只存于传说之中，从未有人得见，想来就更没有人知道它真正的味道是什么样了。

青岚动了动唇："古酒云溪？"

杨云溪的表情似乎柔和了很多，随手就收了酒瓶重新放在书架上，只点了点头："是。"

这人以酒为名，倒是人如其名，身上总是环绕着淡淡酒香，挥之不去。

两人四目相对，各自无言，青岚忍不住先低下头去，遮掩了微红的脸颊。结果却是杨云溪率先打破了沉默，语气却是十分古怪地："我饿了。"

青岚心中暗想，你不是还要我给你做饭去吧？记得杨管家说了，府里有对厨子夫妇的。她张了张嘴，就当场被杨云溪那满眼寒意给冻回去了。

"奴婢……"青岚低头，决定还是认命了，做饭就做饭吧！

这时候就听到杨云溪的声音又冷又硬，却是对着门外说的："都拿进来。"

杨管家连同两个小厮鱼贯而入，端上几个家常小菜，虽然不是皇宫御膳，但热气腾腾，色香味俱全，让人闻起来就不由食指大动。

青岚揉了揉肚子，这味道香的，让她觉得更饿了。她起得晚，就没来得及用早膳，一拖就拖过了午后，觉得饿了也是必然的。

杨云溪在桌前端坐，取来筷子拿在手中顿了顿，这才侧抬起头看向青岚，语气很是浅淡："坐。"

青岚低头敛身："奴婢不敢。"

杨云溪语气一沉，却是带上了不容拒绝的威严："坐下。"

青岚挨不过他那一身的寒意，只能拉开一条凳子，小心翼翼地坐了下来。杨管家并没有像宫里用饭那般在旁边侍候，送了碗筷饭菜就带人退下了。杨云溪把手中的筷子放在青岚手边，语气却是轻柔了不少："吃吧。"

青岚觉得没来由地心里一暖，肚子饿得直叫，也就不再顾忌什么，低下头夹菜到面前的碗盘里，吃得狼吞虎咽。

杨云溪默默盯着面前这个吃相不甚优雅的少女，心底思绪默默流淌，那诸多旧事，也就那么一幕一幕浮上心头来。

那记忆里娇小白净的女孩笑靥如花，在晨曦的微光里悄然绽放，终究化作一片无声的叹息。

青岚匆匆吃了两口，这才意识到自己的举止似乎有些唐突了，抬头就迎上杨云溪清澈的目光，乍一触碰，竟然是不易察觉的心动。

她低下头去，兀自用筷子拨拉着碗里的青菜。

杨云溪抬手夹了肉片，不动声色地放进了青岚的碗中，青岚被他这个举动吓了一跳，然后便有些羞涩地低下头去，似乎有些为难的样子。

杨云溪放下筷子，他其实并不觉得饿，只是想到青岚尚未吃过东西，所以才拉着她陪自己一起吃饭。但是现在看来，似乎场面被他搞得有些尴尬了。

青岚想，这样吃饭简直太别扭了，怎么也要找个由头转移一下话题才好，思前想后半天，终究还是问了一个她其实一直想问而没有机会问出口的问题：

"那天你的伤……好了吗？"

杨云溪的手上仍然缠着雪白的绷带，只是已经用过了药，伤口渐渐愈合，他点了点头："都好了。"

幸好那时候他反应及时，否则，青岚就算保得住性命，也难免会受重伤。

青岚的目光落在他的手上，他受伤的是左手，所以多数时候都藏在衣袖中或是掩在背后，这时候无意识地搭在了桌边，被她的目光一触，便有些纠结地收回去。

"真的都好了。"杨云溪重复了一遍，甚至还加了一个不常用的"真的"。

青岚想，这一次，她又遇上了一个救她性命的男人，一命之恩，理应要还一生之情，但她已经一无所有，也不知道还能用什么来还给他。

也许唯有一句真诚的"谢谢你"，才能表达她此时此刻的心情了吧？

青岚想着便做了，站起身来，整理衣襟，然后盈盈向杨云溪下拜："救命之恩，奴婢无以为报……"

杨云溪以单手托住她下坠的身子，脸色未变："不必了。"

他静静地看她，语气四平八稳："我打翻你的茶，害你被杖责，就算是扯平了。"

青岚抬头看他，双唇轻抖，正欲说些什么，忽然听得窗外传来一声尖厉的笛音，仿佛划破耳膜直直刺入心底一般，让人遍体生寒。杨云溪的目光骤然蒙上一层冰霜，转身便向外走去。

青岚紧跟了两步，站在门口看着杨云溪的身影如同惊鸿般翩然远去，她回忆起这声尖厉的笛音，似乎在哪里……曾经听过。

她皱起眉头来，凝神细细思索起来。明明那声音就近在耳畔，此时此刻却怎么都想不起来了。

前尘梦·意难平

青岚喊来杨管家一起撤了碗盘，然后便挽起衣袖来，露出一截白净的手臂，朝他笑道："杨管家，请问侯爷要洗的衣服，都放在哪儿了？"

既然是皇上亲口指派她来给杨云溪洗衣服的，那么，她便做那个洗衣服的丫头吧！杨管家原本是不想告诉她的，但拗不过青岚，最终取了杨云溪换下的衣服给她。

十二月的井水冰凉刺骨，青岚觉得透心凉，仿佛在瞬间失去了知觉一般，只是咬牙硬撑着将衣服全都洗完然后晾晒起来。

做丫头的终究是要给主子洗衣服的，青岚将双手交叠在一起，放在唇边拼命呵气。展开一件藕荷色长衫时，迎着光就看到左肋处一点殷红，只是颜色稍暗，不被光照似乎还看不出来。青岚心中起疑，忍不住仔细看过去，却陡然一惊：是血迹！

杨云溪的血迹吗？青岚不动声色地继续将衣服抖开晾好，心里却越发怀疑起杨云溪的身份来。

自由出入宫闱、武功高强、衣襟上的血迹、御书房桌上的密报……一切杂乱无章，千头万绪，但又仿佛冥冥之中自有天意，青岚在脑海里飞快地将杂乱的线头理顺，终于渐渐串联到一起。

她终于想起自己是在何处听到过那尖厉笛音了。

四年前，那时候她刚入宫不到一年，还在庞贤妃的宫中做侍女。有一日深夜，正逢她当值，也是听到这么一阵尖厉的笛音。她好奇地循声望了一眼，黑暗中那一掠而过的黑衣人，挟着寒露坠入眼底。早已经丢在时光中多年的记忆，竟在这时，被她记了起来。

后来她听其他宫女、太监私下说起，紫鸾暗卫以独特的笛音传讯，是这九霄宫阙中最神秘而幽深的存在。紫鸾是传说中的神鸟，伴龙而生，故当今圣上自立的暗卫也授予紫鸾暗卫的头衔。

所以，杨云溪他是……紫鸾暗卫？

青岚心中这么想着，一边急于求证，开始在书房里小心地翻找起来，只是看了半天，确实未曾发现什么异常。

闲来无事，青岚又把包袱里的琥珀璎珞拿出来看，那是母亲送给她的生辰礼物，她知道，那代表着一个母亲对女儿最深切的祝福。

记忆里，母亲是年轻漂亮、明眸皓齿的女子，但却并不得父亲的宠爱，多数时间，她都坐在窗前，一手托腮，似乎在眺望远方。

现在回想起来，青岚总是会觉得，母亲是在等待着什么人。

只是她想要等待的人，从未出现过。

可能是因为这几天太累了，渐渐有了倦意，青岚收好琥珀璎珞，和衣而卧，不知不觉便沉沉睡去。只是一开始梦境里还是平静如水，但忽然骤生变数，杨云溪手提银枪，锐利的枪头竟是自眼前直刺而来！

血光乍现，青岚惊慌失措地尖叫一声，骤然自梦中醒来，坐直了身子大口喘气。

在梦里，杨云溪要杀她！为何这感觉如此真实，让她几乎信以为真？她这边气还没喘匀，忽然听到一声闷响，似乎是从不远处门口传来的声音。青岚翻身下榻，蹑手蹑脚地走过去看，黑暗中传来男人低沉的咳嗽，声音却是熟悉的。

好像是杨云溪！青岚匆匆点了火烛，借着火光看过去，当下心中一惊，冷汗涔涔而下，也幸亏她见惯了大场面，这会儿只是踉跄了半步，手脚发凉僵硬而已。

一个年轻男子倒在地上，周身弥漫着一股浓重的血腥味，身上的夜行衣漆黑如墨，一只手按在肩膀上。他的脸上戴着一副银制面具，挡住了俊秀的面容。青岚心念一动，险些尖叫出声来，但男人无力地抬手将面具自脸上扯去，露出一张绝美却完全失去了血色的苍白脸庞来！

"侯爷！"

青岚大惊，忙将火烛调亮，艰难地将他搀扶起来。

杨云溪呼吸略有些粗重，按着肩膀的指缝渗出血来，但还是竭力镇静地看了青岚一眼，道："血迹，擦了。"

青岚知道他怕人看到血迹，于是将他扶到软榻边坐靠着，撕下一片衣襟给他压住伤口，这才飞快地收好面具，找出一条帕子，将地上散乱的血迹擦拭干净。杨云溪见她动作利落果断，不等他开口，就将染了血的帕子放在火上烧掉，然后打开窗子通风换气，心中忍不住暗暗赞叹她心思玲珑剔透。

青岚将一切做完，转过身来，见杨云溪的脸色却比刚才更白。她喘了口气，忍不住问道："我是否要去喊杨管家？"

杨云溪摇摇头，语气软弱无力："别叫人来！"

青岚转念一想，杨云溪这般隐秘的身份，若不是她无意间撞破，他必定是不会主动承认的。她点了点头，柔声安慰："好，我不喊人，我先帮你包扎伤口……你身上有伤药吗？"

杨云溪轻咳两声，向她抬起一只手："我房间，有药。"

好在杨云溪的卧房距离书房并不算远，青岚将人搀扶回房间，竭力小心没有惊动府中众人。

点亮火烛，青岚按照杨云溪所说找出伤药和绷带来，正准备为他包扎伤口，忽然听到院中一阵杂乱的脚步声，伴随着呼喝叫骂。

杨云溪侧耳倾听，目光中渐露杀气。

青岚虽不及他警觉，但很快也意识到不对，听脚步声分辨，这大半夜的，怎么来了那么多人？

她径直望向杨云溪，后者握紧了拳头，神色戒备："他们是来寻我的。"

青岚急道："那你要不要躲一躲？"

杨云溪平静地摇了摇头："没用的。"

青岚见他镇定的模样，自己心中倒是急了。他这个样子怎么能见人！无论他做了什么，都不是她该过问的事，但是，她曾欠他一条命，又怎能眼看着他陷入死地？

杨云溪似乎看出她的心急如焚，于是抬手轻轻拍了拍她的手，语气轻缓悠远："能不能，帮我挡着他们一会儿。"

似是央求，没有高高在上的态度，也没有冰冷到让人无法接近的寒意。

青岚一片忧虑顿时化作柔情似水，她抬起头直视着他，诚恳地点头应道："好，我去。"

那只是简单的两个字："我去。"

那是同历生死之后毫无保留的信任，青岚沉了口气，缓缓站起身来，眼神坚毅，心中似已做出了决定。

人已经到了门口，似乎是杨管家拦不住。青岚快步走到门边，整理好衣襟，低头看去，幸好身上并未沾染到血迹。于是果断拉开房门，迎着门外一片明亮到似乎烧着了半边天际的熊熊火光，傲然抬起头来。

青岚在宫中多年，早就见惯了高高在上的天子戎卫，又何尝把这群府衙捕快打扮的人放在眼中。她朱唇轻启，波澜不惊地问道："什么事？"

火光仿佛灼痛了谁的眼，人群骤然安静了下来。青岚一身湖水绿青衫傲然而立，在纷乱之中，仿佛一抹动人心魄的亮色，深深刺入每个人的心底。

有人自人群中闪出身来，似乎是捕快的头子，不以为然地上前喝道："有人在千华酒居被杀，我等奉命缉拿凶手！"

青岚瞥了那人一眼，倒是把御前侍奉时的端庄架子做了个十成："阁下何人？"

那人一愣，青岚神色从容优雅，落落大方，仿佛是烈火遇水，倒是瞬间就把他的气焰给压了下去，他只能撑起仪态："我们是开封府捕快！"

青岚哦了一声，却依旧抬手拦在门口："我家主子已经休息了，不容打扰。"

"就是说啊，各位官爷，我们少爷已经休息了，这院子你们尽管搜……"杨管家这时候跟跄上前，似乎是摔了，脸上青一块紫一块，走路还一瘸一拐的。

那捕快头子抬手就要去推杨管家，一边怒骂道："老家伙，别废话，让开！"

青岚心中骤然浮上一股怒气，似乎是因为童年那段不堪回首的经历，她平生最厌恶的就是仗势欺人的官差和达官贵人。她果断上前，抬手将杨管家拦在身后，反手就是一耳光！

她毕竟跟着皇上学过长拳，近身交战倒是十分有用。那人毫无防备，竟是被硬生生打了个正着，脸上一阵剧痛，连青岚的手都被震得有些发麻。

一击得手，她便疾步后退，站稳身形怒斥道："只是个小小捕快，也不看看这里是什么地方，怎容得你在此放肆！"

捕快头子冷不丁被抽了这一耳光，顿时满面怒火，反手就要回打过去，一边骂道："你个小贱人，竟然打老子！来人，给我把这两个阻挠办案的嫌犯拿下！"

青岚原本想找他吵架故意要拖延时间，这一看对方就要动手抓人，情急之下干脆将手至怀中一伸，摸出个什么什物，往面前一亮，喝道："大胆！你们看看这是什么！"

捕快头子被这一声莫名其妙地吓住了，定睛一看，顿时越发惊讶，脱口而出："宫中的腰牌？"

这块皇上钦赐给青岚方便她出入宫内的腰牌，她平时都收在身上，在这千钧一发之际，足够证明她的身份了。

见有人认出腰牌来，青岚便放心下来，冷声道："这是圣上钦赐的腰牌，我乃是御前侍女，奉圣谕暂居清平侯府上，你们若要缉拿嫌犯，请先拿出证据。如果你们要一味硬闯，惊扰了侯爷，我也只能以此腰牌为证，到开封府向晋王千岁讨个说法了！"

那捕快头子心中大惊，原以为只是普通人家，所以闯进来时才肆无忌惮，连管家都给踢翻在路边了。没想到这会儿不但冒出个清平侯不说，还多了个手持宫中腰牌的御前侍女。只是这会儿他骑虎难下，进退两难，此时退去，就要彻底抹了开封府的面子，但真的闯进去，又怕到时候这丫头真的去向晋王告状。

正在左右为难之际，一道清冷的声音挟着冰雪般的寒意落入每个人心底："青岚，不得无礼。"

说话之人，正是清平侯杨云溪！

青岚听到他言语，心知杨云溪已经做好了准备，一颗悬着的心这才完全放下来。她当即收了腰牌，转身下拜："侯爷，吵醒您了？"

杨云溪挥了挥手，淡淡应了句"无妨"，走到青岚身旁站定，目光似雪又锐利如刀，直直盯着捕快头子。

捕快头子被他看得遍体生寒，忍不住往回缩，那么大的个子当即就要缩没了，只是赔笑道："侯爷恕罪，卑职等并不知道这是侯爷府上，只是追着凶手留下的血迹而来……"

杨云溪忽然开口打断他的话，侧身让路："搜吧。"

语气淡淡的，仿佛说的不是自己一般，只是忽然抬手按在那人肩膀上，指尖渗入内力，微微凝眉，收拢手指，只听咯咯作响。捕快头子整个人都忍不住抽搐起来，杨云溪的五指紧扣在他的肩膀上，仿佛下一秒就要插入骨缝当中，把骨头硬生生捏断。

五指寸劲重若千斤，但又于瞬间散去。

捕快头子顿时仿佛是从水里捞出来的一般，语气也跟着微弱起来："卑职……不敢。"

杨云溪拂袖收手，双手负后立于原地，看着捕快头子的冷汗自额角涔涔落下，从容道："既然不敢，青岚、杨管家，送客。"

捕快头子知道自己惹不起，只好匆匆带人离开。青岚眼看着火光渐渐远去，转头迎上杨云溪的眼眸，黑漆漆的被火光照亮，倒映出一片流光溢彩。

只是那份光彩仿佛海市蜃楼，转瞬即逝，下一秒，杨云溪无力地合了眼，毫无征兆地往一旁倒去！

青岚连忙上前将他搀扶住，杨管家关切地迎上来，杨云溪将头靠在青岚肩头歇了一会儿，这才淡淡朝着杨管家道："我没事，只是有些醉了。"

青岚能闻到他身上浓烈逼人的酒气，掩盖了鲜血的腥味，还没等杨管家答话，他便吩咐道："扶我进去。"

他说这话时的语调已经极弱了，青岚猜想他刚刚竭力硬撑那么一阵子已经是极为辛苦，于是连忙朝着杨管家使了个眼色，道："杨管家放心，奴婢会好好照顾侯爷。"

杨管家长叹一声，目光里倒是混合了些许说不清道不明的意味，俯身拜别："老奴告退。"

杨云溪脚下踉跄，青岚赶紧关了门，搀扶他坐下，然后仔细查看他的伤口。不出所料，他肩膀上的伤口全数崩裂开，又开始往外渗血，伤口很深，似乎是利刃所为。青岚不敢问，只是咬着唇替他默默包扎，杨云溪硬挺着腰背让她处理伤口，但终究还是挨不住，青岚刚将绷带系了个结，他便身子一软，无力地跌在了青岚怀里。

青岚登时一惊，低头一看杨云溪双目紧闭，似乎已经失去了意识，她立即抬手去探杨云溪的鼻息，虽然微弱，但却并非全无，这才放下心来。

她小心而艰难地将杨云溪扶到床上躺下，他此时已经沉沉熟睡，脸色苍白之余，略有一丝红晕。青岚抬手轻按他的额头，当即就被杨云溪的热度惊倒："这么烫！"

重伤之下的发热让杨云溪整个人忍不住颤抖起来，青岚看到他紧闭着眼睛，唇却呢喃不停。她俯下身仔细倾听，只听到一声声哀伤又无助的轻唤："娘亲……娘亲……"

杨云溪的母亲……那个传说中改嫁当今圣上的奇女子。青岚忍不住凝眉，能生出这等绝色面貌儿子的女子，又会是个什么样子呢？

杨云溪的额头渐渐渗出冷汗，双目紧闭，辗转反侧，似乎是极为痛苦的样子。青岚取了帕子蘸湿了试图为他降温祛热，但那细微的凉意似乎在高热面前丝毫起不到作用。

杨云溪只是瑟瑟发抖，意识全无地一会儿喊娘亲一会儿呢喃着说冷，青岚见他脸色越发难看，连睡都睡不安稳，只觉得心中也是一阵难过。她也不知道该怎样，仿佛是出于本能的将身子靠过去，然后抬手按在他的眉心，似乎是想要把那一抹阴郁抚平。

杨云溪在半梦半醒间，似乎感觉到额头传来丝丝凉意，让他觉得舒适了许多，于是神情渐渐安稳下来。青岚刚想撒手，杨云溪忽然将手一扬，紧紧攥了她的手腕不肯放开，就那么用力握着。

青岚挣扎了两下，却仍是敌不过杨云溪的力道，只能无奈地叹了口气，坐在床边，一手托腮，看着那个终于安静下来闭目沉睡的男人。

他睡着的模样并不似平常那么冰冷，或许是因为藏起了那双常年沁含冰雪的眸子，反倒显得格外温柔。

青岚目光上下飘荡，忽然就落在了他脖颈间。杨云溪刚换了衣服，领口或许是来不及系上，露出一截红绳来，沉甸甸地仿佛坠了什么。

青岚忽然一阵莫名悸动，她的脖颈间的玉坠子暖暖的带着温度，鬼使神差的，她竟然伸出手，就要去探向杨云溪的颈间……

也许只是那一瞬间，她就能获知一切真相。

但是杨云溪却在下一秒缓缓睁开眼睛看向她，他的脸颊仍是因为高热而被烧得滚烫通红，目光迷离，不复往昔的沉静冷漠，而是带着掩饰不住的万种柔情。

他愣愣地打量了青岚半响，忽然扬唇一笑："是你……"

这一笑宛若花开满楼，风中飘香，青岚当下愣住了，却见杨云溪复又合上眼睛，松开抓了她手腕的手，再度沉沉睡去。

刚刚的一切……似乎只是一场梦而已。

青岚看着雪白腕子上的两道深红淤痕，心中却忍不住久久回味杨云溪刚刚半梦半醒时迷离的一句："是你……"

那其中的暧昧难明，欲说还休，又或者是深藏于心难以启齿的，终究都化作两个字，荡漾于唇间，消弭于时光深处。

是你。

青岚不知道自己到底是何时睡去，又是何时醒来，一切都是如此迷离不清，让人分不清到底是现实还是梦境。

一觉醒来，面前的床榻上空无一人。胳膊麻得厉害，青岚用力甩了甩。脑袋似乎都乱成了一锅粥，她认真冥想，才回忆起昨晚发生的一切。

杨云溪呢？

青岚想起他受了伤，怎么现下又不见了踪影？

"你醒了？"

杨云溪的声音从背后响起，青岚猛然转过身来，见他身穿赤色如意纹外袍，玉冠束发，腰佩羊脂白玉环佩，风度翩翩，丝毫看不出受过伤的模样。

青岚屈膝问安，杨云溪抬手指了指桌子："带上点心。"

说着似乎是要带她出门的打算，青岚刚想问要去哪里，杨云溪很平静地补充了一句："入宫。"

青岚心中一喜，匆匆用食盒装了桌上的点心，整理好行装，随着杨云溪上了马车。

因为受了伤所以不便骑马，杨云溪一路上都与青岚同乘一辆马车，他屈膝斜靠在角落里，似乎在闭目养神。青岚因为没来得及用早膳，于是吃了两块点心充饥。正想着分给杨云溪，他连眼睛都没有睁开，而是冷冷丢下一句："我用过早膳了。"

青岚忽然意识到，这点心是杨云溪吩咐带上的，可他却又不吃……莫非是知道自己刚醒没有吃过东西？想到这里不由得心中一暖，杨云溪看似冷傲无情，整个人仿佛一块千年寒冰，但实际上细心周到，令人觉得备受重视。

只可惜，他为紫鸾暗卫，而她则是晋王府影堂暗卫，各为其主，注定无法以真实身份面对彼此。

"想什么？"

杨云溪见青岚半天不说话，于是主动出声。青岚猜想杨云溪昨晚受伤与今天一早入宫一定有着直接联系，但是却不好开口过问，只能自己暗中思索，既然他问起，索性就问道："奴婢在想，侯爷为什么这么快就把我送回宫？"

杨云溪睁开眼睛，目光似乎别有深意："你觉得呢？"

青岚抿了抿唇，低下头去："奴婢不知道。"

杨云溪目光往她身上扫去："你以为，皇上真是因为你私下收受礼物，才贬你出宫？"

那句话仿佛是一道惊雷，仿佛瞬间将青岚当场劈成两半。杨云溪的语气淡然如昔，但青岚的脑海中思绪翻涌，诸多细节就这样被串联在一起，皇上贬她出宫，当晚紫鸾暗卫出动，千华楼发生命案，杨云溪受伤被人追捕，这一夜，汴京城内，在她不知道的地方，似乎发生了太多事情。

莫非，皇上是故意让她出宫？

青岚目光一震，她似乎隐隐约约地明白了些什么，只是，仍是缺少那关键的一环。

她立刻低下头，掩饰住眼中的全部情绪，只求不让杨云溪看到。

杨云溪脸色未变，可是语气却很笃定："你心里很清楚，只是你不想说而已。就如同你在宫中多年一贯的态度，凡事只求明哲保身，从不锋芒毕露。"

他极少一口气说这么多话，却句句直中要害，简洁明了。

青岚猛然抬起头，她整个人都被笼罩在他锐利的目光底下，仿佛心底深藏的一切秘密都毫无掩饰地袒露出来。她忍不住瑟瑟发抖，身上明明披了御寒的披风，但还是感觉冷入骨髓，就像是在三九雪天光着脚踩着厚厚的积雪行走一样。

她不知道如何回答，杨云溪将一切都看得无比通透，将她逼入绝境，无路可退。

青岚只能望着他，努力让自己的目光变得坦然些，掩饰了畏惧，只剩如同初生新竹般的傲然从容。杨云溪被她的目光触入心底，冰雪一般的沉静中，竟然也有丝丝动摇。

青岚盈盈下拜："奴婢愚钝，请侯爷明示。"

杨云溪望着她似笑非笑："皇上贬你出宫，并无恶意，只是如你所愿，让你明哲保身，远离一切而已。"

说着将青岚搀扶起身："皇上要我带句话给你……"

青岚连忙低下头，口谕毕竟也是圣谕，她神色恭敬，屏息静听，就听到杨云溪沉声道："凡事，顺你本心而为之，就好。"

青岚听得一知半解，却只觉得皇上这话说得高深莫测，她听不太明白。只是心中隐隐有所触动，顺本心而为之，谈何容易？

她闭上眼，唯有深深下拜："奴婢遵旨。"

杨云溪复又合上眼睛，不再言语，唯有马车一路继续前行，径直驶入庄严肃穆的宫禁之中。

此时时候尚早，皇上刚刚起身，正准备上朝听政，却得到王继恩的禀报，称杨云溪已经到了殿外求见。杨云溪神色凛然，入殿参拜之下，皇上屏退众人，只与清平侯独自密谈。

青岚并未留在紫宸殿，而是直接回到了所住的院子。只是一进门就愣住了，连翘正在拖着扫帚扫地，满院的草木折断，一片狼藉。

青岚一把拉住连翘："这是怎么了？"

连翘惊慌地原地跳了一下，险些把扫帚给扔了，她连忙靠过去凑在青岚身边压低了声音说道："听说昨夜，宫中发现了辽人细作，搜捕之下，竟然发现他们在宫中还有个同谋……"

青岚皱了一下眉，不知道为什么，心中会有不好的预感，就听到连翘接着说道："我听说，昨晚紫鸾暗卫在这里杀了人……"

她说着一抖，似乎是还很害怕的样子："那个奸细，好像是尚仪局的……崔尚仪呢！"

崔尚仪？青岚忽然记起那天的匆匆一瞥，那天尚仪大人的举动确实十分怪异，值得怀疑，可是若说她是辽人细作的话，却又不像。崔尚仪的一颦一笑都像极了南方佳丽的似水温柔，哪里有半点辽人女子的豪放之风。

最重要的是那种感觉并不相似，青岚自己就是细作，自然明白那种谨慎小心步步为营，但是崔尚仪的身上，并没有那种刻意压抑自己的气息。

"那崔尚仪人呢？现在在哪里？"

青岚又问，连翘细想了一下答道："听说关押在天牢了，皇上下令，今日午时当众处死，以正视听。"

青岚顿时一个寒战，她与崔尚仪一样都是细作，所以，她似乎可以预见自己的下场。就算晋王得偿所愿，最终登基为帝，一个知晓九五之尊太多秘密的奴婢，终究还是留不下的。

是她自己选择了这条路，只能往前，永远无法后退，更不能后悔。

因为宿命，早已经截断了她所有的退路。

卷二 锦绣初宋情归处

锦绣缘·悔当初

紫宸殿外，寒风呼啸。

宫人们被从各处召集而来，聚在一处交头接耳，窃窃私语。虽然是午时，但是只站那么一会儿，身子还是立刻就被冻透了。青岚裹紧了身上的披风，身边站着的连翘双手一直紧紧攀着她的手臂。

皇上亲发圣谕，要求当众处置辽人细作，以正视听。青岚站得很远，可还是能清楚地看到崔尚仪鬓发凌乱，被两个侍卫以三尺白绫勒住了脖颈，一寸寸收紧。那一瞬间仿佛筋骨碎裂的声响钻入她的心底，她忍不住别过头去，惊慌地闭上了眼睛。

不知道为什么，看到她，就仿佛看到的是自己。

脖颈被牢牢勒住，不能呼吸，脸上的青筋一寸寸暴涨，颜色变为青紫，张大了嘴巴，却只能无力地发出嗬嗬声。

连翘惊慌地将头埋在青岚的身上，忍不住小声抽泣起来，不敢去看那惨绝人寰的景象。青岚反手抱着她的肩膀安慰，虽然表面尚算平静，但还是感觉心底一阵惊慌，心怦怦跳个不停。

只一会儿的工夫，一条年轻的性命就这样烟消云散，死亡对于他们来说，也许不是归宿，但终归是种解脱。

可人生短暂，谁又舍得就这么匆匆离开？是生是死，都已经不是他们能够掌握的事情了。

青岚见连翘哭得几乎脱了力，于是拉着她转过身要走。皇上要求诸位宫人都来观看崔尚仪被处置，只不过是借此警告潜伏宫中的那些细作，杀一儆百而已。现在人都死了，青岚是不想再留在这里受罪了。

王继恩这时候凑上来拦住了她："青岚，皇上找你。"

青岚站在原地静了静，放开连翘的手，俯身行礼："奴婢知道了，奴婢这就去。"

圣上用过午膳就在御书房看折子，青岚进殿时，他并没有抬头，只是指了指一边的茶盏："帮朕换一盏。"

青岚正欲参拜，听皇上一说，于是快步上前，探手贴在茶盏上试了试温度，果然已经冷透了。她撤下茶盏，很快就换上一盏，仍是小心地摆在原处，然后跟平常一样，垂手立在一边等候吩咐。

皇上又看了一会儿折子才放下，轻叹了一口气，似乎是有心事，端起茶盏也只是盯着茶汤看了半天，忽然没头没尾地问出一句："一个儿子，一个弟弟，手心是肉，手背也是肉，你说，让朕如何选择？"

这话仿佛一道惊雷，震得她心底发颤，皇上所指之事已经非常清楚，是储君之选！奴婢妄议朝政是死罪，她心中虽然一直期待晋王能得偿所愿，但是，这时候根本没办法说出心底所想。她迅速地收敛心神，理好思绪，皇上的话不回是肯定不行，但是回答不妥就更不行，她只能斟酌言语，轻声答道："没有人逼着皇上您做出选择。"

皇上目光骤然汇聚，仿佛并不认同青岚的话，可是也没有当即否认，青岚知道皇上此刻心中也没有答案，否则，也就不会开口询问她的看法了。

既然不能二选一，那么，就还是保持现状吧。

青岚想到这里，盈盈开口道："奴婢平时给皇上泡茶，有时候用新茶，有时候也用陈茶，龙井自然是新茶好，但是普洱，却要陈茶才好，要是总想着要在二者之间选一个，似乎是有些为难的。"

皇上目光缓和下来，他听得出青岚不想正面回答，因此才以茶喻人，似乎是她的话对他有所触动，因此目光流转，久久不语。

青岚见皇上似乎略有犹豫，于是趁机又道："无论新陈，各有所长，奴婢以为，兼而用之，才是最稳妥的。"

皇上骤然扭头瞪她一眼，目光中看不出是愤怒还是惊讶，只是明晃晃地让人看了害怕。青岚顿时双膝一软跪倒在地，低头道："奴婢多嘴了！皇上请恕罪！"

皇上沉了一口气，上下打量了她许久，终究只不轻不重地说了一句："出去吧！"

青岚这才敢起身，可还是觉得一口气吊着不上不下，连大气都不敢喘了，像一只受惊的小兔子一样，俯身仓皇退去。

皇上看着那张年轻秀美的脸上露出些许隐忍的表情，心中隐隐作痛，似乎又在她的身上看到了那个熟悉的影子。他扫了一眼桌子上那厚厚的一叠奏折，全部都是奏请册立皇子德昭为太子的内容，可是他的心里，那个答案，却仍是悬而不决。

或许青岚说得对，现在还不是做出选择的时候。

皇上提起笔来，蘸了朱砂，在一本奏折上运笔书写起来。

"王继恩……"不知道过了多久，空荡荡的书房里，皇上的声音格外沉重，但又隐含着一丝谁也弄不懂的怅然若失，"传朕的旨意，紫宸殿侍奉宫女青岚，德容兼备，自即日起，晋为尚宫。"

殿外乌云密布，天气阴沉难测，似乎是要下雪了。

青岚双膝跪地，深深叩头，起身自王继恩手中接过御赐的环佩和印信，目光轻颤，千言万语终究只化作一句："奴婢叩谢圣恩。"

说着又叩拜一次，这才站起身来。

王继恩拍了拍她的肩膀，语重心长地："岚丫头，以后更要小心侍候皇上，以报皇恩，知道吗？"

青岚沉默地点了点头，心里总觉得千头万绪，不是个滋味。

升任尚宫，有了品级，自然也要更换住处，只是青岚不愿意换院子，于是王继恩就把原本崔尚仪的那间房分给了她。青岚缓步推门而入，宫女、太监们正在打扫。见她来了连忙问安，青岚摆了摆手，示意他们不必如此，很显然，她还不太习惯这种被人拜见的感觉。

崔尚仪住在院子的东南角，房间宽敞明亮，只是前晚这里经过一番打斗，又被人搜查过，一片狼藉。青岚慢慢踱步，一边打量四周，不知道为什么，她总有种感觉，这间房间里，一定还藏着什么秘密。

一手拂过小桌，青岚忽然眼前一亮，桌脚与墙角的缝隙处，隐约有什么东西。她见没人注意，连忙俯身捡过来，背过身打开。这才发现是个香囊，正面绣着连理枝图案，背面以彩线绣着一个"林"字。

青岚记得，崔尚仪名叫曦墨，与这个"林"字，似乎扯不上任何关系。

那么这个"林"，又是谁呢？

她将香囊顺入衣袖当中，转头复又看去，见窗棂上挂着一串风干的榆钱，于是秀眉微蹙，若有所思。

突然听得背后传来宫女、太监的请安之声，她转过头就看到杨云溪站在门口，身披黑色长毛披风静静伫立，整个人如同冰雕一般，额角落了雪化开，一片湿润。

青岚连忙上前请安，杨云溪抬了抬手，自怀中取出一条叠得整整齐齐的手帕递过去。那手帕做工精细，上面绣着一朵亭亭玉立的兰花。

"啊？"

青岚抬头诧异地看着杨云溪，她想不明白他为何突然要送她一条手帕。

杨云溪将手帕塞进青岚的手中，低声道："外面下雪了，能陪我走走吗？"

这是青岚第一次听到杨云溪用这样的语气说话，他的声音一贯清冷，忽然温柔下来，带着几分诚恳的语气，竟是让人没办法出言拒绝。她点了点头，复又朗声道："奴婢送侯爷出去吧！"

这话是说给房间里那几个打扫的宫女、太监听的，杨云溪自然明白，拢了拢披风，不动声色迈步往外走。青岚紧跟在侧，只比杨云溪落后了半个身位，两人一前一后走出院子。寒风夹杂着雪片迎面狠狠砸在脸上，青岚忍不住把眼睛眯起来，以手掩面。她倒是穿了棉衣夹袄，但是在这冰天雪地里也显得十分单薄。

眼前闪过一道黑影，几乎笼罩在她头顶，然后便是一阵温暖袭来。青岚挑起眼眸，就看到杨云溪沉默地自面前退开半步，他的披风此刻已经落在她的肩头。杨云溪抬手悉心将披风的帽子拉起，指腹贴着她的额发掠过，惹得年轻少女心中一阵轻颤，仿佛春日融融的水面，被风吹皱，浮起一池涟漪。

杨云溪转身迈步走在前面，青岚连忙快步跟上，手中一边绞着杨云溪给她的帕子，一边低声纠结地问："侯爷为何要送我……手帕？"

杨云溪诧异地看她一眼，似乎是觉得她问得很奇怪，只是如实答道："赔你的。"

赔？青岚忍不住思索起到底什么时候杨云溪用过她的帕子，后来终于想起来昨晚她着急擦拭血迹，一时找不到东西，就从包袱里找了条绣花帕子来用，用完就烧掉了。莫非杨云溪指的是这个？

"只是一条手帕而已，难得侯爷还记挂着……"青岚笑笑，忍不住感叹杨云溪的心还真是细，竟然连这点小事都记下了。

"就算是恭喜你受封尚宫。"杨云溪放慢了脚步，任凭青岚跟在他身侧，两人在漫天飞雪中并肩缓缓前行，沿着小路一直通往林间花园。

青岚唯有苦笑，天知道她是多么不想当这个尚宫："若是能选，奴婢更愿意去当个洗衣的宫女。"

平凡的出身，平凡的人家，平凡的生活，不在乎所谓的富贵荣华，一生平安喜乐就足够了。

杨云溪忽然停了脚步，转头看她，眼波流转，沉默了半响，终于轻声道："那你可愿意来我府中，为我洗衣？"

青岚觉得自己仿佛从这句问话里听出了很多不一样的意思，她甚至怀疑自己是不是误会了，但是，心中又隐约有所期待。如果可以，她宁可自己不是李秀儿，更不是陆青岚，只做个小山村里的普通少女，日出而作，日落而息，日复一日，终有一天遇上相伴终生的那个人，携手共度，直到容华老去。

青岚用力咬唇，俯身跪拜："奴婢受不起侯爷的这份厚爱。"

第一次心中有了这样的念头，假如时光倒流至她自高处坠落的那一刻，抬手将她接在怀中的人不是赵光义而是杨云溪，那该多好。

杨云溪目光一沉，将腰间环佩扯下来，弯腰轻轻放在青岚手中，凝眉轻叹："若你反悔了，就持这玉佩，来找我吧！"

说完不等青岚开口回答，径直转身便走。

青岚跪在雪地里，双手捧着羊脂白玉环佩，任凭白茫茫的雪片盖了自己一身。风雪越来越大，她终于抵抗不住，无力地跌坐下去，抑制不住地落下泪来。

她拒绝了杨云溪，没想到，心里竟然这么难受。

只可惜，当初我先遇见的人，并不是你啊！

大雪纷飞，与此同时，紫宸殿外，一匹快马疾驰而来，直到宫门外的台阶下才停下来。骑马那人翻身下马，手中还紧扣一封书函。

王继恩取了书函匆匆送入御书房，圣上看到书函上清晰的三点朱砂，当即神色凛然，动手拆开，见薄薄的信纸最上只写了一行正楷："腊月初五，黄河决口。"

皇上愣了片刻，忽然扬手抄起身边的茶盏，朝着地面狠狠砸了下去！

一片清脆的瓷器碎裂之声，皇上愤怒的声音传来："给朕宣赵普来！"

那一天已经是腊月二十，黄河于深冬决口，却无当地官员上报灾情，让当地百姓何以为生？

大雪肆意飘落，鹅毛般的雪片，将整个汴京城彻底淹没在一片银装素裹当中。入夜，宰相赵普奉召入宫，青岚被急召至紫宸殿奉茶，只见圣上与赵相两人皆神色肃穆。她隐约猜到事关重大，但不敢多做停留，只听到"隐瞒不报""罢免""死罪"等只言片语。

第二日清晨，皇上于早朝之上颁下圣谕："澶州知州杜审肇罢官免职，副知州姚恕判斩首、弃市。"

朝野震惊。

朝堂之上，晋王赵光义低头掩饰住满目怒气，手上的佛珠手串用力握入掌心，仿佛嵌入骨髓。不少人都知道，姚恕原任开封府判官，后调任澶州，不但是晋王嫡系幕僚，还曾经与宰相赵普结怨。

第三日，晋王上奏，称自己忽染风寒，告假不朝。

一时间，宫中流言四起，有传说赵普、晋王两派已经势同水火的，也有说晋王已然失势的，个个都说的有鼻子有眼，好像亲眼所见一般。

大雪一连下了两日才肯停下，乍一放晴，宫中各处都在忙着扫雪。青岚怀中抱着一些整理好的文书，一路踏雪而行，走到紫宸殿外，却隐约听到一阵细碎的议论声。

"听说哎，那个被罢官的杜知州可是杜太后的亲弟弟呢！"

"原来是国舅……怪不得……"

"怪不得什么？"

"怪不得只是罢官免职，连死罪都免了。可怜了姚大人……"

几个宫女、太监扫雪时凑在一起休息，其中以连翘为首，她的身边围了一群人正在窃窃私语。青岚目不斜视地走过去，忍不住握拳抵在唇上，轻轻咳嗽一声，四周顿时一片肃穆安静。连翘见是青岚来了，于是连忙向她行礼，乱哄哄带着一片问安之声。青岚皱了皱眉，目光扫过去："宫人私下妄议朝政，按宫中规矩，是要杖毙的。"

连翘一个激灵，立刻闭嘴不言，连带着其他人也被吓得一哄而散，继续去埋头扫雪了。

这丫头的这张嘴啊……青岚无奈地摇了摇头，瞪了连翘一眼："小心说话，否则，我可保不住你！"

连翘笑成一朵可爱的小花，抱着青岚的胳膊讨饶："姐姐别生气，我再也不敢了。"

一边自她怀中抢过文书，嘿嘿笑道："我帮你拿！"

青岚又好气又好笑，忍不住伸出手指朝她额头一点："你啊！真拿你没办法！"

两人进到暖阁里，把一堆文书放在小几上，青岚脱了披风搁在一边。炭火烧得正好，她连忙把冻僵的指头凑过去烤火取暖。连翘乖巧地奉上一盏茶，如今青岚已经升为尚宫，自然要有自己的贴身宫女，王继恩考虑到连翘平素与她亲近，所以就把连翘调了过来专门侍候着。

宫中女官制度，如今依旧秉承隋唐六尚之职而来，但在宫中任职的，多数都是前朝旧人，六尚局中很多职位依然空缺，自圣上登基以来，青岚是第一个被册封的女官。

尚宫的主要职责是协助皇后管理后宫，同时掌管六尚之中的尚宫局。原本是不需要侍奉御前的，但是皇上却破例将她留在了紫宸殿，于是青岚除了尚宫的本职之外，还要兼着做些御书房里传召、文书之类的杂务。

青岚将小印蘸了殷红朱砂，在一份宫中人事调动的文书上盖了章，然后合拢递给连翘，从容吩咐道："本轮人事，让各处以此名单调配便是。"

连翘接了文书过去，立刻吩咐传抄下发照办。青岚将身子靠在软垫上，脑海里却忍不住浮现出那份名单来。昨日，晋王暗中派人送来消息，告诉她影堂暗卫大多在紫鸢暗卫清查辽人细作时被暗中清除掉了，所以这一次又选了数名年轻的少男少女混入宫来，希望她今后能暗中关照。

她知道这张名单当中哪些是晋王安插入宫的人，也趁着这轮人事调整时，将他们分散到各宫去，只是不知道，这些棋子当中，哪些才能最终派上用场。

被炭火一烤，青岚感觉有些暖和了。但是心中不免有些悲哀，棋子的悲哀，就是不知道何时会被牺牲出去，更不知道何时会重获自由。

她一手撑着头，目光恍惚地盯着文书发呆，却冷不防一声浑厚爽朗的声音传入耳畔："岚丫头，想什么呢？"

青岚一抬头就迎上皇上炯炯有神的目光，她顿时一个激灵，连忙下跪问安。

自己真是该死，竟然想事情出了神，连皇上进来了都没有察觉。她在心中暗暗责备自己，皇上似乎并没有任何责怪的意思，倒是很好奇地看着她笑："莫非是在想心上人？"

青岚顿时脸一红，低下头去小声辩解："奴婢没有什么……心上人。"

嘴上虽然这么说，可不知为什么，杨云溪的脸竟然在脑海里一闪即逝，连她自己心底也是一惊。

皇上听了，爽朗地连声大笑起来。王继恩在一旁笑呵呵地打圆场："万岁爷您就别打趣岚丫头了，小姑娘面皮薄，可扛不住您这么吓唬。"

一边说着把青岚扶起来，拍拍她的手臂："别害怕，万岁爷跟你开玩笑呢！"

青岚有些尴尬地站在一旁，这话她也不知道怎么接下去，只能沉默。这时候皇上抬手取了她已经审阅完的文书拿过来看，一边频频点头，赞道："字写得不错，言语也颇有条理，你读过书学过写字？"

青岚点头："儿时母亲教过一些，入宫后，又找了些字帖练过一阵子。"

皇上颇为赞许地："能教女儿读书写字，想必也是位见识不凡的母亲。"

青岚忽然想起儿时经常看到的那个画面，母亲坐在窗台边，一手托着腮静静端坐。如今回想起来，那确实是个见识不凡的女子，至少，她预见了李重进不得人心、自取灭亡的结局。

只可惜，她并没有遇上一个懂得珍惜她的男子。

青岚想到这里忍不住心中万分惋惜，但是表面上还是十分注重礼节："奴婢替母亲多谢皇上夸奖。"

皇上不知道想到了什么，语调骤然下降，似乎是有些黯然地："朕小的时候，太后也曾经教朕写过大字，后来弟弟们习字，朕也曾经亲手教过的……"

说到此处忍不住长叹一声，那时候亲如手足的兄弟同胞，如今却相隔于朝堂之上，有了君臣之分。

青岚知道自己无意间竟然触及了皇上的回忆，他与晋王本是一母同胞，本就感情深厚，就算涉及皇位之争，似乎也并未绝情到要赶尽杀绝的地步。

之前晋王借势拉拢三司使楚昭辅，狠狠伤了赵普的元气。看来这一次，这位赵相是铁了心要反戈一击，才会借着黄河决口澶州隐瞒不报这件事，重重在御前参了姚恕一本。

如果她没记错，姚恕任副知州一职，举荐人正是赵普。

澶州本就是山重水远之地，时有水患，杜知州是太后亲弟，一朝国舅，若不是罪大恶极，必然不会危及性命，那么，若有风吹草动，最好的替罪羊，便是这位前开封府判官了。赵普的如意算盘倒是打得颇为精明。

目前看来，双方算是势均力敌，然而最终的关键，仍在于皇上的态度。看来，晋王称病不朝，为的正是这个。

既然如此，她何不趁机，帮上王爷一把？

青岚想到此处，于是垂眸低首，柔声言道："奴婢原本家中也有个弟弟，启蒙时，曾经握着他的小手习字……只可惜……"

她言语凄然，仿佛真的曾经经历过同胞幼弟夭折的悲伤。皇上感同身受，忍不住叹道："是啊，逝者已逝，唯有珍惜眼前人。"

说到此处，心中一动，念由心生，目光闪烁变化，情绪杂乱，令人难以捉摸。

青岚见皇上此刻的脸色神情，知道她这一句正巧说进了他的心里，而那一句珍惜眼前人的意思，恐怕他比谁心里都要明白。

许久，皇上忽然道："王继恩，备车，朕要出宫一趟。"

片刻又加上一句："青岚，你陪朕一起去吧！"

青岚俯身跪拜，心中却是颇为得意的，皇上这趟出宫，十之八九是去晋王府的。

圣上只是微服出宫，所以没有御用銮驾，只是带了王继恩和青岚在旁，另有两名御前侍卫保驾随行。

晋王府大门紧闭，谢绝一切访客。王继恩原本打算堂堂正正亮明身份，让晋王府大开中门恭迎圣驾的，但是皇上只是摇了摇手，朝着青岚使了个眼色，示意她去叫门，不要惊动太多人。

青岚只能喊了门房来，说要找雨微醺。她不久前刚来过晋王府，很快就有人将她认出来，所以通传禀报得很快。一身红衣耀眼的雨微醺兴高采烈地赶来，还没来得及叙旧，就被青岚背后站着的那个方脸大耳、长相不凡的中年男人结结实实地吓了一跳。

"不必接驾了，朕就是想来看看光义好些了没有。"

皇上呵呵一笑，面前的这个丫头目光莹亮有神，英姿飒爽，做事干练，看起来倒是个有主意的。

雨微醺俯身行礼："回皇上，王爷服了药刚睡下。请容奴婢这就去将他唤醒。"

皇上摆了摆手："不必了，光义的卧房在何处，带朕去看看吧！"

雨微醺连忙在前领路，一进房间，立刻有一股浓重而苦涩的药味扑鼻而来，晋王高床暖枕静静沉睡，神态是一贯的平静。

皇上走到他的床边坐下，静静望着弟弟熟睡的模样，心中却忍不住浮现出那个可爱的小男孩来。这个弟弟，自小就与他最亲。这么多年一路走来，从扶持旧主柴氏，到陈桥驿兵变登基，眼看着弟弟一点点长大成熟，逐渐展露出过人的谋略和才能来。

所以，自己南征北战时，总是放心地将监国的重任交于他，而他也能殚精竭虑，尽忠职守。

不知道是从什么时候开始的，一切似乎都变了。也许，是因为九重宫阙之中那个至高无上的位置太过诱人。

皇上的目光掠过熟睡的晋王，落于床头那尚未完成的木雕上，忽然一愣。小马的轮廓清晰，神态可爱，他忍不住伸手取了，拿在掌中细细打量。

雨微醺见皇上看得入神，于是在旁轻声道："这是王爷亲手做的，世子的生辰就在下个月。"

皇上看着那匹小马，神情略有些恍惚。曾几何时，他也曾亲手雕制小木马送给弟弟做生辰礼物，而如今记忆仍在，时光不在，他们却都已经长大了。

"德崇的生辰是下个月？朕倒是都不记得了呢！"

皇上依依不舍地把小马放下，沉思片刻才道："也是大人了，该是时候订一门好婚事了。"

雨微醺语气雀跃而兴奋："王爷前几天也是这么说的呢！"

皇上哦了一声似乎是很感兴趣地又问："选了哪家姑娘？"

雨微醺皱眉想了想："奴婢记得不是很清楚，不过好像是曾经派人去求过枢密使李崇焕大人家千金的生辰八字。"

皇上正欲说话，床上的晋王这时候缓缓睁开了眼睛，正迎上他的目光，略有些惊讶地："皇兄……怎么来了？"

说着就要撑起身来行礼，雨微醺上前搀扶，皇上却抬手将他按住，笑道："没有外人，不必那么多礼数了。感觉好些了吗？太医怎么说？"

晋王还是撑着坐了起来，雨微醺帮忙在他身后递了个靠垫。他动了两下就止不住连声咳嗽，看起来气色还是十分虚弱："臣弟没事，只是染了点风寒而已。"

皇上点点头，侧头看向王继恩，吩咐道："你们都先退下吧，朕跟弟弟有些事情想要单独说。"

青岚偷偷望了赵光义一眼，时隔多日再见他，她忽然觉得自己不会再像以前那样，见到晋王时五味陈杂，而是平静了许多。

或许，不知道从何时起，她已经亲手斩断了心中那些不切实际的幻想吧？

青岚低下头，随着王继恩和雨微醺一起退了下去，只留下皇上与晋王两人，继续他们不能被外人知晓的交谈。

雨微醺亲自捧了清茶和点心出来招待客人，王继恩乐呵呵地靠在椅子上与她闲聊，青岚就面带微笑地在一旁听着。不知道过了多久，皇上才信步而出，面色轻松地起驾回宫。

临出门时，青岚抬起头，装作不经意地看了雨微醺一眼，见她目光流转，眼神含笑，于是轻垂眼眸，抿唇点了点头。掩藏在衣袖里的那只手里，雨微醺刚刚递过来的蜡丸还紧紧地被攥在掌心。

时值隆冬，寒意越发深重，青岚裹紧了身上的衣裳，却仍是止不住地打了个寒战。

锦绣缘·思无邪

腊月二十三，宫中与民间的习俗相同，都要祭灶、除尘。宫人们把剪成圆片的布帛扎起来，做成五颜六色的绢花绑在花园的树枝上，再挂上红绸彩帛和大红灯笼，让各处看起来有过节的喜庆氛围。

青岚这几日格外忙碌，不但要调配人手，更要清点库房，凡是有不够用的就要采购补足，好在连翘帮得上手，一切才有条不紊地进行着。只是，她总觉得哪里有些不太对，仔细想想，又找不出问题，直到无意间看到包袱里与琥珀璎珞并排放在一处的羊脂玉环佩才顿时恍然大悟：她已经几天没有见到过杨云溪了!

自从那一夜她在漫天飞雪之中拒绝了他，那道绝美的翩然身影，就再也没有在她面前出现过了。青岚心中这么想着，坐在那儿端着茶盏，不合时宜地走了神。连翘一跳一跳地蹦过来拍她的肩膀，兴致勃勃地与她分享刚听到的新谈资："姐姐姐姐，你听说了吗？皇上为晋王世子赐婚了呢！"

青岚登时回过神来："哦？是吗？什么时候的事？"

连翘十分得意地双手叉腰："我刚听前殿侍候的小何子说的，半个时辰之前下的旨。不过，指给世子的不是枢密使李大人家的千金，说是因为李家小姐已经定了亲呢！"

青岚心中十分平静，她早知事情会是如此，只不过还是装出有些意外的表情："之前没听说李家小姐许过人家啊。"

连翘皱起眉来："这个我也不知道，听小何子的意思，好像李家小姐是最近才定的亲事，说是许给了赵相家的公子。姐姐你说这李小姐是不是很漂亮，否则怎么能让两家的公子都为之倾倒啊。"

果然被晋王料中了，赵普果然不愿意坐看他与李崇焕结成儿女亲家，所以横插一脚，抢在皇上赐婚之前定了亲。

青岚想，赵普应该怎么都不会想到，这场所谓的"晋王为子求亲"，不过是精心为赵普营造的一个陷阱而已。从那日收到雨微醺的蜡丸，要她想办法将晋王欲为世子求娶李家小姐的消息外传开始，这一切，就都已经掌握在了晋王手中。

于是，她装作不经意间把这件事偷偷告诉了连翘，果然很快在宫中传开，消息被赵普在宫中的探子获知，再传回相府，赵普信以为真，竟然不考虑后果，抢先出手。

"青岚！你这丫头原来在这儿啊！"

还没来得及开口，王继恩已经气喘吁吁地一路小跑过来，拉着青岚的胳膊猛喘气，一边断断续续道："皇上喊你呢！"

青岚连忙欠了欠身："怎么劳烦公公亲自跑来传话了，奴婢这就去，公公坐下歇歇，喝盏茶吧！"

连翘会意地去奉茶，王继恩摆了摆手拒绝："不歇了不歇了，咱们赶紧走吧！皇上还等着呢！"

说着拉着青岚匆匆就往外跑，青岚知道王继恩这么着急，一定事关重大，也不敢怠慢。皇上此刻正在紫宸殿的讲武堂擦拭宝剑，他本就是武将出身，英武之气如今依旧难掩，窗外的雪光倒映着宝剑的寒光，让人看了忍不住肃然起敬。

青岚上前参拜，然后起身。皇上收了宝剑入鞘，往前一横，道："岚丫头，你觉得这宝剑如何？"

青岚对兵器并无什么了解，只是觉得圣上手中的宝剑寒若秋水，颜色又显深沉肃穆，于是就低下头照直说了。皇上听了她的话笑得十分爽朗："你倒真是实话实说了！"

青岚敛目："皇上见谅，奴婢也只懂得这么多了。"

皇上将握剑的手又往前伸了半寸，笑道："既然如此，那就帮朕个忙吧！"

说着将剑扔到青岚怀里："云溪有好几天没入宫了，你去帮朕看看他，顺便将这把剑送给他吧！"

青岚感觉到怀中沉甸甸的重量，心中却忍不住挂念了起来。确实，杨云溪已经好几日没有出现过了。是他不愿意再见自己了吗？

她沉下眼底的哀伤，俯下身，抱着宝剑屈膝行礼："奴婢遵旨。"

既然有皇命在身，青岚没做丝毫耽搁，当即出宫直奔清平侯府而去。

清平侯府邸大门紧闭，青岚一手提着宝剑，一手抬起来敲响了大门，出来应门的是杨管家，见了她神情略有些古怪："青岚姑娘怎么来了？"

青岚连忙还礼："侯爷在家吗？"

杨管家脸色显得十分为难："少爷他……他不在家……"

青岚看得出他神情闪烁，不知道是推诿还是借口，她只以为是杨云溪的授意。于是心中禁不住难过起来，其实她心中还是盼着见他一面的，正好有皇命在身，干脆将手中的宝剑一亮，朗声道："此乃御赐宝剑，奴婢奉皇命而来，请杨管家通报清平侯，速来接旨。"

两人以目光对峙，青岚从容淡定，不卑不亢。杨管家很快无奈地败下阵来，长长叹了一口气，五官都忧愁地皱在了一起，哀声道："少爷他在家……可是……可是……"

青岚顿时心中一阵惊慌焦急，隐约从杨管家的话里听出不好的预感："他怎么了？"

杨管家低下头，却抬手为她引路："他在房间里，只是……唉……姑娘还是亲自过去看一眼吧！"

青岚的心顿时怦怦狂跳，无穷无尽的担忧在心中萦绕不去，她疾走几步来到杨云溪的房间门口，毫不犹豫地抬手推门进去！

房间里光线昏暗，一股浓重的血腥味扑鼻而来，险些把青岚当场给熏了回去。她忙掩住了口鼻，一边深深吸气抬眼看去，但却脚下一软，幸好一手扶住了床沿撑住了没让自己倒下去。

杨云溪合眼沉睡，面色灰暗中透着苍白，一看就是重病未愈时的模样。青岚顿时红了眼眶，心仿佛被谁揪住了一样生疼，难以呼吸。她俯下身去，眼底滚着泪珠，轻声呢喃："怎么会这样？"

杨管家叹了一口气："两天前回来时就这样了，他原本身上就带着伤……"

青岚忽然想起那一夜，杨云溪突然闯入书房的时候满身鲜血的模样，莫非这一次，又是在他外出执行任务时受了伤？

她沉了沉眼眸，小心地抬手去摸杨云溪的额头，一片滚烫。看来他伤得很重啊……青岚叹了口气："看过大夫了吗？大夫怎么说？"

"伤口上了药，方子也开了，只是……"杨管家无奈地摇了摇头，"大夫说情势凶险，若是热度一直退不下去，恐怕会有危险。"

青岚愁得把眉心都蹙在了一起，忍不住伸过手去，勾着杨云溪的手掌，掌心紧贴他的手背，握紧。

"侯爷，要撑住啊……"她凑过去贴在他耳畔轻声低语，然后将皇上赠予他的宝剑小心地放在他身侧。

杨管家在旁望着她，心中哀叹，却禁不住疲累袭来，轻轻打了个呵欠。

青岚恰好将他的动作看在眼里，深知杨管家这两日照顾杨云溪一定也没能好好休息，于是柔声道："奴婢还不急着回宫，杨管家若是累了，不妨去休息一会儿，奴婢在这儿照看着侯爷就好。"

杨管家连忙摆手："怎敢劳烦青岚姑娘！"

青岚微笑着按住了他的双手，目光温和却有力量："杨管家不必客气，侯爷于奴婢有救命之恩，更何况只是在这里照看一会儿，算不得什么的。"

杨管家确实是累了，府中的两个小厮毕竟是粗使下人，比不得女子贴心仔细，他并不放心将人交给他们照顾，所以一直都亲自守着。这会儿青岚自愿替他，他心中其实是十分愿意的，所以也就不再推辞，千恩万谢之后便回房休息

与君长相守

锦绣缘

去了。

青岚送走了杨管家，心中就开始想着如何帮杨云溪退烧，她取了帕子蘸湿了帮他敷在额头，但是效果似乎并不是那么好。她在冷水里绞着帕子，一边悻悻地想是否会有什么比冷水更冷的东西可以用得上。

抬头见虚掩的窗户上挂着一条几近融化的冰凌，忽然灵光一闪，顿时心头一喜，对了，可以用冰块！

她顾不得穿上披风，只着单衣推门跑了出去，寒风刮过面颊，就仿佛锐利的刀子划在脸上，疼得眼泪都要流下来了。她踮着脚在院子里的各处寻找冰块，然后小心地聚在一起包裹在帕子里，等到做完这一切，纤纤十指都冻得通红，只是眼睛里闪着无比愉悦的光。

用包裹了碎冰的帕子敷在杨云溪的额头，冻透了的十指又遇上暖意，变得麻痒难耐。青岚咬牙忍着手上的不适，一边不停擦去杨云溪额头的冷汗。杨云溪有些难过地皱起了眉，仿佛是躲闪般地将头扭开，唇因为持续高烧而变得干裂苍白，颤抖着喃喃低语。

青岚听不清他在说些什么，只是听得出那语调凄然忧伤，自己忍不住也跟着心酸起来。

"侯爷……"她轻声唤着他，中途停下咬了咬唇，似乎是在心中做出了某种决定，终于双唇轻启唤了他的名字，"云溪。"

那一夜在御花园的大雪中，他不许她喊自己"侯爷"，要她直呼他的名字。

那一日他邀她共品古酒，他对她说那酒名为"云溪"，她无意间的重复，却换来他似是而非的一句答应。

他的名字，是她始终小心捧在手心却始终不敢企及的美好。

就如同当初她心中一直收藏着的那个高高在上的少年英雄赵延宜，午夜梦回，时光回溯，总是触手可及，但从未真正敢于朝他伸出手去触碰。

"云溪，你一定要好起来……"青岚笑中含泪，语气温婉，娓娓倾诉，"你不是说过，要奴婢做你的洗衣丫头吗？"

她半合着眼眸，藏起目光中浅浅的悲怆："若是有一天奴婢后悔了，一定会来找你的。"

若是有一天，棋子摆脱了身不由己的宿命，也想要勇敢跨过那道楚河汉界，去寻找那个真正给予她温暖的人。

所以，你要等着我啊！

青岚的眼泪缓缓落下，这一刻，她是真真切切感受到了失去的疼痛。关于杨云溪的一切止不住地自心底浮现：初次见面时他那冰冷漠然的表情，她被杖责昏迷时肩上温暖的披风，练习走路时他主动伸出的那只温暖而厚实的手掌，为她挡在刀前目光的坚毅与勇敢，还有为她求情时在皇上面前单膝下跪的坦然诚恳……

最终这所有的记忆，只化作大雪中他手捧白玉环佩望向自己时满眼期待的一片深情。

眼泪终于在那一刻决堤，青岚抬起头，却依旧无法抑制眼泪自眼眶滑落，她只能绝望地合上眼，软弱无力地靠在墙边抽泣起来。

她哪里有什么资格，让他这样无休止地等待下去？

所以那一句等待的话，她还是无法说出口，因为连她自己也不知道，等待的期限，到底会有多长。

既然如此，她又在执着些什么呢？

额头传来舒适的凉意，感觉身体不再那么滚烫难忍，伤口的疼痛也似乎减轻，杨云溪觉得自己的意识渐渐清晰起来，恍惚间，他似乎听见女子刻意压抑的哭泣声，她哭得那么绝望而无力，哭得杨云溪都很想要抬起手来，轻轻抚摸她的额头，柔声安慰一番。可是，他却连半根手指都动不了。

只能听着她一边哭一边呢喃低语，似乎是说给他听的，又像是说给她自己听的："你知不知道，其实从拒绝你的那一刻开始，我就已经……后悔了。"

只是这世上已经发生了的，就算是倾尽所有，也无法弥补那永远无法改变的后悔。

在半梦半醒当中，杨云溪仿佛又回到了七年前的那一天，扬州李宅燃起熊熊大火，足以焚烧吞噬一切生命和希望。他眼看着那场火越烧越大，却只能站在原地无能为力。

假如我能早赶到一刻，假如我当时就知道你并没有在那场大火中丧命，我的秀儿……你的人生，是不是就不必如同现在这样绝望而无奈呢？

我很努力地想要守护你，但是到头来却发现，现实早已经将我们推向了两个不同的世界。

不知道睡了多久，灼热终于退去，杨云溪缓缓睁开眼睛，却只看见杨管家爬满了皱纹的关切面容。

　　没有人在他身边哭泣，就仿佛那一切都只是梦境里虚假的幻影。杨云溪的唇因为干裂开而染了血色，让他绝美的面容显得有些诡异。身边的宝剑散发着刺骨的寒意，他侧过头去细细打量，声音干涩沙哑："谁来过了？"

　　杨管家赶忙递过一杯水，一边答道："刚刚青岚姑娘替皇上送剑过来，待了一会儿就回宫了。"

　　杨云溪目光颤了一下，却是面无表情地道："我睡了多久了？"

　　他一边说一边撑着起身："我带回来的东西呢？"

　　杨管家自他床头翻出一个包袱递过去，杨云溪一手拎着包袱就要翻身下床，被杨管家拦了个正着："少爷，你的伤需要卧床静养……"

　　杨云溪冷着脸抬手拦住他，眼神瞬间闪现出骇人的杀气和威严，示意他可以不用说下去了。杨管家无可奈何地看着他，最后却忍不住转过头叹了口气："唉，算了，我老了，算是拦不住少爷你了！"

　　杨云溪忽然抬手拉住他的胳膊，低垂眼眸轻轻摇了两下，眼中竟然难得闪过示弱的神情。杨管家无可奈何："真是拿你没办法，快去快回，坐马车去，不要骑马了。"

　　杨云溪在他的侍候下更衣束发，入宫觐见时，已经变成了风度翩翩的清平侯爷，除了脸色过于苍白没有血色，其他都仿佛与平常无异。

　　青岚在回宫路上无意遇见了些耽搁，所以只比杨云溪早了那么一点入宫。但自清平侯府中离开时，眼睛都哭得肿了，酸涩难耐，几乎要睁不开，浑浑噩噩地到御前复命，倒是把皇上吓了一跳。

　　皇上放下手中的奏折，语气有些惊讶："这是怎么了？"

　　青岚这时候还不忘规规矩矩地行了礼，这才哽咽着将事情说了一遍，她自然略去了自己知道杨云溪是紫鸢暗卫的事情，只是说恰好遇见清平侯病得严重，自己曾经得他相救，此时十分担忧云云，一番话合情合理，倒是没有半点破绽。

　　这边青岚的话刚说完，外面就有太监前来通报，说清平侯求见。青岚一愣，心道刚刚还昏迷不醒，怎么这么快就进了宫？

　　刚刚她确实是一直守在他床边，用碎冰帮他敷着额头，只等着见他烧一点一点退了下来，这才依依不舍地向杨管家告辞离开。

　　皇上望了青岚一眼，显然是有点搞不清楚这两人的状况，只是挥了挥手，

103

卷二·锦绣初宋情归处

锦绣缘

应了一声："宣。"

青岚退于一边，见杨云溪缓步而来，脸色比之前几乎没有变化，都苍白的不似活人。他上前跪拜行礼，动作稍有迟缓，身子一歪竟然就要往侧面倒去。青岚一只脚险些迈出去，恨不得冲到杨云溪身边搀扶着他，但是还是咬牙硬生生忍住了。

杨云溪的身子凭空停了停，终于还是保持住了没摔倒，而是慢慢行礼，皇上也看出有些不对，连忙答了句"起来吧不必多礼"。

杨云溪直起身子，目光自青岚的身上扫过，见她此刻有些失了分寸的模样，心中禁不住一阵柔软，他连忙把目光移开，声音仍是有些沙哑："皇上，臣有要事启奏。"

他说完这句就停下了，皇上会意地抬手挥退殿中众人："你们都先下去吧！"

青岚于是率领众人行礼告退，她走在最后，并抬手关上殿门，眼看着杨云溪的身影渐渐消失在合拢的门缝里，终于还是低下头，掩藏住了目光里重重的忧虑和牵挂。

她并不知道杨云溪为什么会受这么重的伤，更不知道他等不及伤势痊愈就匆匆入宫面圣是为了禀报什么事情，但是这一切似乎都透着古怪。青岚思前想后，还是决定将这一切都禀报给晋王。

她曾经想过要隐瞒，但是转念一想，宫中又不止她一个细作，若是她不说，总会有别人去禀报的。

晋王的回复依旧是影堂暗卫偷偷带进宫来的，封在蜡丸里，青岚看了之后一声不吭地将字条在火上点燃，看着那火光一点点在黑夜里燃尽，然后沉声对黑衣人说道："请转告爷一声，奴婢自当尽力而为。"

冬夜苦寒，青岚一手撑着下巴静静坐在窗边向外眺望，面前放着一盏热气腾腾的杏仁茶，晋王的密令只有短短一句："务必全力配合紫鸾暗卫调查李崇焕。"

看来，赵普刚跟李崇焕结成儿女亲家，圣上就已经动了猜忌，密令紫鸾暗卫着手调查。那么，杨云溪的受伤也应该与此有关吧。

连翘蹦蹦跳跳地进门来，拍了拍衣襟就抖落半身的雪，鼓了腮帮子感叹："怎么又下雪了？这天可真冷啊！"

一边说一边反复搓着手取暖，青岚朝她挥挥手，把从御膳房顺回来的杏仁茶分她一半："大晚上的你跑哪儿去了？"

连翘十分不满地："帮王公公整理内库挑东西去了，说是明日皇上要往赵相大人家里送贺礼，恭祝大公子与李家小姐定亲呢！"

圣上的贺礼，却并非是每个人都收得起的。欲擒故纵，暗度陈仓，青岚的唇轻轻扬起来，今上武将出身，于兵法之道，果然是十分擅长的。

第二日，皇上下朝归来，迎面就遇见青岚身着一席碧绿衣衫，聘婷袅娜而来，身后是一片明晃晃的白雪皑皑。她恭敬地上前行礼问安，皇上心情正好，于是开口问道："岚丫头怎么来了？"

青岚神情自若地笑着答道："奴婢是来找王公公禀报除夕饮宴的各项安排的。"

崔尚仪被当众处决之后，尚仪之位一直空着，其他各司倒是各安其职，但若是事务多时，青岚就会去帮衬一二。

皇上哦了一声，随口问了几句关于饮宴的安排，见青岚回答流利，井井有条，心中颇为满意，当即想起来一件事，于是吩咐道："对了，朕昨日让王继恩从内库挑了些东西，你帮朕准备一份礼单，然后给则平送去，恭祝他的公子定亲。"

青岚低头领命："奴婢知道了。"

赵普的府邸位于官员街最繁华的位置，大门也高阔恢宏，一对石狮子活灵活现。青岚是替皇上过府送礼，因此赵府管家不敢怠慢，大开中门将她迎进府中，又在大厅奉茶，连赵普都亲自出来迎接，可谓是给足了面子。

青岚依旧是宠辱不惊的模样，态度谨慎恭敬，让赵普觉得她平和而好相处。她甚至还应赵普之邀挽袖烹茶，两人攀谈了几句，才起身告辞。

走出门口，青岚彬彬有礼地拜别管家，牵着裙摆缓缓走下台阶，马车正停在石狮子旁等待，她却禁不住扭头，朝着另外一边看过去。

隐约听到混乱的打斗声，夹杂着男人低沉隐忍的闷哼，青岚朝着车夫挥了挥手，示意他稍等一下，自己则小心翼翼地循着声音的来源走了过去。

一伙人躲在巷子里围着一个男人拳打脚踢，一边骂骂咧咧地对其呼来喝去，青岚平生最见不得仗势欺人，干脆提高了声调，站在巷子口喝了一声："住手！你们在干什么！"

那群人原本也只是要教训一下那人就算了，见有人发现，于是顿时四散，青岚快步走到被打的男人面前，俯下身主动抬手搀扶他，柔声问道："你没事吧。"

那是个书生模样的男人，看起来十分文弱，但眼睛里却闪着不肯俯首认输的光芒。他推开了青岚的手，自己挣扎着从地上爬起来，跟跟跄跄地站稳了，双手抱拳向青岚行礼："多谢姑娘相救之恩。"

青岚连忙摇摇手，倒是十分好奇地打量着他，总觉得此人颇有意思，忍不住开口问道："我只是路过而已，公子没什么事就好。是否有什么需要帮忙的？"

男人长长叹了口气，扬起被打得青一块紫一块的脸："不必了，赵家恃强凌弱，姑娘还是不要惹事上身得好。"

青岚听到"赵家"二字顿时来了精神，此处距离最近的便是赵普的府邸了，莫非此事跟赵相大人有关？她想到这里心中暗笑，神情悠然自得："我平生虽然害怕惹事上身，但有些闲事，却还是愿意管一管的。"

她说着将手一抬，语气诚恳："不知公子可有时间，与我共饮一盏？"

那男人满腹狐疑地被她拉去茶馆喝茶，两人闲谈时，终于说起他的身世，原来他是翰林学士雷有邻之子，名叫雷庆。

青岚抬手为雷庆斟满面前茶盏："原来是雷公子，我记得日前雷大人已经去了武灵任职，为何公子没有随父一同前往？"

雷庆提到此事忍不住满腹气愤："我父亲本来是好端端的翰林学士，我与婉敏也早就定了亲，情投意合，若不是赵普为了让儿子迎娶婉敏而以权谋私，我们雷家怎么会落得现在这个地步？我心有不甘，所以跑来赵府，想找赵相理论一二。"

青岚听得出他满腹书生意气，连理论都要文绉绉的，于是忍不住笑了，但是还是把事情理了个大概：雷庆与李家婉敏小姐情意相投，但赵普横插一脚，还顺带排挤了雷有邻。

"口说无凭，雷公子你可有什么证据？"

青岚深感此事应该是一个打击赵普的好机会，只要利用得当，或许还能成全了雷公子与李小姐的一段姻缘。

雷庆越说越愤怒："赵普逼着我们写下了退婚书，我父不从，还被他派人打断了两根手指！这一切有街坊四邻为证！"

青岚把唇抿得很紧，似乎在思索什么。雷庆愤怒之余，忽然反应过来事情有些不寻常：这个打扮清丽秀雅的少女，为何会知道父亲被调往灵武的事情？

莫非……她也是宫里人？想到这里，雷庆于是小心试探着问道："敢问姑娘可认识家父？"

青岚摇摇手，宫中的翰林学士那么多，当然不可能全都认齐了，但她也不明说，只是在一旁笑道："不认识。"

雷庆心中对青岚越发好奇起来，他的父亲好歹还是在朝为官的，因此还是能略微分辨出一点宫中才有的举止做派。他忍不住上下打量着她，欲言又止。青岚似乎看出他的用意，但却并不放在心上，只是从容地品着茶。

雷庆看不透青岚的来历，又不好问，却听到青岚悠悠地说了句："我虽不认识雷大人，但是，说不定却能帮得上雷公子和李小姐的忙。"

雷庆一愣，语气顿时有些激动："你有办法？"

但很快又萎靡下来："唉，赵普权倾朝野，除非是当今皇上，否则，谁又奈何得了他呢？"

青岚微微一笑："公子此话也不尽然。"

她以手蘸了茶水，在桌上缓缓写了个"晋"字。雷庆万分惊讶地望向青岚，似乎要在她脸上盯出一个洞来："难道你是……"

青岚笑得意味深长，开口打断他的猜测："我只是一介奴婢，没有你所想的那么尊贵的身份。只是在宫中办事，无法以姓名相示，还望公子多体谅才是。"

她主动透露宫女身份，也是为了避免让雷庆随便猜测她与晋王的关系。雷庆将信将疑，就听到青岚又道："晋王执掌开封府之初就有明喻，无论是谁遭遇不公之事，都可以去堂前击鼓鸣冤，公子为何不去试试？"

雷庆忍不住一声长叹："官官相护，我也不知道晋王是否信得过。"

青岚缓缓用手将桌上的水迹抹去。青岚抬头一怔，在茶馆的那个角落里，一道墨蓝身影沉寂如冰，她只看了一眼便安静下来，淡然抬手一指："晋王是否信得过我不知道，但你身后这一位，必然是信得过的。"

雷庆诧异地转过头，视线里，只见一个容貌极美的男人安静地望向自己，目光沉稳冷漠。他只觉得后背发凉，硬生生地打了个寒战。

他回过头，有些紧张地抬手擦了擦额头的冷汗："那位是？"

青岚笑着摇了摇手，并未回答他的话，而是问道："公子目前在何处暂住？"

雷庆说是城外的一处宅子，青岚点点头，站起身来："今天就不多打扰了，改天容我前去拜访，还望雷公子不要嫌弃。"

她这明显就是送客的意思了，雷庆心知这两人来历不凡，于是也不敢多问，取了铜钱按在桌上结账，然后欠了欠身与她道别，这才快步离去。

青岚转过身看向杨云溪，他的表情似乎与刚刚没有任何变化，就仿佛只是一尊没有生命的大理石雕像。她快步走过去，从容地在他面前坐了下来。

"侯爷为何在此处？"

青岚将双手按在桌上，身子挺直。汴京城这么大，她怎么也不会相信他们这是偶遇。

杨云溪倒是很直接地回答："我跟着你来的。"

青岚微微一笑，心中没觉得有什么意外，语气十分温柔："伤好些了吗？"

杨云溪点点头，手握茶盏，唇抿得很紧，棱角分明的轮廓看起来极为刚毅。他的目光依旧冷酷沉稳，只是没有敌意，看起来整个人柔和了不少。

青岚很从容地与他对视，她似乎很享受这种两个人面对面坐着的时刻，虽然彼此沉默不语，但是，却清楚地感觉到对方身上传来的温暖。

许久，青岚终于小心地长舒了一口气，柔声问道："陪我走走，好吗？"

杨云溪没说话，但却先站了起来，青岚知道他这是答应了的意思，于是拎着裙摆站起身来，取了披风抱在手中，走到他身边去。杨云溪将手伸过来，将青岚手中的披风接过去抖开，为她披在身上。

青岚被他环在双臂之间，略有些被压迫的感觉，仰起头恰好能看到他的脸，不知道是不是因为重伤未愈的关系，他的脸色稍稍有些青灰。

杨云溪为她系好披风的带子，然后沉默地退开一步。青岚觉得那股莫名的压迫感终于消失，于是抬手作势整理了一下披风，然后轻声道："走吧。"

冬日的汴京街头冷得发干，仿佛脸上都要被冻得裂开，青岚在前面带路，杨云溪就走在她身边，一直与她保持着半步的距离。

两人一前一后走到街市的一家小摊子旁，青岚停下脚步，看着杨云溪笑道："听说这家的包子味道不错，不知道我有没有这个荣幸，请侯爷陪我一起尝尝？"

杨云溪沉默地转头看过去，笼屉上摆着热气腾腾的包子，散发出诱人的香味，他不声不响地拣了个位置坐下。青岚见状，走到正埋头忙活的老板那里，主动抬手拍了拍那人的肩膀："老板，麻烦给我们来两屉包子！"

杨云溪抬头打量着四周，这摊子并不大，搭了棚子来挡风，看起来很是简陋，但干干净净，棚子边缘挂着成串暗绿色的榆钱，似乎已经被风干了。

老板转过身，直起腰来露出一张白净清雅的脸，看着青岚怯生生地笑："啊，客官稍等，就来！"

杨云溪猛然抬头看去，目光中透着难以掩饰的惊讶，那语气声音、那轮廓表情……怎么可能！

崔尚仪明明已经被当众处死，怎么可能还活着。

青岚朝着那跟崔尚仪长相一模一样的人笑着点了点头，没有任何惊讶的表情，转身走到杨云溪面前坐下，见他惊讶的目光还定格在眼中，于是笑道："很像吧。第一次来的时候，我的表情跟你一样。"

杨云溪沉下眼睑，他很快就知道青岚带他来这里别有目的。

青岚将碗碟摆开，压低了声音道："她是曦然，崔尚仪的同胞姐姐。"

那一日她在自杨云溪府中回宫的路上，无意间经过这家摊子，看到了棚子上挂着的干榆钱，忽然就想起了在崔尚仪房中，曾经看到过一样的东西，然而再走近，那张脸骤然出现在眼前时，真的就吓了她一大跳。

青岚眼看着崔尚仪死在面前，绝不可能死而复生，后来交谈时才知道，原来那人叫崔曦然，与崔尚仪是同胞姐妹，只是，她仍然以为妹妹还在宫中当差，满二十五岁就能被放出宫与她团聚。

"这个……是我在崔尚仪的房间无意发现的，"青岚拿出那个背面绣了"林"字的香囊，递给杨云溪，"不知道为什么，除了辽人细作这件事之外，我总觉得崔尚仪还藏着什么其他的秘密。"

青岚回忆起那一天在院子外与崔尚仪的偶遇，她行色匆匆，甚至连有人从面前经过都没有察觉。

杨云溪叹了一口气："为什么对我说这些？"

青岚莞尔一笑："没什么，只是有些事情藏在心里太久，总是想要找个人分享的。比起宫中那些有口无心的人，我更愿意相信你。"

"客官请用！"

崔曦然这时候送上两屉热腾腾的榆钱包子，薄薄的皮，隐约透着鲜亮的绿色。

青岚朝她笑笑，递了筷子给杨云溪："趁热吃，冬天能在汴京吃到榆钱，也算十分难得了。"

杨云溪接了筷子过来，夹起包子默默吃着。

青岚在旁边悠悠道："我问过曦然，她说老家在镇江，十岁时举家迁来汴京，一直在这里开摊子维生。所以，我怎么也不相信崔尚仪会是辽人细作。"

杨云溪放下筷子，漠然道："味道不错。"

青岚知道他不会承认自己的身份，于是转而笑起来："算了，不说这个了，吃包子吧！吃完了还要回宫呢！"

说完就埋头吃起来，杨云溪见她不再说话，于是开口问道："刚刚那个人是谁？"

果然问了……青岚在心中暗想，还就怕你不问呢！她知道他们正在调查李崇焕，也就没隐瞒，当即照实把事情说了。杨云溪沉默地听完，淡淡地说了句："此事，你应该照实禀报皇上。"

青岚侧头有些惊讶地指着自己："我去？"

她原本是打算将事情告诉杨云溪，然后由他禀告皇上，这样便可以一举两得。

杨云溪点点头："此事是你遇见的，自然要由你来说。"

青岚一手托着额头发愁，心想靠不上杨云溪也只好自己来了。但她平时独善其身的架势做惯了，要真是突然主动管上别人的闲事，似乎也不太妥当，看来只能找个适当的机会再说了。

杨云溪取出钱放在桌子上，抬头望了崔曦然一眼，那个女子衣装朴素平实，虽然一直忙碌，但脸上总是带着笑容，看起来要比崔尚仪活得简单纯粹。青岚笑着朝她招招手，站起身来，把钱拿过去，塞进崔曦然的掌心："辛苦了，劳烦你把剩下的包子帮我们装起来吧！"

崔曦然热情地将他们送到门口，双手奉上用油纸裹好的包子。青岚接过去拎在手中，迈步前行。杨云溪沉默地一直跟在她身后，似乎要送她的样子。青岚走出两步忽然停下："侯爷不必送了，马车就停在前面。"

杨云溪停下来静静地望着她，青岚想了想，上前两步，把油纸包塞进他怀中，然后扬起唇角笑盈盈道："这个，你拿回去吃吧！"

说完朝他屈膝行了礼，然后转身拔脚快步走向马车。

杨云溪感觉到怀中油纸包还散发着暖暖的温度，于是看着青岚离去的纤细背影，缓缓扬起唇角，露出了笑容。

其实，这样也很好。

青岚靠在摇摇晃晃的马车里暗自想着，至少彼此相处的时候，能感觉到难得的平静。

本打算回到宫中向皇上复命，但是回到紫宸殿才知道皇上去了昭元殿议事。连翘悄悄凑过来附在青岚耳边低声说话："听说，皇上刚刚下旨，将枢密使李崇焕连降三级……"

青岚一愣，没想到皇上动手竟然这么快。一边派人送礼安抚赵普，一边就将李崇焕踢出了权力中心。

她忍不住问道："理由呢？"

连翘摇摇头，耸了耸肩，这个她就不知道了。

"看来不是件小事。"青岚把除夕饮宴的菜单整理出来誊写在一张纸上，心想，出席宾客的名单上，有可能要删掉李崇焕的名字了。

次日早朝，晋王病愈，重新出现在朝堂之上，仙风傲骨一如往昔。议事时有御史上奏为被贬的李崇焕鸣不平，惹得皇上震怒，当即扔出两个染了血的账本，指李崇焕收受贿赂，为掩藏证据企图杀人灭口，并当场将案子交由刑部处理。

宰相赵普听着皇上在朝上怒斥李崇焕的所作所为，冷汗涔涔而下却一言不发，他知道皇上虽然表面上惩戒的是李崇焕，但实际警告的是自己。他心中开始隐隐后悔，光想着要阻止晋王和李崇焕联姻，却忽视了最重要的一点，他与李崇焕结成儿女亲家，在皇上看来，已经构成了某种隐而不发的威胁。

欲加之罪，何患无辞？胆战心惊地直到退朝，赵普抬手擦了擦额头上的冷汗，这才长长松了一口气。

晋王悠然踱步过来站在他面前，笑得风轻云淡，一脸真诚："本王适才听说公子定了亲，真是恭喜赵相了。不知道是哪家小姐这么有福气。"

赵普顿时有种如鲠在喉的感觉，只能硬撑出笑容来："多谢王爷。王爷客气了！"

晋王拱了拱手："赵相不必客气，等婚宴那天，本王定然是要去讨杯喜酒的！"

说到此处停了停，然后语气平顺，但却带着某种深入骨髓的寒意："假如，还有那天的话。"

赵普心中一沉，顿时脑海中一片清明，当即大惊："是你！"

这一切，都是刻意设计的阴谋！

晋王收敛眼神，手持佛珠负在身后，只是笑得温和："赵相指的什么，本王不是很明白。"

赵普恨不得上前将晋王撕成碎片，他强压心头怒火，只是拱了拱手，不服气道："来日方长，总有一天，王爷会明白的！"

言罢拂袖而去，晋王扬起嘴角，望着他的背影一字一句轻声道："只可惜啊，本王不会给你这个机会的。"

青岚将茶盏稳稳放于桌子上，温声道："皇上，茶来了。"

皇上最近十分忙碌，经常批阅奏折到深夜，就算不用到御前值守，青岚还是时不时就会被喊到紫宸殿奉茶。

皇上眼睛还盯着奏折，抬手摸索着拿起来喝了一口，忽然一愣："这是什么？"

青岚笑道："奴婢见夜深了，怕皇上喝了茶一会儿会睡不着，所以就自作主张，取了些陈皮来冲泡。虽然味道苦了点，但是能祛湿化痰，理气健脾，效果还不错。"

皇上笑笑，又喝了两口，这才道："确实苦了点，不过苦中有甘，味道还可以。"

青岚见皇上看起来还算高兴，这才放下心来。这时候忽然殿外传来匆忙的脚步声，王继恩一路小跑进来，神色焦急："皇上，晋王求见，说是有急事！"

势必不是件小事，皇上挥挥手："快传！"

青岚刚想退下，就听皇上吩咐道："青岚，去帮晋王也泡一盏陈皮茶吧！"

晋王披着一身寒风凉意而来，面色凝重，见了皇上便双膝下跪，十分郑重地双手奉上折子："臣弟参加皇上，深夜觐见，实在是因为事关紧急。"

"起来吧，坐下说。"皇上朝着王继恩使了个眼色，王继恩便会意地把折子接过来递到御前。晋王站起身来，在旁坐下，青岚双手将茶盏放在他身边桌子上，却低头刻意不去看他。晋王并不理会她，而是面向皇上从容道："今日申时，有一年轻女子到开封府前击鼓鸣冤，称其丈夫被人活活打死，请臣弟为其主持公道。臣弟一开始以为，这只是寻常的命案。但没想到细问之下，竟是另有隐情。"

青岚退开半步，她其实不太愿意听这些，只是皇上没有旨意，她就必须留下侍奉。

皇上不言，只是听晋王将话说完："女子的丈夫在家乡原有一间铺面，但被人看中，要以低价收购，那人不同意，便被十数人围堵在铺子里活活打死，又放火烧铺。女子在当地告官不成还被反咬一口，险些丧命，历尽千辛万苦才来到京城，为丈夫鸣冤。臣弟已经派人前去查证，刚刚收到回报。所以不敢耽搁，即刻入宫向皇上禀报。"

皇上听完脸色不好，沉声问道："何人如此嚣张？"

晋王抬手一指："刚才呈上的就是那女子的口供，案件的凶犯名叫程郑，是相府属吏。"

青岚听到"相府属吏"四个字，心中顿时咯噔一下，晋王这次亲自出马，看来是要一次彻底铲除赵普的势力了。

皇上面无表情，认真地将晋王的奏折看完，然后抬起头来，一字一顿地说道："此案关系重大，着开封府严查，所有涉案人员，无论官职、身份，可不必向朕奏报，直接捉拿关押！"

晋王起身行礼，郑重道："臣弟遵旨。"

一波未平，一波又起。李崇焕案尚未平息，相府属吏程郑仗势杀人一案，再度给了赵普重重一击。

晋王走后，皇上挥退众人，将自己关在紫宸殿中许久。王继恩在殿外着急地来回转圈，一边碎碎念道："哎呀，这可怎么办啊。皇上也不喊人，不能出什么事儿吧？"

青岚想了想，翻箱倒柜找出一小罐蜂蜜，调了些与水化开，用茶盏装了，对王继恩道："不然，让奴婢进去看看吧？"

王继恩有些担忧地："可是未经通传就……"

青岚朝他温和一笑："公公放心，奴婢会小心行事，不会惹皇上生气的。"

王继恩拍了拍她的肩膀，嘱咐道："也成，那你小心点儿。"

青岚点点头，这才捧了茶盏进殿。紫宸殿里点了烛火，忽明忽暗，就看到皇上站在窗前，安静地朝外看去。她当即脚步一顿，不知道为什么脑海中忽然浮现出母亲坐在窗前出神的模样，不同的时间、不同的地方，又是不同的人，但不知道为什么，那个感觉确实似曾相识。

皇上听到脚步声，转过身来。青岚屈膝行礼，小心翼翼地道："皇上，夜深了。奴婢冲了些蜂蜜水……"

"瑾画？"

皇上眼眸一挑，一时走神，竟然脱口将那个名字喊了出来，但很快平静下来，双手负后："是青岚啊！"

青岚神色骤变，但只一下，很快就恢复了平常，只是把茶盏递到皇上面前："皇上。"

皇上抬手接过，茶盏中散发出馨甜的芳香，他忍不住问道："为什么拿蜂蜜水给朕？"

青岚低头敛目答道："奴婢的母亲曾经说过，蜂蜜水性温，睡前饮用，有益于调养心神。"

皇上端着茶盏的手微微颤了一下，随即仰头将蜂蜜水一饮而尽。

青岚接过茶盏，见皇上的神色平和了不少，于是咬了咬唇，开口道："皇上恕罪，奴婢有一事，想启奏皇上。"

皇上哦了一声，缓步走到一旁坐下，沉声道："什么事，说说看。"

青岚把茶盏放好，然后走到皇上面前，双膝跪地，抬起头来从容道："奴婢今天听到晋王的奏报，忽然想起一事，思前想后，还是觉得，应该如实禀报皇上。"

要得到皇上的信任，最重要的一点，就是要诚实。她想，这也是为什么杨云溪要她自己向皇上禀报雷庆的事情，现在有程郑案在前，她的禀告便不算突兀了。

她娓娓讲述，把关于自己在赵普府邸门外见到雷庆的过程讲了一遍，只是没有提及见到杨云溪的这一段。

皇上听完，忽然沉声唤道："云溪，你出来吧！"

杨云溪自屏风后缓步而出，走到皇上身边，垂手而立。青岚心中一沉，看来，雷庆的事情，皇上已经知道了，只是在等她什么时候主动开口而已。

这一局，看来她是赌对了。

皇上抬了抬手，语气很平和："青岚，你起来吧！这件事云溪已经向朕禀报过了，只是他的身份，不好直接过问此事。既然你是救了雷庆，那么，朕希望你可以把这件事管到底。"

青岚俯身行礼："奴婢遵旨，自当尽力而为。"

皇上望向杨云溪，吩咐道："青岚一介女流，外出总归不是那么安全，云溪，你陪她一起去吧！"

杨云溪低头领命，皇上又道："事不宜迟，朕怕赵普很快就会收到风声，你们即刻就出发吧！"

青岚拜别皇上，依依不舍，神色复杂地望了他一眼，这才转身随杨云溪离去。

两人深夜出宫，直奔雷庆所住的宅子而去。只是此时城门已经关闭，青岚原以为要费一番功夫才能出城，没想到他们的马车走到城门口时，门已经打开了。

青岚惊讶地望向杨云溪，却见他一脸心如止水的表情，仿佛打开的并不是城门，而是他房间的门一样。

深夜寒风呼啸，杨云溪拍了一下马车壁，然后朝着青岚做了个"跟我来"的手势，动作敏捷地跳下马车，看起来完全不像受过重伤的模样。青岚一手掀开帘子，就看到城门口已经有人牵着两匹马在等候，看这样子是要马车换马。她有些纠结地低下头去，无意识地绞着衣角。

其实，她还不是很会骑马，只不过这个时候提这件事似乎有些不合时宜。

杨云溪把马牵过来，青岚蹑手蹑脚地跟上去，看到两匹高头大马，心中隐约有点担忧和害怕。

"会吗？"

杨云溪看向青岚，乘马车实在太慢，所以他才让人把自己的马牵了过来，只是不知道青岚会不会骑马。

青岚咬了一下唇，用力点了点头。杨云溪这才放下心来，抬手顺了顺一匹黑马的鬃毛，那马打了个响鼻，竟然侧头往他身上亲昵地蹭了上去。青岚看它可爱，于是也照样子抬手去摸，那马儿却扭头躲开。

青岚伸出的手凭空僵在那儿，顿时嘴巴一瘪，竟然浮现出小女儿的娇态来：

"喂！"

"罗浮，听话。"杨云溪拍了拍马儿的头，把缰绳递到青岚的手中。青岚知道这马儿的名字是罗浮，也是一种古酒之名，于是轻声试着喊着，一边尝试着往马儿身边接近。

罗浮生性比较温顺，这也是杨云溪为什么敢让青岚碰它的原因。青岚这次再试着与它接触，成功地抚摸了它的马鬃，并且还牵着它走了几小步，这才有些不稳地翻身上马。

杨云溪见她的动作尚算标准，虽然不太熟练，但至少基本功还是有的，这才放心下来，自己牵了另一匹马元正，翻身上马，看向青岚，朗声道："跟着我！"

说完一夹马腹，纵马而去。青岚在后面喊了几声，才意识到杨云溪是不会等她的，所以也一抖缰绳，奋力追了上去！

杨云溪并没有让马跑得多快，只等着青岚跟上来，眼看着两人并排一致了，这才慢慢开始加速。青岚一开始还勉强能跟上，但骑了一会儿，体力就不行了，杨云溪只好放慢了速度等她。两人走走停停，终于赶到了雷庆所住的宅子，此时尚未天亮，夜色犹浓，眼前的景象却是两人并未想到的。

门口横七竖八地倒着几个家丁打扮的人，血流一地。青岚有些惧怕地捂住了口鼻，刻意往杨云溪的身后躲去。前院传来激烈的打斗声，两人加快脚步，看到不远处灯火通明，一伙黑衣人，一伙是家丁打扮，黑衣人们明显占了上风，很快就把对方压制的死死的。

杨云溪见过雷庆一面，当即就从一堆人中搜寻到了他的身影，他将缰绳交给青岚，一边吩咐道："别跟过来！"

青岚转身抬头，将信将疑地看向杨云溪，却见他已经冲入人群当中！杨云溪的身手青岚早已经见过多次，但却从未见过他此刻这样，在交战中利刃出手，蝉翼刀闪着寒光凌空飞舞，所到之处，无人可敌。

杨云溪的周身泛起骇人的杀意，令人看了不免胆战心惊。一路闯入战圈当中找到雷庆，一把抓住他后颈的领子，反手就把他给扔了出来！

雷庆脸上不知道什么时候多了两道血痕，连滚带爬地跌在青岚的脚下。青岚赶忙将他扶起来，黑夜中看不清彼此长相，雷庆险些一拳挥出砸在青岚的脸上，就听她温婉的声音响起："雷公子，是我！"

雷庆恍然一愣，这才将青岚认出来。

这时候杨云溪的蝉翼刀已经回撤至手中，以两根手指夹着，抬手正抵在一个黑衣人的咽喉处，目光环视四周，冷冷喝道："都不要命了吗？"

此话一出，黑衣人们顿时就望风而逃，杨云溪手上用劲，逼问道："谁让你们来的？"

那黑衣人顿了顿，正想开口说话，忽然风中划过一道白光，一串铜钱镖射来，不偏不倚地射入黑衣人的咽喉和眉心！

杨云溪顿时警觉，反手将蝉翼刀横扫出去，只见一道黑影疾驰而去。他不好追赶，再转头时，黑衣人已然倒地，气绝身亡。

青岚的脸色不太好看，显然是吓着了，不过还是竭力保持了镇定。雷庆则因为害怕而缩成一团，瑟瑟发抖。杨云溪冷冷扫了他一眼，开口道："上马！"

雷庆纠结道："我……不会啊！"

杨云溪心道，你一个男儿，竟然还不如一介女子有胆识，于是转头看向青岚，声音温柔了些："我们走吧！"

青岚点点头，翻身上马，杨云溪上马之后把缰绳一扯，俯身扯着雷庆的后颈，把他给拉上来扔在了自己身后，不等他做好准备，当即就纵马前行。青岚这回有了心理准备，跟得很快，三人在初升的霞光中一路奔驰，直奔汴京而去！

在他们看不见的地方，一道黑影立于血色之中，冷漠的声音果断下令："立刻派人沿途截杀，绝不能让他们三个活着回到京城！"

锦绣缘·生死情

天边的霞光绚丽灿烂，耳畔寒风呼呼作响，快要把人冻僵了。青岚艰难地扯着缰绳，竭力不让自己落后杨云溪太多。

杨云溪害怕夜长梦多再起风波，所以才急着赶路，心想早点到汴京便能早点安全地向皇上复命。但是青岚毕竟是女流之辈，像现在这样已是不易，于是他放慢了速度。

这一慢之下，忽然注意到前方不远处的路上闪过一道寒光，他顿时心中警觉，但停下来已经来不及，只能用力扯住缰绳，高声喝道："元正，跳！"

元正训练有素，当即高高跃起，自那寒光之上跳了过去！

是绊马索！杨云溪心道不好，青岚还在他身后，而且没有那么精良的骑术。他猛然勒住缰绳，策马转身，大声喊道："青岚，小心脚下！"

青岚本已疲累，听见杨云溪的话无暇反应，只能下意识地勒紧缰绳，试图让罗浮停下。罗浮一声嘶鸣，前腿高高跃起。

"啊！罗浮！"

青岚一声尖叫，身子一歪差点就要摔下马去！

电光火石间，杨云溪已经如同箭一般地冲向青岚，身子高高跃起跳上马去，自青岚身后伸出胳膊将她牢牢箍在怀里，然后就着她的手拉紧缰绳，一边喝道："罗浮！"

罗浮与主人心意相通，一声嘶鸣，转身往前跑了几步，这才稳稳停下。

杨云溪看着怀中惊魂未定的青岚，她的发丝掠过他的脸颊，他忍不住侧头蹭了蹭，轻声问道："没事吧？"

青岚深吸了口气让自己平静下来，杨云溪的怀抱让她觉得心中无比安定，于是点了点头："嗯，我还好。"

杨云溪刚安下心来，忽然听到身后一道劲风袭来，他回身反手将蝉翼刀抛出，只听叮当一声，几枚铜钱镖被打落在地，四五个蒙面黑衣人紧随其后跟了上来，手中刀剑闪着寒光。杨云溪见状，先将蝉翼刀收回横扫，让那几人不敢上前，他朝着雷庆的方向喝了一声："元正过来！"

元正立刻朝他奔来，杨云溪拍了拍青岚，然后翻身下马，将雷庆从马上拉过来，扔到青岚身后道："你们先走！"

青岚有些不舍地："侯爷那你……"

杨云溪用力拍了罗浮一下，下令道："别啰嗦，快走！"

罗浮一声嘶鸣，载着青岚和雷庆两个人疾驰而去，青岚忍不住转头去看包围圈中的杨云溪，眼中都是担忧的神色。片刻她毅然回过头去，用力一扯缰绳，喝道："驾！"

杨云溪的决定是对的，青岚必须先把雷庆送回京城。

雷庆这会儿已经被吓得连大气都不敢喘一下，青岚咬牙硬撑着，不断催促罗浮快跑，一路沿着官道向前，冲入城中，直奔皇宫而去！

不知跑了多久，眼看着宫门就在眼前，她心中一喜，眼前却跟着一黑，险些从马上跌下去！终于到了！

青岚从腰间摸出皇上赐予的腰牌，朝着宫门守卫朗声道："我是尚宫青岚，奉皇上之命出宫办差，请速速放行！"

有腰牌为证，不敢有人拦她，但宫中不能骑马，青岚拉着雷庆一路疾步前行到紫宸殿觐见，王继恩在门口将她拦住，急道："皇上还没起身呢！"

青岚十分着急："劳烦公公通传一声，我们回京的路上遭人追杀，侯爷留下抵挡，生死不明，情况危急，奴婢想请皇上速速派人接应！"

王继恩显得有些为难，正欲说话，就听到皇上低沉的声音响起："让他们进来吧！"

青岚心中一喜，转身见雷庆整个人都呆住了，连忙拉了他一把："还不快走！"

皇上披了外衫，坐在桌边喝水，见两人风尘仆仆而来，神色尽显狼狈，于是问道："到底发生了什么事？"

青岚快走两步当即跪倒在地，语气焦急："皇上，请即刻派人前去接应侯爷！"

皇上轻咳一声："卫幽！"

一个墨色身影骤然闪出，立于御前，单膝下跪："臣在。"

青岚见他一身夜行衣的打扮，腰间也悬着一只短笛，心知他也是紫鸾暗卫中的一员，于是也跟着跪下："请让奴婢带路！"

皇上并未反对，而是挥了挥手："去吧！"

一行人匆匆动身，青岚骑了罗浮在前领路，她心急如焚，恨不得插上翅膀飞向杨云溪，看看他此时是否还安然无恙。

众人四处搜寻，却依旧不见杨云溪的身影。青岚四下不见人，只看到横着几具黑衣人的尸体，到处都是血迹，心中着急，几乎都要哭出来了。卫幽策马上前安慰："尚宫请放心，侯爷一定会平安无事的。"

猎猎寒风中，一轮暖日挂在空中，青岚却只觉得身上寒冷无比。她骑马四处奔走，一边喊着杨云溪的名字，心中只盼着他能应自己一声，哪怕只有一声就好。

假如他死了……不！绝对不会的！心中刚冒出这个念头，就被她自己硬生生地推翻掉，杨云溪怎么可能会死……但是他的身上分明还带着伤，而且现在还不见人，让她怎么能放心？

"喂，人在这里呢！"

一个清脆悦耳的声音响起来，卫幽当即警觉，手中利剑出鞘，朝着那个声音奔去。青岚目光紧跟着追过去，就看到一席红衣翻飞，少女手持两把短剑，坦然无畏地将卫幽的剑挡在前，笑道："小哥哥好身手，不知道怎么称呼？"

青岚原本悬着的一颗心当即放了下来，而且此时还颇有些啼笑皆非的意思了，翻身下马上前拦着："小醺，你怎么来了？"

这少女正是雨微醺，她随手撤剑，朝着卫幽撇了撇嘴，然后亲切地挽起青岚笑道："我外出办事，恰好经过，就顺手救了个人。"

说着抬手一指，不远处一堆乱石之旁，有个人影斜靠于此，却看得青岚顿时心中巨震，瞬间五味陈杂，竟然是不顾一切地朝着杨云溪跑了过去。

杨云溪半身染了鲜血，坐在原地久久不动，神色却是清醒的。

青岚跌跌撞撞跑到杨云溪身边，他的头、胳膊和左肋都有刀伤，只是看起来都不是致命伤，这才放下心来。

杨云溪动了动唇，声音有些沙哑："你怎么回来了？雷庆呢？"

青岚见他只穿了单衣，披风估计是跟人打斗时不见了，怕他承受不起寒意，于是飞快地脱下披风要给他披上，杨云溪握住她的手腕，强硬地拒绝："我不冷。"

青岚能清楚地感觉到他的手寒冷如冰，见他神色漠然，竟然是一副要死撑的模样，于是干脆赌气地从他手中挣脱开，将披风往地上重重一摔："你若不用，我也绝不会再穿了！不如就一起冻死算了！"

说完真的就站起身来，双手抱在胸前瑟瑟发抖地转过身去。杨云溪见她气鼓鼓的样子，禁不住扬起唇角露出半点笑意，抬手将披风拾起来披在肩头，轻声喊她："你和谁一起来的？"

青岚转过身见他竟然服了软，这才消气，于是上前将他搀扶起来，一边指给他看："是卫幽。雷庆已经被安全送进宫见到皇上了。"

杨云溪抬头看过去，就看到此刻正在对峙的一红一黑两个身影。

卫幽悻悻将剑放下，却依旧上下打量着雨微醺，似乎还是无法确定她是敌还是友。雨微醺坦然地回望他，仿佛对面前这个黑衣长剑的翩翩公子十分感兴趣，拱了拱手，笑道："我叫雨微醺，是晋王府的丫鬟。敢问小哥哥怎么称呼？"

卫幽万没想到面前这个英姿飒爽的姑娘竟然有这样的身份，愣了愣便回礼："我叫卫幽。"

"卫幽？这名字怎么听起来那么耳熟呢？"

雨微醺侧头凝目，忽然眼前一亮，竟然喜上心来："莫非你就是广济堂的卫公子？"

汴京城中，有商贾卫家，大公子卫幽乐善好施，菩萨心肠，在城西开设广济堂，接济贫苦百姓，行善事，因此在京中十分有名。只是没想到，这位卫公子，竟然也是在御前办事的。

卫幽被雨微醺道破身份，也不好隐瞒，只得点点头答道："正是。"

雨微醺看起来十分开心，露出小女儿的娇态来："我听说过好多关于你的事情呢！"

卫幽只得谦虚道："雨姑娘过奖了……"

卫幽转身看到青岚搀扶着杨云溪走来，于是连忙上前参拜，他与前来的几位都是在御前侍奉的暗卫，当即单膝下跪，行的却是军礼。

青岚将这一切看在眼中，并不作声，杨云溪摆了摆手："我没事。"

卫幽率领众人开始检验现场的尸体，从宫中出来时青岚特意要了伤药带着，这会儿正好帮杨云溪上药包扎伤口。雨微醺是一门心思地跟卫幽铆上了，他走到哪儿她就跟到哪儿，让卫幽都有点不好意思起来。

"看来，他们应该是被刻意培养的死士。"

卫幽检验完尸体，向杨云溪报告情况："他们所用的兵器都是同样的，衣装打扮和武功路数也非常一致……"

"不仅如此，他们用的铜钱镖，是青玉坛专用的。"

雨微醺把短剑抱在怀里，悠然站在一旁开腔："青玉坛是什么，你们应该都知道吧？"

在场的只有青岚对江湖中事一无所知，杨云溪和卫幽对望一眼，后者立刻会意："我这就让人去查查青玉坛。"

杨云溪见青岚一脸迷茫不解，于是开口解释道："青玉坛是拿人钱财，替人消灾的地方。"

雨微醺笑得意味深长："听说青玉坛的新当家，最近抱了棵大树打算乘凉。"

三人的目光齐齐聚在她身上，雨微醺无辜地耸了耸肩："别看我，我也只知道这么多了。"

杨云溪沉思片刻，转身吩咐卫幽："小心调查，不要打草惊蛇。"

卫幽点了点头，目光一闪发现雨微醺竟然还在笑吟吟地看他，禁不住有些心慌意乱。

与此同时，当日早朝，朝堂之上，再度风云骤变。

晋王呈上程郑一案的调查结果，证据确凿，皇上借此事下令撤换相府属吏，赵普累积多年的势力，竟然于瞬间被瓦解殆尽。

皇上下了早朝，王继恩立刻上前递上一盏热茶，凑在他身边低声说道："青岚已经在紫宸殿外跪了大半个时辰了。"

皇上一愣，却禁不住加快了脚步："这么冷的天，有什么事不能进来说？"

王继恩一脸为难地："奴才劝了，可是这丫头她不听啊！"

皇上顿时肃穆起来："到底为了什么事？"

王继恩叹了口气，这才答道："她说办事不利，险些连累清平侯丢了性命，所以自请责罚，求皇上让她出宫照顾清平侯。"

皇上顿时笑出声来，觉得又好气又好笑："这丫头真是……传朕的话，她的要求朕准了！"

王继恩在一旁也跟着笑："奴才遵旨。"

刚想要去传旨，忽然被皇上喊住："王继恩啊！你说青岚这丫头对云溪，到底有意没有？"

王继恩摸着头开始装傻："奴才，奴才不知……"

皇上道："别跟朕在这儿装傻，紫宸殿上下，就属你的花花肠子最多了！"

王继恩笑着打哈哈："皇上过奖了，奴才可真没那么大本事。不过，奴才倒是听琴苑的那群小崽子们说起过，清平侯爷曾经送过青岚一条手帕，岚丫头当时没拒绝，似乎是收下了。"

琴苑是青岚所住的院子，那次杨云溪来找她，很多宫女、太监都看到了。

皇上笑得意味深长："既然如此，朕不妨就牵条红线，你觉得如何？"

王继恩弯腰笑得谄媚无比："皇上英明！皇上英明！"

皇上朗声笑道："那就别让青岚出宫了，传朕的旨意，清平侯于李崇焕一案中查案有功，准其入宫暂住武德殿休养，着太医院为其调养身体。告诉青岚，人就在宫里，想去照看的话，就自己去吧！"

青岚自冰冷的地面踉跄着站起身来，因为跪得太久双膝发麻，刚站起来就不稳当，险些又一头栽倒，好在被王继恩及时扶了一把。王公公扶着她慢慢往前走，一边语重心长地开始数落她："岚丫头你也是，有什么事不能好好说啊！"

青岚低下头，语气愧疚："是奴婢莽撞。"

王继恩哼了一声，不理青岚的话继续数落："不是教过你嘛，在宫中办事，首先要自保了，再去管别人。你看看你，清平侯这还没怎么着呢！你要是把自己折腾病了，该算谁的？"

青岚满脸冻得通红，一言不发。她求着皇上让她出宫一趟，不单只是为了看杨云溪，更要借此提醒皇上，这桩案子的凶手还未严惩。

杨云溪很快被接入宫来，由太医院诊治调理身体，皇上顺便就把他紫鸾暗卫的差事也停了，只让他好好休养。武德殿距离琴苑倒是不远，但青岚平日事务繁忙，能去探望的时候也不是很多。

后来青岚从连翘口中得知，雷家一案也交由开封府审理，皇上的意思已经十分明确，他在赵普和晋王之间，毫无疑问地选择了晋王。

转眼就是除夕，正午皇上设宴款待群臣，赵普、晋王分坐两边，隐约能在目光交汇时，让人感觉出剑拔弩张的意味来。

青岚忙着带领宫女们为诸位大臣奉茶，就听赵普拱手道："皇上，臣有一事启奏。"

听他的语气，青岚几乎能想象到他又想说什么，就跟冬至茶宴一样旧事重提：立太子。简直是哪壶不开提哪壶啊！赵普失势，为了防止晋王的势力继续扩张，唯一的办法就是弄出一个东宫太子来，与晋王互相钳制，只是皇上心中未必不清楚这一点。青岚垂眸在晋王身畔摆下茶盏，见他手中捏着紫檀木串珠，轻轻捻动，倒是胸有成竹的模样。

皇上摇了摇手："则平，朕今天没有兴趣听这些。今日的茶汤不错，你不妨尝尝。"

赵普碰了个软钉子，可还是不肯放弃："臣知道臣的这番话不太好听，但皇上可知，东宫之位空悬许久，总会让有些人想入非非，坐立不安。"

"皇上，赵相言之有理！"

"臣附议！"

"臣也附议。"

似乎是事先商量好的，赵普一开口，立刻有不少人纷纷表示赞同。倒是晋王抿了口茶，不冷不热地道："臣弟倒是觉得，如今坐立不安的，好像是赵相啊！"

皇上上扬的嘴角一僵："你们就这么盼着朕有事吗？现在就急着让朕定好储君人选了，嗯？"

赵普心中一慌，匆忙俯身："臣不敢！"

众臣也跟着肃穆敛目，口称惶恐。青岚倒是十分镇定地站在旁边看热闹，冬至的茶宴上，也是因为赵普提出立太子的请求，才害得她被皇上杖责，这一次，也该是他倒霉的时候了吧？

皇上冷哼一声，肃然道："都起来吧！"

端了茶盏继续说道："好茶好酒，偏要说这么扫兴的事情。青岚，去泡盏醒酒茶来，给赵相好好醒醒酒！"

青岚屈膝行礼，应道："奴婢遵旨。"

皇上朝晋王看了一眼，神色有所缓解："光义，陪朕去花园走走，朕备了好酒。"

说着站起身来，兄弟二人顿时将在场的诸位大臣抛在脑后，携手离去。青岚端了醒酒茶，送到赵普面前，浅笑道："大人请用。"

赵普皮笑肉不笑地："多谢青岚姑娘，哦不，是陆尚宫。"

青岚知道因为雷家一事已经与他结怨，也不害怕，只是欠了欠身："相爷多礼了。"

"听说陆尚宫与清平侯走得很近，"赵普端起醒酒茶慢慢啜饮，眼中却露出锐利骇人的眼神，"宫中向来多事，陆尚宫的一手好茶艺，可别糟蹋了！"

青岚听不太懂他的意思，但终究觉得不是什么好话，只是气势上不肯认输，只是笑道："多谢相爷提点，奴婢记下了。"

一场午宴终究不欢而散，皇上与晋王在花园畅饮倒是十分尽兴。到了晚上便是皇室宗亲受邀进宫一同守岁的家宴。杨云溪照例也在受邀之列，只是他从不出席，今年也不例外。

"朕清楚他的脾气，这家宴他必然是不会来的，不过这大过年的，一个人在宫里总归是寂寞了些，青岚啊，你今晚就不必去宴会上侍候了，你带些好酒好菜，送去武德殿吧！"

　　皇上召了青岚前来嘱咐，背地里却得意地给王继恩使眼色，显然是为了两人之前合计的事情。王继恩立刻会意地送上两坛好酒，青岚望着皇上满含期待的眼神，这大过年的势必就要和杨云溪一起守岁了。

　　这几日她其实一直在躲着杨云溪，因为连她自己都有点搞不清楚心里到底对他是什么感情了。虽然相识的时日不长，但也算是共同历经过生死，明知道杨云溪对自己有意，而她也曾经对他有过不舍和心痛，只是这样的感情，她害怕去面对。

　　原以为放下了晋王，她的日子会好过些，然而那个人刚走，却来了个更让她难舍的杨云溪。可是，一个细作、一枚棋子，哪有资格去奢求什么爱和幸福？

　　所以她宁可躲着，不去面对杨云溪，更不敢去面对心中真实的感情。只是，该来的总会来，她还是得拎着好酒好菜，去看望那个正在宫中奉旨养伤的清平侯。

　　武德殿里炭火烧得倒是很旺，一进殿迎面就是一股暖流袭来，夹杂着清幽檀香阵阵。此刻殿内空无一人，青岚正觉得诧异，怎么连个通传值守的人都没有，就觉得身后一阵冷风贴着脊背掠过，酒香四溢。她即刻转了身，朝着某个方向参拜："奴婢见过侯爷。"

　　杨云溪手中拎着一壶花雕，面无表情地："你怎么来了？"

　　青岚把手中的食盒打开，一碟碟地往桌子上摆："皇上知道侯爷不去家宴，所以让奴婢把这些送来。"

　　杨云溪将手中的酒壶放在一边，去拿青岚带来的酒，轻轻闻了闻，禁不住感叹："相州碎玉……要温了喝才好。"

　　青岚不知道他说的什么酒，听名字倒是不常见，只是见他很是喜欢的样子，于是起身去找炭炉烧水："奴婢去烧水，侯爷稍候。"

　　杨云溪望着她的背影，目光随即落在一桌精美的菜肴上。除夕之夜该是阖家团圆同吃年夜饭的时候，记得往昔的除夕，也只有杨管家陪着他，空荡荡的房间里，两个人守着一张桌子吃饭。

　　此时此刻，虽然也只有他和青岚两个人，但是，那种感觉，却是不一样的。

　　他抬手按在脖颈上，掌心隔着几层衣料，依旧能感觉到某样什物贴着肌肤的存在。青岚烧了水端过来温酒，碎玉酒一遇热顿时香气四溢，十分诱人。

她站在杨云溪身旁为他斟酒，酒香夹杂着焚香的气味混入鼻息，惹得一阵莫名心悸。杨云溪一杯饮尽，放下杯子忽然抬起头，沉声道："坐。"

青岚愣了愣，抬手指着自己："我？"

杨云溪稍稍眯起眼眸看她，意思似乎是：这殿里难道还有别人？

青岚哦了一声，左右看了看，似乎还不死心："殿里的下人们呢？"

"让他们都去休息了，"杨云溪曲起手指敲了敲桌子，"坐。"

青岚悻悻地坐下，只是腰背挺得很直，有些拘谨的样子。杨云溪抬手在她面前摆了一个杯子，语气很笃定："陪我喝一杯。"

连个询问的意思都没有，青岚在心中哀叹了一声。幸好这酒的味道闻起来不错，不太辛辣，温润香醇。两人将酒杯斟满，举杯对饮。杨云溪一饮而尽，青岚稍稍有些害羞，禁不住把头扭到一边，小口小口地把整杯酒都喝了。

殿内炭火正旺，酒香流转，两人守着满桌的饭菜相对而坐。不知道为什么，青岚忽然觉得他们现在有种小夫妻共度除夕守岁的感觉，于是更加不好意思地把头埋了下去。

杨云溪侧头看着青岚，也不动筷子，只是一杯接着一杯地喝酒。青岚想起他的身上还有伤，于是赶忙出言阻拦："侯爷，你身上有伤，酒还是别喝太多。"

杨云溪放下酒杯，平缓地说："我的伤，大多都好了。"

青岚哦了一声，却被杨云溪毫不掩饰的目光看得有些害羞，抿着唇低下头久久不曾言语，就听到杨云溪又道："谢谢。"

"啊？"

青岚被这一声没来由的"谢谢"搞得有些不解，抬起头来看他，或许是喝了酒的缘故，眉眼都带着娇羞的温柔，脸颊的红晕，仿佛是两朵开得灿烂的桃花，娇艳明媚。

杨云溪咽下口水，然后将一杯酒一饮而尽。总觉得今夜殿内的炭火烧得有些燥热了，杨云溪不耐烦地抬手解开两个衣扣，脖颈处隐约露出一截红绳来。

殿外忽然传来一阵噼啪声，青岚循声转过头去，惊喜道："呀！放烟火了！"

她兴奋地起身跑到窗口，抬手将窗子推开，向外望去。

金银两色烟火在黑色天际炸开，散落一片缤纷灿烂，青岚开心地朝着杨云溪招手，脸上不禁露出孩子般的笑容："快来！快来看烟花呀！"

杨云溪心中其实对烟花并无半分兴趣，只是见青岚高兴，就顺了她的意，缓步走到窗边陪她一起看。

刹那间又有两朵烟花在天空绽放，将天际照得亮如白昼。青岚忽然双手合十，抵在前额上，口中念念有词。天空并无月色，唯有星光皎洁，加之烟火的鎏金碎银，将她的面容映得雪白晶莹，那一瞬看在眼里竟然是说不出的明艳动人。

杨云溪心念一动，心底顿时如同被孽火焚烧，拳头用力握紧，却止不住地身子往前倾去："青岚……"

青岚听到杨云溪在喊自己的名字，声音嘶哑而隐忍。她睁开眼睛看去，杨云溪绝美的面容顿时落入眼底，而且越来越近，越发清晰……青岚一愣，顿时就要往后退去，结果被杨云溪扣住了后腰，当即动弹不得！

"青岚……"杨云溪手上用力，带着青岚的身子转了半圈，将她牢牢压在墙上，青岚顿时露出惊慌的表情，似乎是猜到了杨云溪的用意，于是结结巴巴道："侯爷……侯爷？"

杨云溪没给她继续说话的机会，俯身侧头，果断地朝她的唇吻了下去！

青岚只觉得杨云溪的脸在面前忽然被放大了无数倍，然后眼前一道黑影压下来，柔软的唇覆上她的唇瓣，辗转厮磨，缠绵悠远。

那是她经历的第一个吻，杨云溪的人虽然看似冰冷无情，但是唇上的温度却是灼热的，带着尚未退去的浓烈酒香，铺天盖地而来。青岚仓皇溃败，躲闪不及，被杨云溪给抵在墙上吻到无力招架，开始还奋力拍打着他的肩膀和胸口试图将他推开，后来不知道什么时候，双手竟然环上了他的脖颈，闭上眼睛生涩地回应起来。

窗外的烟花一朵接一朵划过天际，散落一地璀璨光华。

杨云溪的吻越发深入却也越发温柔，撩拨得青岚心神不宁。他带着她转了个身，先是自她唇上退开，见她双眸紧闭意犹未尽的模样，复又吻上去。

鼻息间那股檀香的味道越来越淡，夹杂着碎玉酒香，越发令人心神荡漾。杨云溪放开青岚的唇，望向她时呼吸声越发粗重起来，青岚胆怯地睁开眼睛，抿着唇俏生生看过去，眼中水波回转，仿佛是委屈地要哭出来一般。

杨云溪将她揽在怀中，侧头紧贴着她的侧脸，神情温柔地赔不是："对不住，是我逾越了。"

青岚不知所措地靠在他肩头，却始终无法割舍这样的温暖，只是双手抱紧了他，久久不肯松开。

除夕之夜的烟火绚烂夺目，但是世间繁华万千终将散去，一切回归平静。青岚不知何时靠在杨云溪肩头沉沉睡去，杨云溪转头看她纯净美好的睡颜，忍不住以掌心轻蹭她的脸颊，长长地叹了一口气。

是他大意了，沉溺于柔情蜜意当中，却忽视了已经近在身畔的危险。

他将青岚抱起来放在床榻上，自己坐在她身边，拨开她散乱在额前的发丝，俯身轻轻一吻，然后从容地合上眼睛，陷入深深的静默之中。

只待天明，该发生的，终究是要发生的。

锦绣缘·千金诺

大年初一的清晨，天气骤然转暖，阳光明媚如同新生。

新的一年自此刻起才算是真正开始，武德殿被笼罩在一片暖融融的光景里，宫人们早早起身，照例到殿中各处各司其职。

檀香燃尽，唯有碎玉酒香环绕不去，只是酒冷了，香气也淡了许多。

清早来服侍清平侯起身的太监惊讶地发现殿门未关，虚掩着留了一条门缝。太监推开门小心翼翼地走了进去，却在看到卧房里一番景象时，惊讶地将手中端着的铜盆摔在了地上！

床榻上安睡着一个青衫女子，而清平侯靠在一边闭目不动，两人的手十指紧扣，牢不可分。

铜盆重重扣在地上，水花四溅，发出的响动足够将熟睡的人吵醒。

杨云溪不急不缓地睁开眼睛，扭头看去，冷冷一眼扫去，顿时对方连大气都不敢喘了，匆忙捡了铜盆起来，连滚带爬地冲出殿外。

青岚蹙着眉心悠悠转醒，似乎还不太明白到底发生了什么事，只是觉得头痛欲裂，身子沉重，似乎没有半分力气，她捧着头自言自语："我这是……在哪儿？"

杨云溪在旁沉声接话："武德殿。"

他突然出声倒是把青岚吓了一跳，整个人差点儿从床上一头栽下去，被杨云溪一把捞在臂弯里，声音柔和悦耳："小心。"

青岚靠在他怀里，怯生生地抬起头来，眼神清澈而干净，只是有些不知所措，那样的表情，深深印入他的眼底，让他不由自主地沉醉下去。

"不是，到底是怎么回事儿啊？"

王继恩尖细而有些不耐烦的声音由远及近而来，伴随着杂乱的脚步声，杨云溪将头转过去看向门口，手上却未曾放开青岚。

于是王继恩进门来就看到这么一幕：杨云溪坐在床沿，一只手揽在青岚的腰际上。怎么看都是个无比亲密暧昧的模样。

"哎哟！"

王继恩立刻做出一副被闪瞎眼的模样，当即用袖子遮了脸，转过身去，一边抱怨道："侯爷你这是……唉！这该怎么办啊这！"

杨云溪放开青岚，平静地站起身来，朝着王继恩欠了欠身："不关青岚的事，我去面见皇上。"

青岚连忙爬过去扯他的衣袖，试图阻拦杨云溪说话。她深知宫中的规矩，青年男女私下在一起过夜，将以秽乱宫闱的罪名严惩。昨夜的一幕幕浮上心头，异香迷乱中的缠绵，烟火下紧紧相拥，所有的一切，都是她心甘情愿……总之这罪名，不该只由杨云溪一个人来担。

王继恩心中暗笑，只是表面依旧严肃，清了清嗓子道："青岚，你可知罪？"

青岚连忙下地，双膝跪下请罪："奴婢知罪。"

王继恩注意到杨云溪表情冷峻，带着冰封一切的寒意，心想也不能再演过了，只能见好就收："此事奴才也做不得主，还是请皇上定夺吧！"

杨云溪望向青岚，见她目光闪烁，看不出是恐惧还是后悔，抑或是别的什么情绪。他动了动唇，终究却只说出两个字："别怕。"

青岚回给他一个坚定的微笑："我不怕。"

兹事体大，鉴于皇上已经去上朝了，于是王继恩只能将青岚带回琴苑并派人看管，至于杨云溪依然留在武德殿，反正宫中百余名暗卫，没人是他的对手，所以看着也是白看，索性就让他自律了。

青岚坐在窗前，一手托着腮望向窗外。她发现不知道从什么时候开始，自己也喜欢做这个动作，仿佛是注定的宿命轮回，她曾经看着母亲在安静凝望中年华渐渐老去，而现在，她亦逃不开，躲不掉。

紫宸殿里，王继恩正得意地跟皇上讲述事情的经过，目睹一切的小太监是怎么慌乱地跑出武德殿，又恰好"偶遇"散步经过的王公公，然后被逼问之下什么都说了。于是王继恩就带人去"拿人"，然后奏请皇上定夺。

皇上笑得很是开心："你倒是演得挺开心，小心被云溪看穿了，一刀劈了你。"

王继恩有些胆寒地缩脖子："皇上可别吓唬奴才了，奴才可不想要脑袋搬家呢！"

皇上拍拍王继恩的后背："得了，去把云溪给朕叫来吧！有些话，朕也想再单独问问他。"

杨云溪很快被带到御前问话，皇上让人温了壶酒，屏退左右，将一个杯子递给他，笑道："你猜猜，朕会定你个什么罪名？"

杨云溪双手接过酒杯，仰头一饮而尽，然后看向皇上沉声道："是臣大意了，不过，这一切不是正如皇上所愿了吗？"

皇上一愣，显然是被识穿了心事，当场却不肯承认："朕所愿？朕不知道你指的是什么。"

杨云溪将衣袍前襟掀起，双膝跪地，挺直了腰背神色凛然地反问："相州碎玉难道不是皇上所赐？谁又能在御赐的酒中下药？"

皇上面色略有些窘迫，心中早就把王继恩这个办事不牢靠的家伙骂了无数个来回，但是表面上还是硬撑着不肯松口："此事朕确实不知。"

"那焚香中的燃情散呢？"杨云溪将眉宇一挑。

他昨夜一度失控，后来才察觉到酒中和焚香中都被人动了手脚，原本还不知道是谁的手笔，结果早上一见王继恩来得这么快，当即就什么都猜出来了。

皇上眼睛一瞪，似乎是有些惊诧地："燃情散？朕明明只让王继恩在酒里……"

说到一半懊恼地按住唇，情急之下竟然说漏了嘴。杨云溪眼神闪烁，脸上迅速蒙上一层杀气。皇上一言九鼎，既然承认了在酒中下药，那么焚香中的燃情散，看来就不可能是他和王继恩所为了。

"这宫里，有人想要置臣和青岚于死地。"杨云溪一字一顿地说，神色平静，眼中却已经动了杀机。

皇上凝眉思索，目光沉重："你觉得是谁呢？"

杨云溪直视前方，语气笃定从容："谁要我们死，就是谁干的。"

皇上抬手把杨云溪挽扶起来，用力拍了拍他的肩膀："那你打算怎么办？秽乱宫闱这罪名可不轻。"

杨云溪平静回望："皇上既然有心撮合臣和青岚，就一定有办法。"

皇上被他反将一军，不怒反喜："朕打算下旨，为你们赐婚。"

杨云溪目光骤变，低下头敛目不语，只听皇上又问："你意下如何？"

他沉思片刻，取了酒壶，将酒杯斟满，再度双膝跪地，抬手将酒杯平举过头顶。皇上一惊："云溪，你这是干什么？"

杨云溪沉声道："臣请皇上恕罪，臣有一事，一直隐瞒着皇上。"

皇上接过他手中的酒杯豪爽地一饮而尽，笑道："瞒了朕什么事，不妨说来听听！"

杨云溪抬起头，抬手解开领口的两个扣子，扯出一截红绳连同坠子解下来，双手捧到皇上面前："皇上可认识这是何物？"

皇上长叹一声，语气有些悲伤："朕自然认得，这是你娘亲家传的羊脂白玉观音像，原本是一对的，她在你七岁那年为你订了一门亲事，将一块玉坠子送去做了定亲的信物。可惜没想到那门亲事竟然，唉……"

皇上欲言又止，俯身将观音像重新戴在杨云溪的脖子上，这才感叹道："可惜你娘亲过世得早，不能亲眼看你成亲。"

杨云溪用力咬了一下唇，犹豫再三才开口："臣记得，娘亲为臣选的，是当时节度使李重进的小女儿。"

皇上点点头，原本是希望结成儿女亲家的，结果不承想因为那张高高在上的龙椅，昔日旧友反目成仇，最终兵戎相见。他只以为杨云溪还执念于这门亲事，于是忍不住劝说："当年李重进放火自焚，全家都葬身火海，也只能算是你们缘分太浅……"

杨云溪轻轻摇了摇头，开口打断皇上的话："她还活着……"

皇上一愣，杨云溪将手按在玉坠子上，轻声道："秀儿，她还活着。"

李氏之女，那场灾难里，唯一的幸存者。

皇上十分惊讶地："你说谁还活着？李秀儿？瑾画的女儿还活着？"

如果仔细分辨，就会听得出皇上的语气惊讶中带着惊喜，那早该被泯灭在时光中却依旧在脑海中存而不灭的情影，她的女儿，竟然还活在这世上吗？

杨云溪垂眸深深点头，轻轻答出两个字："青岚。"

皇上震惊之余，心情竟是久久不能平静，曾经无数次，他都错将那个安静守在身边的少女看成是瑾画，原以为只是上天恩赐的巧合，让青岚来到他身边，弥补他当初对瑾画的亏欠。可是没想到，真相却远远超出他的想象。

皇上难以置信地看向杨云溪，似乎在等待一个合理的解释。杨云溪闭上眼睛，脑海里顿时浮现出冬至那一日在紫宸殿中遇见青岚时的景象，那时候他只是口渴，却被她发现行踪，冲撞之下，她贴身带着的玉佩被甩了出来，恰好被他看了个仔细。

时隔多日，历经生死之后，没想到他竟然还能遇见她。可是那时候，她已经不是李府的千金小姐李秀儿，而是卑微的御前宫女陆青岚。

"她身上，有另一块玉佩，"杨云溪沉下眼底闪烁的悲伤，"臣查过她现在的身份，全无可疑。"

皇上顿时明白了些什么："她是反贼之女，你也不在乎吗？"

杨云溪凄然苦笑："她是反贼之女，臣又是什么呢？"

皇上顿时无语，也只能看着杨云溪暗自难过的模样，用力拍了两下他的肩膀。一切尽在不言中，隐藏的身份，无法企及的过去与回忆，谁也不会比谁更好过。

杨云溪很快收敛了脸上的表情，恢复心若止水的模样："青岚并不知道臣已经识破她的真实身份，还请皇上……"

皇上果断开口打断他："朕可以答应，但是有一件事，非你去不可。"

杨云溪坚定地单膝跪地，一手扶膝："请皇上吩咐。"

皇上转身走到御座前，拿起一封信函，郑重地交到杨云溪手上，语气傲然，掷地有声："你也是时候回去了。"

杨云溪依旧是没什么表情的样子，只是眼中乍一触碰信函上的字迹，顿时泛起清寒的光芒，双手接过皇上手中之物，一字一句沉声答道："臣遵旨。"

皇上用力按在他的肩膀上，语气略带感慨："如若南唐真的能灭在你手中，涵之和湘凌泉下有知，一定会十分欣慰。"

杨云溪的目光中隐约闪过泪光，但很快便消失不见，只是俯身下拜，应道："臣，必将竭尽全力。"

杨云溪表面冷漠如冰，心中却仿佛波涛汹涌。

繁华的金陵古城当中，收藏着他太多不堪回首的往事，朝代更替，血色飘零，家族倾覆，所有的恨，早已在岁月中被消失殆尽。他逃了这么多年，躲了这么多年，最终，还是要重拾他的身份，重新面对所有的惨烈和真实。

他不害怕死亡，却畏惧等待。

因为等待是一种煎熬，更是一种折磨。

　

青岚想，不知道娘亲当年是抱着怎样的心情，一直在窗口眺望守候，却始终未曾绝望。她等的那个人会是什么样子，又为什么一直没有回来呢？

她无所事事地在房间里等待着一个结果，是生是死，是责罚还是流放，在这一刻似乎都不是那么重要了。摊开掌心，白色的蜡丸分开两半，里边的字条已经被她烧掉，只剩下一颗褐色药丸，那是晋王最新的命令。

随同而来的还有无药可解的剧毒，以防万一。一切仿佛在时刻提醒着她，那个曾经亲手救下她性命的男人，其实从未真正正视过她的存在。棋子的用途一旦耗尽，又或者是面临危险，他做出的选择，永远不是保护，而是毁灭。

那一刻，她突然觉得心灰意冷，无力地合上眼，任凭冬日里惨淡的日光照在脸上，那微弱的光芒，令人觉得心中寒冷无比。

被放弃的感觉原来是这样，心底空荡荡的，伸出手来什么也抓不住，就像是一缕错过转世轮回的孤魂，只能永远徘徊在时光尽头。

不……她还并不是一无所有！

青岚忽然想起了什么，起身快步跑到柜边，与琥珀璎珞并排放着的，是杨云溪送她的白玉环佩，那个承诺依然有效，有人还在等着她。那个人曾经与她历经生死，携手共度重重难关，假如她真的要找一个人托付终身的话，那么，没有人比杨云溪更适合了。

她愿意跟他走！在那一刻，她的心中忽然疯狂地涌起了这个念头，过往与杨云溪有关的画面层层浮现，如同潮水般冲刷着她的每一寸记忆，她其实早已经后悔——在开口拒绝他的那一刻。

无论生死，无论富贵，只愿意做你府上洗衣煮饭的丫鬟，照顾你，陪着你，就像在那些我最难过的时候，你陪着我那样。

她低下头，郑重地将白玉环佩系在腰间，然后抬手拂过自己一直珍重收藏着的琥珀璎珞。那是母亲留给她的东西，代表着一个母亲对女儿最好的祝福。她想，此时此刻，也只有这件东西，才能代表她对杨云溪的心意和承诺了。

她把琥珀璎珞收在怀中，正襟危坐，只等着圣上亲自做出裁决的那一刻。

等了很久，最后来传话的是王继恩，他一本正经地向青岚宣布："皇上要见你。"青岚目光镇定从容，俯身拜谢："奴婢遵旨，辛苦王公公了。"

王继恩心中不禁感叹这丫头还真是沉得住气，要是换了寻常丫头，早就吓得连连求饶了，哪还能这么气定神闲地按照规矩拜谢。只是他还要接着演下去，于是只能沉声道："走吧！别让皇上久等了。"

青岚起身跟在王继恩身后，经他领路，一路却不是往紫宸殿去的，而是御花园内环境更为优雅宁静的暖枫阁。她弄不明白王继恩葫芦里卖的什么药，但毕竟是戴罪之身，所以只能沉默。

王继恩只站在暖枫阁外就不再走了，而是指了指虚掩的房门，道："你自己进去吧！"

青岚站在门口，低头整理了一下衣襟，认为自己仍然是干干净净整整齐齐的，这才抬手推门走进去。暖枫阁不大，入内抬眼环视就能看遍，青岚走进去的瞬间就看到熟悉的背影凭窗而立，心中又惊又喜："怎么是你？"

杨云溪转过头来，脸上少有地露出浅淡的笑容，仿佛冬日里寒梅绽放，被风一吹，花瓣飘然落于肩头，柔软美丽。

杨云溪没说话，只是朝着青岚张开手臂。

青岚见他此刻平安无事，也无暇顾念之后两人到底要领什么罪责了，快跑几步上前扑入他的怀抱，然后将头深深埋在他肩头，微笑中含着泪光。

杨云溪爱怜地摸了摸她的头，安慰道："没事了。"

青岚十分诧异地："怎么会这么快没事？"

杨云溪不动声色地："我答应了皇上一件事，以作交换。皇上稍后会下旨，为我们赐婚。"

青岚感觉浑身一颤，竟是无法动弹，只是呆呆道："你答应了皇上什么事？为什么？……"

为什么皇上竟然会答应为他们赐婚？

杨云溪用脸颊蹭了蹭青岚的额头，动作亲密："去金陵办事，很快就会回来。"

金陵……青岚忽然想起皇上让她出宫买回的那些有关江南风土人情的书籍，他早已经动了攻打南唐的心思，所以这次杨云溪要去金陵，也势必是与此有关的。

杨云溪没有注意到青岚的走神，只是轻声道："皇上已经答应，让你暂居在我府上。"

青岚摇摇头："你不在，我住在那里，又有什么意义呢？我还是留在宫里吧，等你回来接我。"

她说着自怀中取出琥珀璎珞来，小心地系在杨云溪腰间，杨云溪先是应了句"好"，然后低头看着，不解地问："这是什么？"

"我娘留给我的，她说，那是对她很重要的东西，"青岚扬起头，泪光盈盈，自眼角落下，"所以，这也是我最珍贵的东西。"

她说着指了指腰间的白玉环佩："这下，我们扯平了。"

杨云溪心中一动，却不知道是该喜还是该悲，只是低头凝望青岚片刻，忽然一把将她拉向自己，用力抱紧，恨不得将她揉碎在自己怀中。

正当所有人都在欢庆新春佳节时，却是他们分别的时刻。杨云溪很快离开汴京动身前往金陵，青岚并没有去清平侯府邸暂住，但是，宫中上下却都已经知道，皇上已经将她指给了清平侯杨云溪，只等侯爷去外地办差回来，两人便会成亲。

几位御史不知道是从哪儿听到的风声，竟然为此特意上了折子给皇上，指出清平侯的种种"劣迹"，要求严惩两人。一堆上奏的折子最终被皇上大笑着扔给了青岚，让她自己看着处理。

这几位御史表面看起来之间毫无联系，青岚原本打算就这么算了，可是凭空突然冒出来一个卫幽，不动声色地把御史们的名字抄走，派人偷偷跟了几天，然后回来告诉青岚：这些御史，都曾经跟一个姓谢的御史私下见过面，而这个谢御史，正是宰相赵普的好友。

青岚忽然想起那一日宫中宴会，赵普的笑容中带着杀气，语气悠长地对她说："宫中向来多事，陆尚宫的一手好茶艺，可别糟蹋了！"

她终于明白，到底是谁想要置他们于死地了。

紫鸾暗卫插手，一切调查结果自然要禀报皇上，赵普原本就已经被架空了，这一桩，最终成了压死骆驼的最后一根稻草。

正月初七，皇上于紫宸殿下旨罢相，降赵普为河阳三城节度、检校太尉、同平章事。

"恭喜爷，终于得偿所愿。"

青岚朝着微服出巡的晋王殿下俯身行礼恭贺，她奉命出宫帮皇上买书，晋王则是专门为见她而来，两人相视而笑，却没有人再去提及大年初一那天蜡丸里那颗足以取走青岚性命的毒药。

晋王手中执书卷缓缓翻看，面有得意之色："当中功劳，自然也少不了你的一份。"

青岚显然无心居功："此乃奴婢本分，王爷客气了。"

晋王悠然一笑，低头就看到她腰间系着的白玉环佩，神色略有些变化，随口问道："你与云溪打算何时成亲？"

青岚摇了摇头，显然对此也不是非常清楚："一切要待云溪回来之后，再作打算。"

晋王笑得爽朗，但语气分明不善："他若一日不回来，你便等上一日？十年不回来，你就打算等上十年？"

青岚并没有丝毫犹豫，目光十分坚定地点了点头。

晋王眉梢一挑提高了语调："那若是，他再也不会回来了呢？"

青岚被他的气势惊得后退了半步，但是语气却是不肯示弱的："奴婢相信，他一定会回来的。"

杨云溪离开之前，她也曾经试着向他打听过此行的目的。但是，那毕竟是皇命，不可违背，他还是什么都没有告诉她。

晋王看出那一瞬间她眼中的动荡和彷徨，于是笑道："本王不想瞒着你，现如今皇上已经任曹彬执掌三军，即日发兵南唐，但杨云溪并非跟他们一路，而是以其他身份潜入南唐宫中，为我军传递情报。"

杨云溪临走时那一句淡淡的"很快就会回来"似乎还回荡在耳畔，但是那一刻青岚知道，兵临城下，战火连绵，却并非是一朝一夕就能结束的。

她的选择，自然是继续等待。因为他们对彼此曾有过承诺——

"我留在宫里，等你来接我。"

"好。"

她垂下眼眸，轻声呢喃道："爷既然已经决定把奴婢当作弃子，又何必在乎一枚弃子的感受呢？"

晋王一愣，随即沉下脸来，隐忍的语气充分说明了他此刻的心境："你的命当初是我救回来的，若不是因为你大意中了赵普的圈套，我又怎么会舍得让你自我了断？"

青岚无奈地笑着摇摇头："爷不必安慰奴婢了，奴婢从入宫那日起，早就已经做好了为爷舍却性命的准备。死，奴婢不怕，但是，奴婢却害怕，假如爷不要奴婢了，就算活着也不知道要去何处、做什么，那该怎么办？"

晋王没有料想到她竟然会说出这么一番话来，显得有些惊诧。青岚没给他说话的机会，而是继续幽幽说着，也不知道是说给晋王听，还是说给自己听的："是他让奴婢知道，我的性命，是我自己的，是值得被人珍惜呵护的。"

她慢慢合上眼睛，仿佛在怀念那些个珍贵又难忘的瞬间，再睁开眼睛时，已经恢复从容镇静的模样，似乎已经做出了某种决定，她的眼中落满了繁星，就算是在没有月亮的天空里，也一样皎洁明亮。

"所以，还请爷成全……"

青岚俯身下拜，行了一个十分郑重的跪礼，但并不起身，仿佛是等着晋王当场答应下来，否则，她就打算要长跪不起。

书店里没什么人，他们又被隔离在屏风之后，所以只要不尖声争吵，绝不会有人注意到他们。晋王平静如常地转着手中的佛珠，目光上上下下将青岚一番打量，一边忍不住感叹："你果然是长大了。"

七年前那个宛若白鸟般自高处翩然落进他怀中的幼女，如今已经出落得亭亭玉立，只待花开烂漫，与君相逢。在他看不到的九重深宫里，她变得越发坚毅冷静，弱质身躯担起沉重的秘密与宿命。

而现在，棋子有了自己的生命，不惜一切，也要冲破束缚，奔向属于自己的命运。

晋王于心底无声叹息，最终化作唇间浅浅的一抹笑意："你起来吧，我答应你。"

青岚心中一喜，却听得晋王话锋一转："只是作为交换，在我需要的时候，你必须再帮我办一件事。"

青岚知道这已经是晋王最大的让步，她原本已经做好了与晋王讨价还价的打算，但是，似乎事情要比她想象中来得顺利一些。虽然还是要受制于晋王，但是，这已经比充任宫中细作要好多了。至少，她已经不用再在宫中提心吊胆地行走，担心有一天会被人识破身份。

她将发髻上那支代表着晋王府暗使身份的发簪缓缓取下，双手捧着递向晋王，语气不卑不亢："以此为记，到时，青岚任凭爷差遣。"

晋王抬手把发簪收了，点点头："很好，那么，我就在此恭祝你与清平侯白头偕老，举案齐眉。"

青岚下跪拜谢："奴婢谢王爷。"

她刻意换了称呼，不再喊晋王为"爷"，以此证明她已经与晋王府暂时划清界限。只是晋王的那个要求，依旧仿佛是绑在她心上的一条锁链，沉甸甸的，只要一想起来，就压得她无法呼吸。

青岚将给皇上买的书抱在怀里，缓步一级级迈上紫宸殿的台阶，扬起头就能看到高远壮阔的宏伟宫殿，青砖红墙琉璃瓦，繁华万千，但此时此刻，天地之间，仿佛孑然一身。

没有杨云溪的陪伴，也许，她就只能一个人这样继续寂寞地走下去吧？

青岚心中这样想着，骤然停了脚步，却被不远处纷乱的脚步声吸引，忍不住抬头去看。一叶明黄，原来是銮驾行到此处，皇上双手负后，龙行阔步自不远处走来。青岚赶忙跪拜，皇上见了她便笑道："都买到了吗？"

青岚点点头："皇上要的几本，奴婢都已经找到了。"

皇上抬了抬手，示意她起身跟在自己身边，然后继续往前走，一边仿佛闲聊般地问："今天初几了？"

青岚凝眉想了想，答道："初九。"

皇上哦了一声，转过头去吩咐随侍在旁的王继恩："过了上元节，咱们就出发吧！"

王继恩乐呵呵地答道："奴才知道了，奴才这就吩咐下人们准备好行装。"

青岚不知道这二人打的什么哑谜，也不好开口问，只是默默低头走着。皇上吩咐完了便又喊青岚："青岚，你也去准备一下行装吧！陪朕出一趟远门。"

青岚十分诧异："皇上要去……"

说了一半才意识到奴婢是不该那么多嘴问主子去处的，于是立即开口道："奴婢知道了，奴婢这就去准备。"

皇上看向青岚的笑容十分慈祥，似乎是看穿了她的心思："虽然是去金陵，但是天气尚未转暖，御寒的衣物，还是需要多带几件。"

听到皇上提到"金陵"二字，青岚的心中骤然仿佛什么东西抽动了一下。杨云溪也去了金陵，她会在那里见到他吗？

她的目光骤然变得充满了期待渴望，皇上很清楚地看到了她眼中的变化，于是朗声笑着问："青岚，在想谁呢？"

青岚打了个冷战，这才回过神来，却没隐瞒，低下头满脸娇羞地实话实说："奴婢，在想清平侯爷。"

"哈哈哈哈！"

听了这话，皇上显然是十分高兴，爽朗地大笑了几声："说不定，你还能见着他呢！"

青岚忍不住露出欣喜的笑容，心仿佛一池春水，在暖阳照耀下，缓缓泛起温柔旖旎的波光。

锦绣金陵，三月烟花繁盛，更有痴情儿女，红尘中相恋不能相守，只能相隔天涯，彼此在心中默默思念着对方。

就如同他们那样。

锦绣缘·心若水

上元节刚过，皇上便对外宣称往西京洛阳祭祖扫墓，下旨由晋王监国，自己则带着王继恩、青岚及一队侍卫悄然出宫，却不是往西京，而是一路南下，顺水路往古都金陵而去。

南唐定国都于金陵，烈祖皇帝取南吴杨氏而代之，传至今日已经是第三代。

"六朝图画战争多，最是陈宫计数讹。若爱苍生似歌舞，隋皇自合耻干戈。"

皇上立于船头眺望碧水连天，朗声沉吟古人诗句。此刻的九五之尊已经换上了玄衣素服，但是身上依旧有着挥之不去的王者气度。

青岚听得出皇上语气中的无奈，一将功成万骨枯，更别说是一统天下的枭雄了。北宋已经发兵南唐，十万铁骑，势要踏破金陵，将南唐纳入大宋王朝的版图之中。

她端了茶奉上，轻声道："九爷，前面就到金陵了。"

这一路上他们隐姓埋名，当今圣上化名为赵九，只打出商贾的名号，所以众人都以九爷称呼皇上。

越往南走，天气转暖，厚重的披风便不再需要，青岚只是在裙褙外又添了一条披帛，看起来越发温柔婉约。

皇上接过茶喝了一口，笑道："终于是要到了。"

王继恩这时候已经开始吩咐下人们整理行李准备下船，船上忙碌又热闹。卫幽抱着宝剑坐在一旁闭目养神，另有两个侍卫走来走去地巡视。这一路太过平静，甚至有些沉闷了，但是暗卫们仍是不敢放松警惕，随时防范着可能会突然出现的危险。

青岚跟随着皇上的目光眺望金陵，她知道杨云溪就在那里，这让她觉得心中无比安宁。

王继恩已经凑过来恭敬请命："马上就到金陵了，还请九爷示下，咱们是先去大营呢，还是直接渡江进城？"

皇上想了想，笑道："反正国华也不知道咱们来了，就直接进城吧！"

国华是大将军曹彬的表字，这次攻打南唐就是由他领兵挂帅。只是谁也不曾想到，大战在即，皇上竟然微服来了金陵。

当今圣上戎马半生，自然全无惧怕之意，只是自七年前亲自领兵平叛，兵临扬州城下大获全胜，逼得李重进纵火自焚之后，他就再也没有亲自上过战场了。这一次微服出巡，一来是为了提前查看战局，另外，他还要来见一个人。

只有她，才能解开那个困扰了他多年的心结。

金陵似乎并未感觉到半点大战之前的肃穆紧张，繁华如昔，就如同先人笔下所绘的"风吹柳花满店香，吴姬压酒唤客尝。金陵子弟来相送，欲行不行各尽觞"，城中一日，便能阅遍江南三千锦绣。

王继恩是应付事务的一把好手，青岚也冰雪聪明，办事大方得体，两人一起，很快就安顿好一行人的饮食起居。出乎青岚意料的是，皇上似乎是早有准备，车队直奔三重进的园林宅邸而去，而在隔街的茶馆也是刚刚装修完毕，只等东家到达便可以开张。

茶馆名为朗然居，虽然店面不大，但是此店的东家九爷在开张当日就砸下千金摆擂，邀人前来斗茶，没几日这消息就传遍了整个金陵城，一时间全城的文人墨客、品茶雅士争相前来，却在青岚一手出神入化的茶技面前纷纷败下阵来。

七日之后，朗然居又换了新规矩，岚姑娘每日亲手执壶泡茶，只请与其有缘的那个人。但究竟何为有缘，青岚闻言只是浅笑不答。

午后，朗然居依然客满，不少人都是为了一睹这位传说中岚姑娘的芳容而来，也有人期望能亲口尝一尝岚姑娘的手艺。大厅中屏风后一角，东家九爷端坐，手中捧着快马刚刚自汴京送至的奏折。

晋王自然清楚皇上的去处，因此有些重要的前线军务都会派快马信使送来奏折，随信附上他对此事的处理意见，恭请皇上定夺。

不得不说，晋王在政务上颇有天赋，远超两位皇子，只是于军务上稍显欠缺，皇上执笔蘸墨批阅，一个"准"字写得龙飞凤舞，想了想，又提笔补充交待了两句，随手交给王继恩，着他让人誊写发还汴京，原件则直接下发前线大营，由曹彬全权处理。

青岚奉了茶上来，尚未到面前便馨香扑鼻，皇上顿时大赞："好香，这是什么茶？"

青岚笑着答道："这是天阙茶，色香俱绝，奴婢托人从无锡惠泉取了水来冲泡，所以味道才比之前都要馨香浓郁。"

"无锡惠泉？"

皇上对此并不了解，只是觉得好奇，于是忍不住追问。

青岚朗声答道："《茶疏》中记载：'今时品水，必首惠泉，甘鲜膏腴，致足贵也。'"

皇上忍不住咋舌，王继恩在旁跟着调笑道："也只有岚丫头，能搞出这么多稀奇古怪的花样来了！"

青岚谦虚道："奴婢只会冲茶而已。"

皇上抿了茶一边翻开另一封折子，看了一会儿，终于还是忍不住轻轻地叹了口气："这过不去的长江啊！"

青岚看到折子下首留的是曹彬将军的名字，心知皇上又是在为战事烦忧。南唐久攻不下，完全是因为长江天堑易守难攻。如何渡江，才是重中之重。

这边主仆刚说上几句话，忽然就听大厅里传来一阵呼喝喧哗，青岚朝皇上拜了拜，转身去查看状况，却在看到门口一道清瘦的蓝衣身影时险些愣在当场。

那人粗布蓝衫，明明是个书生，但是手中却提着一尾鱼。他的头发有些乱糟糟的，脸也仿佛没有洗干净一样。他侧身站在门口，恍然间那个侧影竟然像极了杨云溪。青岚脚步停了一下，很快就分辨出这人与杨云溪唯一相似的地方，就是身上都带着拒人于千里之外的冷漠疏离。

大厅里靠门口的那一桌坐着四个穿着华贵的年轻人，正对他呼喝漫骂，指责他弄脏了某位公子的衣服。

青岚心念一动，竟然迈步向那人走去。

众人一见岚姑娘出来了，很多人便不再作声，而是目不转睛地盯着她看。那四个人当中也只有一人还在喋喋不休地大骂，直到青岚走到他面前，神态从容、笑容温婉地打断他的话："这位公子，您吵到别的客人了。"

"分明就是这个叫花子他……"富家公子不服气地辩解，"他弄脏了我的衣服，我等身份，怎么能跟他共处一室？"

青岚侧头微笑，看起来十分认同富家公子的话："公子说得很有道理。"

说着抬手朝着门口那位手中还拎着鲜鱼的做了个"请"的手势："既然这位公子没办法跟您共处一室，那么，只好请您……到里面雅间小坐片刻了。"

她这话一出，全场顿时鸦雀无声，就连那位闹腾不休的富家公子都呆住了，张大嘴巴瞪大眼睛，那表情就仿佛生吞了一个鸡蛋一样。

蓝衣男人也有些诧异，不肯上前，却只是低下头小声道："我没钱……"

说着向青岚递上手中的鲜鱼："只有这个，可以抵账吗？"

青岚笑着把鱼接过来，递给一旁的下人，爽朗地应道："足够了，公子里面请。"

说着就真的亲自领人走了，只留下那一桌已经完全惊呆了、石化了的富家公子们，难以置信地望着青岚，各自露出十分诧异的表情。

连王继恩也不太明白，只有皇上心领神会，得意地摸了摸下巴，道："这丫头，倒是有点意思……"

青岚将男人请进雅间，亲自奉上香茗，这才盈盈坐在了他的对面，双手交叠横在桌上，笑道："请问公子怎么称呼。"

男人不好意思地扯了扯衣襟，又坐正了身子，这才答道："我姓樊，叫樊若水。"

青岚哦了一声，见樊若水没敢动茶盏，于是抬手往他面前推了推："樊公子不必客气，请用茶。"

樊若水缩着脖子点点头，小心翼翼地端起茶盏尝了一口，忍不住惊道："天阙茶，无锡惠泉？"

果然不是寻常角色，青岚笑着点了点头，她的眼光，向来还是不错的。

"让姑娘破费了，我那条鱼怎么可能值得上这个钱……"樊若水朝着青岚举杯行礼，似是十分感激的样子。

"见，则是有缘，"青岚笑得风轻云淡，"樊公子不必那么客气。敢问公子一句，如今是否在江上打渔为生？"

樊若水摸着后颈低下头去，却不否认："正是。"

青岚又道："公子可有功名在身？可读过书？家中还有些什么人？"

樊若水无奈苦笑："从小便寒窗苦读，家中还有老母和妹妹，原本打算闯出一番功名，可是如今朝政……唉……"

南唐小朝廷如今每况愈下，若是靠着家族仕途倒还能谋个一官半职，想要单纯靠读书考取功名，那真是难如登天。

青岚跟着无奈一笑，表示自己十分理解樊若水的困境，随即变了脸色，顿时深沉严肃起来："公子可曾想过另谋功名？"

樊若水目光一闪，似乎是听懂了青岚的意思，又努力装作没听懂："姑娘的意思，我不太懂。"

青岚笑笑："燕雀安知鸿鹄之志？公子若有真才实学，何不凭此闯出一番天地？"

樊若水黯然道："可我只是个打渔的。"

青岚缓缓摇头，语气坦然："打渔也一样是门学问，风向、水流和江面的宽度，无一不可少。不知道公子对此是否有深入研究？"

樊若水的目光亮起来，语气颤抖不禁追问："姑娘指的是？……"

青岚把食指压在唇上，轻轻一笑。此事只可意会，不可言传。

两人交谈许久，青岚才送出客来，樊若水虽然打扮还是那邋里邋遢的老样子，可是眼中的光芒却显然比进去时明亮了许多。

青岚送走了樊若水这才回到御前复命，她禁不住面露喜色："回九爷，奴婢似乎想到了一个渡江的方法。"

皇上殷切问道："哦？什么办法？快说来听听！"

青岚左右看了看，终于不知道从哪儿翻出一张地图来，抬手在上面比画着："此处名为采石矶，水流湍急，地势险要，是古往今来兵家必争之地。战船虽然不易通过，但是若是搭建浮桥，却十分方便。"

皇上眼前一亮："浮桥要如何搭建？"

青岚笑而不答，反而福了福身："今晚沾了樊公子的光，咱们有鱼汤喝了。采石矶打上来的鲜鱼，九爷想不想尝尝？"

皇上听她这么说，顿时也就已经明白了大半，只是应道："好啊！"

之后数日，樊若水仍是外出打渔，只是有细心的邻居发现，樊家的老太太和年轻姑娘不知道什么时候已经不在家中了，有人偶尔遇见樊若水问起，他只是不以为然地笑着答道："她们啊！回乡下老家了！"

皇上那几日频繁外出，每次都是由卫幽陪伴，归来时神色有恙，好几次看着青岚欲言又止，令她觉得十分诧异。终于有一次，皇上在出门时特意喊上了青岚，马车摇摇晃晃地从城南一直到城西，晃得青岚都昏昏欲睡了。

终于在一间民宅的门口停下，大门紧闭，皇上朝着卫幽使了个眼色，后者便主动上前敲门，开门的是个年近花甲的老者，见到卫幽便一皱眉，埋怨道："你们不要再来了！夫人已经说过了，她是绝对不会见你们的！"

皇上轻叹一口气，侧身让开，让那老者能清楚地看到青岚的脸。

老者顿时一惊，一声"大小姐"险些喊出口，硬生生哽在喉咙里，只是看着青岚发愣。

"劳烦再通传白夫人一声，就说，赵元朗求见。"

皇上低头欠了欠身，态度诚恳，在众人看来，这已经是最为尊贵的礼数了。元朗是皇上的表字，没想到他竟然以真实姓名示人，青岚在心中不解地想着，不知道白夫人是怎样一个人，与皇上又有什么关系？

老者叹了口气，转身关上门，似乎是匆匆又去通报了。

等了不一会儿，他便回来传话："夫人请你们进去。"

皇上那一刻露出释然的表情，青岚甚至注意到他偷偷松了一口气，于是心中越发不解起来。老者领着他们一路穿过庭院走向正厅。这院子并不大，只是装潢格调十分淡雅宜人，小桥流水，亭台楼阁，看来舒适清新，令人轻而易举地就沉醉其中无法自拔。

步入正厅时，里面已经有位满头银发的老妇人坐在那里等候。她虽然看来年事已高，但是穿着一件枣红色的团纹镶金外衫，金耳环、项链、手镯一应俱全，手中握着一根金丝木拐杖，整个人精神奕奕，气质极为端庄出众。

这样的一个人，令人忍不住心生亲近之意。青岚忍不住多看了两眼，却不想恰好迎上了老妇人的目光，皆是一震，然后各自回复平静。

“见过白夫人。”

皇上朝着老妇人拱了拱手，语气听来还是熟络的：“夫人最近可安好？”

白夫人点点头，目光里含着波动，却极力隐忍：“尚好，多谢主上关心。”

她显然是知道皇上的真实身份，只是并没有表现出对待一国之君该有的尊敬。青岚不知道她与皇上之间有何渊源，不过还是觉得白夫人在说话时，目光似乎总是不经意地朝自己瞥过来。她抬眼看去，却不巧与白夫人的视线撞了个正着。

“你……”白夫人似乎浑身都在颤抖着，开口却是朝向青岚的。青岚一愣，目光便飘向皇上，皇上浅笑着朝她挥了挥手，开口打断白夫人的话道：“我与白夫人有些话要说，你和卫幽出去等我吧！”

青岚虽然有些疑惑，但还是依照吩咐办事。白夫人就那么直愣愣地盯着青岚，仿佛已经不能把目光从她身上移开。二人施礼后一起退了出去。

皇上稳稳端坐，一脸胸有成竹的表情，只等白夫人问话，

白夫人缓了许久才幽幽问出一句：“她是？……”

皇上轻咳了一声，面带笑意：“她叫陆青岚，如今身居尚宫之职。”

白夫人的目光骤然暗淡下来，十分失望地：“她……不是姓李？”

皇上一本正经地摇了摇头：“夫人可是觉得她长得像瑾画？”

白夫人忍不住感慨：“何止是像？简直就与她少年时一模一样！只是，看起来比瑾画温顺乖巧得多……她今年多大年纪了？”

皇上依旧是笑着回答：“刚满十五。”

白夫人心中又是一震，虽然不姓李，但是年纪却是相符的，算起来，瑾画的女儿也应该是这个年纪了。

皇上显然已经看透了她的心思，只是语气渐渐严肃起来：“白夫人应该记得，七年前李重进起兵叛乱失败，于府宅中纵火自焚，其妻女皆葬身火海。瑾画与秀儿，也未能幸免。”

白夫人感觉心中刚刚聚集起来的希望瞬间被人抽空，她眼带泪光看向皇上，言语间净是悲凉之意：“难道她真的不是……”

皇上抬手自怀中取出一物，递于白夫人面前，语气中尽显王者威严：“夫人可记得这个？”

白夫人只看了一眼便无力地垂眸叹息，原本端坐的身子也瞬间塌了下去："自然记得。这是瑾画与你的定情信物。"

皇上将那物重新收了，这才朗声问道："我千里迢迢自汴京来到金陵，只想问夫人一件事，十六年前，瑾画为何会突然下嫁李重进？"

那时他还是世宗帐下的一员将领，偶然结识金陵白家的大小姐瑾画，两人一见钟情，私订终身。他离开时承诺她很快就会回来迎娶她过门，但是没想到，再见她时，她竟然已经成为李重进的妾室。

白夫人狠狠瞪着皇上，看起来满腹怨恨："你不知道瑾画为何会嫁给李重进？若不是你见异思迁，瑾画怎么会伤心欲绝，接受李重进的求亲？"

皇上登时双目一瞪："见异思迁？"

白夫人仍是不肯罢休，似乎要将所有事情一股脑儿地都说出来："你离开金陵之后不久，老爷为瑾画定了一门亲事，她不肯同意，找机会偷偷离家到汴京去找你。但后来她却是一个人回来的，神色凄凉，全无生气，整日把自己关在房里不肯见人。我再三追问之下，她才告诉我，她到汴京之后，发现你竟然娶了她的好友韩湘凌……"

皇上听到此处，心中一沉，终于明白了事情原委，禁不住长叹一声："原来竟是如此。"

白夫人十分气愤地怒骂道："你明知道湘凌是瑾画的闺中好友，而且刚刚丧夫，你竟然迎娶她过门，此举真是禽兽不如！"

皇上心中百感交集，又是后悔，又是懊恼，又是委屈，只是有苦说不出，只是久久重复着同样一句话："竟是……如此。"

可是瑾画，一切并非你所想象的那样啊！

我娶湘凌，只是因为……曾经对涵之有过承诺，一定要照顾好他的妻子和孩子。如果那样的话，湘凌与云溪，势必也要死在那一场灭门的灾祸当中。

可是，我却因为这样错过了你，也害了你一生。

我究竟做对了，还是做错了呢？

不知过了多久，皇上终于缓步推门而出，青岚与卫幽迎上来，见他双目泛红，面色黯然，竟是从未见过的决然悲伤。

青岚稍一迟疑，就听到卫幽低声唤道："九爷？"

皇上无力地挥了挥手，道："走吧。"

说着转身便走，青岚原本要立刻跟上，但是不知为什么，顿时心有所感，转头看向房门口。果然看到白夫人颤巍巍地立在原地，鬓发如霜，只是望向自己，目光似乎要向她倾诉什么，可是，到最后却没有开口说半个字。

皇上说得对，李秀儿如果还活着，就一直都是叛臣之女，为奴为婢，永世不得自由。

而陆青岚却不同，她至少拥有一个堂堂正正的身份，能没有负累地好好活着。

所以注定没有挽留，更没有真相。一路上皇上一直安静地闭目小憩，青岚看得出他心情不好，所以什么都不敢问，只是白夫人的眼神，却仿佛已经在她心中生了根，总是忍不住去想。

皇上忽然缓缓睁开眼，语气淡然："青岚，你想见云溪吗？"

青岚顿时将所有的事情都抛在一边，满脑子都是杨云溪的模样，她急忙点头："想！"

皇上看向她，目光里露出毫不掩饰的柔情来："那好，明天朕带你去见见他。"

锦绣缘·再回首

与杨云溪分开，似乎已有些时日了。

青岚还记得他离开汴京时刚过春节，而现在金陵已经春暖花开，金黄的油菜花连绵不绝，仿佛太阳的光芒一般明媚耀眼。

风很暖，吹在脸上十分舒服，青岚理了理她新换的鹅黄色衫子，扬起脸，有些不安地把发辫拨到身后去，想了想又挪到胸前来。

皇上忍不住笑出声来，哄孩子般的温柔语气："别弄了，已经够好看了。"

青岚顿时脸一路红到耳朵尖去，咬着唇低下头不说话。

寺庙庄严肃穆，金碧辉煌，皇上双手负后步入山门，却没有跟其他香客一样直奔香台而去，而是自观音楼往左，登上景阳楼。

这趟皇上并未带王继恩出门，随侍在旁的只有青岚和卫幽二人，站在景阳楼上远眺，此处已是山顶，将四下的景致尽数收入眼底。

"此情此景，若是再有一杯清茶在旁，那就更好了！"

　　皇上笑吟吟地凭窗而立，目光却落在青岚身上，青岚柔声答道："九爷倒是好雅兴，只可惜奴婢这趟出来，什么都没带。"

　　皇上正要开口答话，忽然听得自楼下传来一声清朗悠然的吟诵："九日山僧院，东篱菊也黄。俗人多泛酒，谁解助茶香。"

　　一人自楼梯处缓缓现身，身穿藕色重锦，虽然看起来已经年近中年，长相斯文俊美，一双眼眸略有重瞳异色，与常人却大不同。

　　皇上朗声笑道："好诗，《九日与陆处士羽饮茶》用在此刻，倒也应景得很呐！"

　　那中年人神色悠然，薄唇轻启，自然地与皇上攀谈起来："兄台也读过这首诗？"

　　青岚原是很平常地望向那人，但却忽然一愣，目光径直落在重锦身影之后，再也不愿意移开。

　　杨云溪一身白衣垂手而立，心如止水，看到青岚时，目光却微微一颤。

　　青岚随同皇上微服出巡，而他身边的这位，却也并不是寻常人物，只看那一双重瞳便可以知道，竟是南唐国主李煜亲临。

　　相见时难，相见却不能相认更难。青岚想，至少她现在知道，杨云溪此刻安好，于是她微微弯起眼眸，露出一个旁人无法察觉的笑容，目光闪烁，仿佛在说："我来了。"

　　我来看你了，在你独自奋战的地方，从此也有我的存在。

　　就算在你看不见的地方，但是至少我们脚下所踏的这一片土地，是相同的。

　　杨云溪望着她许久，终于缓缓垂眸低头，似乎是点头，又或者是问好，尽管那动作十分微小，但是，青岚觉得，她已经看懂了。

　　他在说，我很好，一切小心。

　　只这一句，便足够了。青岚抿了抿唇，眼神莹亮如同夜空繁星，无声之间却仿佛在说："我等你。"

　　她忽然想起她之前曾经读过的那些曾许诺沧海桑田的誓言，到头来，却都没有一句"我等你"来得温暖而动人。

　　"青岚？"

　　思绪却忽然被皇上的一声轻唤打断，青岚回过神来，见皇上正与南唐国主并肩而立，齐齐看向自己，于是赶忙道："奴婢在。"

李煜抬眼上下将青岚打量一番，笑道："早就闻得姑娘大名，正想着改天要去朗然居讨盏茶喝。没想到竟然在这里遇见姑娘，还真是有缘！"

青岚屈膝行礼，敛目答道："青岚谢先生夸奖。"

皇上在旁提议道："既然如此有缘，改天还请从先生到朗然居喝盏茶。"

李煜微服在外，因此也用了化名，他继位前名为李从嘉，故说自己姓从。

两人仿佛一见如故，自饮茶谈起，古往今来，名人逸事，最后便毫无疑问地落在了寺院上。李煜对礼佛极为热衷，话题转到此处便开始滔滔不绝，皇上虽然不善此道，但是因为弟弟光义平素礼佛，兄弟俩偶尔会论及此题，所以还能勉强应答一两句，两人就这么你一句我一句地聊着，气氛倒是十分愉悦。

青岚和杨云溪各自随侍在旁，趁人不备时便匆匆对望几眼，虽然短暂，但是彼此都觉得心中温暖满足，远胜千万句绵绵情话。

卫幽站在皇上身侧，却是唯一能看到青岚和杨云溪之间小小互动的人，眼见这两人明显都刻意压抑自己的情绪，心中禁不住唏嘘起来。

皇上与李煜似乎聊得格外投缘，两人一并在景阳楼观景之余，还并肩游览了药师佛塔，雄奇灵秀的宝塔上据说供奉着佛祖真身舍利。李煜凝眉敛目，神色肃穆，在塔下诚心跪拜，口中念念有词道："愿风调雨顺，国泰民安。"

皇上在旁无奈地摇了摇头，风调雨顺，尚且可以向佛祖求得，但若连国泰民安也寄希望于此，这样的一国之主，还有什么保留的必要呢？

似乎是无意间的扭头，顿时迎上杨云溪的目光，他神情冷傲，一身白衣显得他的身姿越发挺拔，皇上目光一闪，并不言语，只是转而看向别处。

杨云溪侍奉皇上多年，自然知道圣上的意思，半掩在衣袖中的手微微屈起，做出一个"三"的手势。

皇上这时候正好将目光移回来，不动声色地将这一切看在眼里。

三天后，南唐援军将到。

宋军兵临城下，李煜虽然表面臣服，派遣弟弟北上汴京求和，但实际上也不甘心就这么被北宋掠去国土，因此也在暗中调集沿岸水军火速来援金陵。

皇上心领神会，这才又转过头去，似乎是去眺望远方的景色。

青岚默不作声地在旁将这一切看在眼里，南唐如今偏安江南一域，向北宋割地纳贡称臣，但还是阻挡不住当今皇上一统天下的雄图伟略。卧榻之侧，岂容他人酣睡？用这句话形容当今圣上，可真是再贴切不过了。

只是她唯一不解的是，杨云溪离开汴京不过数月的工夫，怎么会如此顺利地成了李煜的随身近卫？

"这封信，必须亲手交给国华。"

夜幕初降，皇上坐在桌案前，抬手将刚刚写就的信函折起来交给卫幽。

卫幽应了一声，行了礼便匆匆转身离去。

青岚在一旁为皇上整理信纸，皇上侧目看去，见她腕间染了一点墨星，想来是刚刚研磨时不小心溅了墨汁上去，于是他忍不住唤了一声："青岚。"

"奴婢在，皇上有什么吩咐？"

青岚还浑然不觉，转过脸来看向皇上，却见皇上呆呆望着自己，连眼睛都不眨一下。

那样的目光，让她觉得芒刺在背，一瞬间竟然忘记了要如何闪躲，只是手足无措地站在原地。

烛火忽然啪啦一声爆开，青岚吓了一跳，皇上眨了两下眼睛，这才回过神来，连忙道："王继恩呢？怎么半天没见他的人？"

青岚努力平复自己略有些加快的心跳，敛目答道："王公公去朗然居了，还没回来。"

皇上哦了一声，然后十分随意地吩咐道："等他回来了，你跟他说一声，让他准备行装，朕打算下周起程回汴京。"

青岚听得心中一动，她今天刚刚才见过杨云溪，虽然没能说上半句话，但是心中柔情百转千回，倒也一样难舍难分。原本以为留在金陵，总有机会再见，可是没想到皇上这么快就要回京了。

她咬唇低下头，先是淡淡答了一句："奴婢知道了。"之后犹豫再三，终究还是提起裙摆双膝跪地，朝着皇上行礼："奴婢斗胆，想求皇上一件事。"

皇上放下手中刚拿起来的奏折，倒是十分感兴趣的模样："你要求朕什么事，说说看？"

青岚扬起头来，目光清澈而笃定："奴婢想留在金陵。"

皇上先是一愣，然后恍然大悟，顿时大笑起来："你舍不得云溪？"

青岚十分诚恳地点了点头，承认得十分直接。

"可是你留在金陵，能做些什么？"

皇上双手负后，自桌案边悠然踱步到青岚身边，想看她接下来还能说出什么石破天惊的话来。

青岚朗声答道："朗然居在金陵已经小有名气，每日的客人当中，大部分都颇有些来历，茶馆本就是最容易收集各方情报的地方，奴婢若是继续留在这里，朗然居就还能做皇上的耳目……"

皇上笑而不语，就听到青岚继续说下去："更何况，若是南唐国主真的如约来到朗然居，却不见皇上与奴婢，不知道他是否会起疑，从而怀疑侯爷的身份。"

听到此处，皇上忍不住轻轻拍了两下掌，击掌之声清脆悦耳，赞道："说得倒是有些道理。"

青岚见皇上并不生气，于是干脆鼓起勇气接着问道："奴婢猜想，侯爷他……必然有另外一个不为人知的身份，不知奴婢猜的，对是不对？"

这是她心中一直想要问的问题，对于杨云溪的一切，她都想要知道的清清楚楚。

皇上倒是没想到青岚竟然能猜到这一层，顿时有些惊讶。要是放了平时，其他人问起，他是怎么都不肯说的。但是，偏偏开口提问的人是白瑾画的女儿，尤其是在他见过白夫人之后，心中那股矛盾又懊悔的感觉越发强烈，只想要找人倾诉一番，于是干脆抬手将青岚扶起身来，指了指一旁的茶具，黯然道："如果你想听故事的话，那就帮朕泡盏茶吧！"

杨云溪的真实身份，知晓的人确实不多，一切因缘际会，冥冥中，却仿佛有一只无形的手，推着他走向无尽的深渊。

茶香袅袅，青岚挽袖煮水烹茶，姿势优雅，眼角眉梢之间流露出的风韵气度，都像极了她的母亲白瑾画。

韩湘凌、白瑾画，一个是南唐国相的独生爱女，一个是金陵首富家的千金，豆蔻年华双花并蒂，一时间，风头远胜后来南唐王宫中的大小周后。

"十六年前的七夕乞巧节，朕在秦淮河畔，与她们二人偶遇……"

皇上抿着清茶，目光神往，仿佛时光回溯，他又回到了灯火绚丽的画舫水畔，那一朵莲花河灯自远处悄然飘向他，佳人眉目含笑，看向他时眼波莹莹，似乎在眼底落尽了深情。

他与白瑾画一见倾心，因而也得以结识韩湘凌的夫婿杨涵之。

原本是两对如花美眷，但是瞬间风云变幻，相爱之人竟然咫尺天涯，生死相离。

"南唐始于杨吴，朝代更替，起初，南唐王室对于前朝杨氏族裔尚算宽容。"皇上娓娓讲述，语气稍有些悲伤之意，青岚听到"杨氏"二字，心中顿时一阵清明，她觉得自己似乎已经明白了些什么，但是没敢开口，而是听着皇上继续说下去。

"杨涵之是杨氏一族当中宣皇帝杨隆演的嫡系子嗣，迎娶韩湘凌之后没过多久，杨氏一族有人暗中策动谋反，后被察觉。李氏生怕江山被杨氏子弟夺回去，于是便干脆借着这个理由，下令诛杀杨吴王室后裔。"

皇上说到此处叹了口气，青岚这时幽幽问道："所以侯爷他是……杨涵之的儿子？"

盏中茶已经冷了，皇上却仍是一口口啜着，沉声答道："没错。那时朕并不在金陵，收到消息时，涵之已经死了，而湘凌和孩子被藏匿在外，但是也已经危在旦夕。朕与涵之曾有结拜之谊，受人之托，忠人之事，为了保护他们母子，只好假意迎娶，这才有机会将他们平安带回汴京。"

但是却不曾想，会因此被白瑾画误会，最终断送了一段大好姻缘。

听到这里，不知道为什么，青岚的心跳突然加快，竟然是不能自已般地脱口问道："那位白小姐，她后来知道了这件事吗？"

皇上黯然浅笑，笑容显得十分无力："原本朕一直不明白，为何瑾画未守约定，直到今天见过白夫人朕才知道，她以为朕见异思迁，于是一怒之下，嫁给了当时的枢密使李重进做妾室。"

仿若是一声晴天霹雳，青岚脚步不稳，晃神之下竟然伸出手去扶桌案，只是没想到连带着将上面的瓶瓶罐罐拨落了一地。

白瑾画最后嫁给了李重进……她今天见过的白夫人……望向自己时那般怪异的眼神……皇上关切的目光投过来，青岚勉强站定，故作镇定地答道："皇上恕罪，奴婢只是……突然有点头晕。"

皇上心中清楚她为什么会突然神色有异，只是没点破，朝她摆了摆手，吩咐道："既然你不舒服，那就早点回去休息吧！"

青岚心中狂跳不止，她早已不记得母亲的名字，但是在记忆深处，残破的碎片仿佛被一片片拼接起来，呈现出完整的影像……母亲曾抱着年幼的自己唏嘘感叹，或许再也没有机会回金陵了；她在午夜梦回时分的呢喃低语，如泣如诉，喊得那个名字好像是——元朗！

又是一声惊雷悄无声息地在脑海中炸开，一个念头却越发清晰起来，她的母亲，就是白瑾画……那一刻，她似乎已经明白母亲成日靠在窗口向外眺望，等待的，原来就是面前的这个人，当今天下的九五之尊。贵为天子，能傲然从容面对天下人，却无法与心中挚爱携手走过茫茫余生。

她心中百感交集，怎么想都不是滋味，失魂落魄，木偶般跪拜之后便退了出去。

原来，白夫人是她的血亲，在这世上，她竟然还有亲人。

那一夜，青岚做了个梦，她梦见自己坐在窗边，抬头凭窗眺望，杨云溪一席蓝衣翩然，硬生生撞入她的视线，绝美的脸上忽然渗出狰狞的血痕，神色忧伤，只是睁大了眼睛一遍遍问她："你愿意等我吗？"

不过是丑时，青岚忽然自梦中惊醒，抬手无意识地擦拭着额上的冷汗。

心跳得太快，刚才的梦境又太真实，青岚不敢合上眼继续睡，只怕一闭眼，便又要陷入那个悲惨的梦里去。

她站起身来，干脆走到窗边，将窗子推开一条缝隙，努力地平复着自己的情绪。此刻月光正好，大地蒙上了一层皎洁纯净的白光。青岚望着醉人月色只是叹气发呆，忽然视线中光影一闪，不是蓝衣，但夜行衣下仍是垂着短笛，青岚想，这人必定不是卫幽，因为他已经被皇上打发到大营去送信了。于是紧跟着抬眼看去，见那人黑巾蒙面，只留一对寒光肆意的眸子，眼神寒冷如冰，这世上除了杨云溪，谁还会有这样一双眼睛？

青岚心中狂喜，猛然推开窗户看去，见那人侧身立在院中，于是顾不得披上披风，只穿着单衣就奔了出去，走到近前却不敢高声说话，压低了声音问道："云溪……是你吗？"

思念的人突然出现在眼前，她还是有点难以置信，总觉得下一刻杨云溪的轮廓就会在风中化作虚无的幻影，自指尖流淌逝去。

杨云溪点了点头，一面拉下蒙面黑巾，嘴角间竟然带着一抹温柔的笑意，青岚忍不住张开手臂去拥抱他，直到感觉到他胸口的温度，这才真真切切感受到了他确实的存在。

"让你担心了。"杨云溪反手把青岚用力拉向自己的怀中，低头亲吻她乌黑的长发。

青岚用劲抱了杨云溪一下，忽然意识到他们此刻并不太安全，于是放开手扯起杨云溪的衣袖道："这里不是说话的地方，跟我来。"

青岚不容分说地将他拉进自己的房间去，关上房门之前还不忘查看四周，好在夜已深，没人察觉。但是怕引起注意，她不敢点亮烛火，只是摸黑拉着杨云溪到桌边坐下，一边摸索着去拿茶盏，手伸出去才想起壶中的水都是冷的，于是悻悻地又把手收了回去。

"我不渴……"杨云溪呼吸里察觉到她的情绪有些波动，于是低声安慰。青岚想了想，忽然眼前一亮，喜道："对了，我这儿存了一壶酒呢！"

这酒其实是特意为杨云溪存着的，她心中总有种预感，觉得有一天他会来，所以鬼使神差地买了一坛上好的竹叶青留在房间里。

她正要起身，杨云溪忽然抬手按住她的手，他的眼眸在黑夜里依旧闪闪发亮，璀璨如同天上的星辰："别忙。陪我坐一会儿。"

杨云溪的手掌厚实温热，带着令人安心的温度。青岚这才发现，这两次见他，他身上的酒气已经寡淡了很多，如果不仔细分辨，几乎察觉不到。

"咦？你戒酒了？"

青岚有些俏皮地笑着靠过去，把头搭在杨云溪的肩头。杨云溪虽然看不清楚她此刻的表情，但是脑海中却能清楚地想象出她此刻笑得明媚的模样，明眸皓齿。他轻轻嗯了一声，语气也松缓下来："饮酒误事，不喝了。"

青岚把头往他的颈窝里埋了埋，她知道他此刻孤身一人在南唐宫中，不得不小心行事，心中担忧，忍不住问道："你就这么过来，不会被人发现吗？"

杨云溪的声音醇厚绵长，此刻听来，仿佛从很远的地方飘来："我会小心。"

数日不见，虽然牵肠挂肚，但还能竭力忍住，可是白天时偏偏又见了面，思念如同潮水般铺天盖地而来，午夜梦回，竟然是再也撑不下去，只想与她再见上一面，哪怕只是坐一会儿，说说话，也是好的。

"我刚刚还梦到你。"青岚似乎很享受这种靠在杨云溪肩头慢慢说话的感觉。杨云溪不多话，更多时候都在倾听，她便一个人娓娓说着不着边际的话："我梦见你受伤了，跑来一遍一遍地问我，你愿意等我吗？……我想跟你说，我愿意一直等着你，等你接我出宫，去你府上，我帮你洗衣服、煮饭。可是，还没等我说出口呢，梦就醒了。"

杨云溪忍不住笑了，梦里的事情，又怎么能当真呢？只是这一番话听在心里，只觉得浑身都暖融融的极为舒服。他侧过头，将唇印在她鬓角发际，轻轻蹭了蹭："我很快会去接你。"

青岚心满意足地嗯了一声，但终究还是不太放心，于是又问："你出来这么久，真的不会被人发现吧？"

她虽然很想要杨云溪留在身边陪着自己，可是，却不想因此连累了他，更不想让他这么多天来的努力功亏一篑。

杨云溪轻轻将手伸过去环着青岚的腰际，两人十指相扣，温暖缠绵："放心，国主很信任我。"

青岚忽然想起皇上给她讲的那个故事，杨云溪是国相韩熙载的外孙，经国相举荐到李煜身边的人，自然不会被怀疑。

她收紧手指，将杨云溪的手拉过来贴在自己脸颊轻蹭，一边低语道："皇上今天跟我说了很多关于你的事情……"

杨云溪没说话，只是黑夜里呼吸声明显急促了些。

青岚笑着安慰他："皇上跟我说，以前是他保护你们母子俩。现在，要换你来保护我们了。对了，他还说，不管最后你做了什么决定，他都一定会同意。"

虽然青岚不是十分明白皇上这句话的意思，但是杨云溪却是明白的，想必皇上是有心让青岚带话给他。

他曾经想过要杀死李煜为杨家报仇，可是始终犹豫不决。皇上派他来金陵，除了因为他的身份最容易潜入王宫，更要他自己勇敢去面对这段仇恨，李煜是杀还是留，皇上都不会过问半句，只希望他按照自己的本心来行事。

"其实我……也不知道……"杨云溪呢喃犹豫。青岚听得出他心中的辗转，心中倒也把他难以决定之事猜了个大概，于是凑在他耳畔柔声细语起来："乱世更替，生死难料，若是一直执着于仇恨，最后也势必会被仇恨束缚。我娘以前常说，人各有命。"

就如同她从未像父亲旧部那样执着于李重进之死，就算是皇上兵临城下，逼得他引火自焚，但是归根结底，世事无常，战火无情，谁也分不清到底谁对谁错。

既然人各有命，那又何必刻意强求呢？

"人各有命……"杨云溪低声重复着那句话，心中久久回荡，却都是母亲临终前泪中含笑的低语嘱托。

她说，比起报仇，我和你爹更希望你好好活着。

"既然李唐气数已尽，李煜的江山若能葬送在你手中，也算是为杨家出了一口气了。"青岚叹了口气，忍不住感叹道，"极目千里，无复烟火。锦绣河山，如今安在？朝代更替，战火不断，如今死的人，已经够多了……"

她的语气中带着难以抑制的悲悯之情，连杨云溪都忍不住听得动容，轻声附和："是啊，冤冤相报何时了。"

谁也不是注定要生于仇恨，不死不休。如果可以，他愿意选择宽恕。

锦绣缘·无定骨

水沸，洗盏，研茶。

青岚挽袖跪坐，手上的动作优雅翩然，仿佛有兰花在掌中绽放。

"这是去年初冬的雪水，"青岚将冲过的茶盏送到鼻下轻嗅，悠然笑着赞道，"从先生果然懂茶。"

"岚姑娘以好茶迎客，从某不过只是锦上添花罢了。"

李煜浅浅一笑，手中的折扇展开，缓缓摇了两下，一副文人雅士的风流气度。

果然如青岚所料，皇上携王继恩、卫幽等人离开金陵之后没过几日，李煜依约造访朗然居。只是好在皇上应允了青岚的请求，让她将这间茶馆继续开下去。

与此同时，金陵上游的唐军很快回援，只是因为宋军早有准备，提前在水中钉了木桩，撞沉了不少战舰，也彻底堵住了长江上游的水路。

青岚以沸水点茶冲泡，恭敬地送到李煜面前，却仿佛无意间瞥向随侍在李煜身边的杨云溪，笑道："锦上添花也是一番心意，可惜未过清明，没有新茶迎客，从先生若是过几日再来，就能喝上牛头山上摘来的新茶了。"

李煜悠然品茶之后才作答，目光满含期待："如此甚好，过了清明我一定再来。"

青岚诚恳地点头，但是复又犹豫，语气也跟着捉摸不定了起来："唉，也不好说啊！现在毕竟是战时，出城好像不那么容易……"

李煜听到青岚如是说，于是哂然一笑，看起来全然没将这件事放在心上。他随手将折扇合拢，往青岚面前一递，道："这个好办，你若是想要出城，就拿着这把扇子去巡防司，自然会有人帮你安排。"

青岚知道这扇子是李煜的私物，持此物势必能够享受些特权，但是还是要做出将信将疑的样子继续追问道："这……真的好用吗？"

李煜朗声笑道："你试过之后，就知道好用还是不好用了。"

青岚装作信以为真的样子把扇子收了，李煜又品了一会儿茶这才起身告辞。他原本是打算来见九爷的，可没想到他竟然"出远门了"，只好寄希望于下次。

杨云溪在出门时不经意地瞥了青岚一眼，目光下移，落在一旁刚刚他站过的地方，青岚见他指尖染了泥土，于是心领神会，直到确认李煜已经走远了，这才取了花铲在花盆里翻找起来，果然毫无悬念地找出一枚蜡丸。

信函封在蜡丸之中，内容十分简单，李煜欲任老将周兴为帅，领兵固守金陵。

周兴虽然年事已高，但身经百战，经验丰富，若是他来守城，势必又要给宋军带来不少麻烦了。

原本这条消息是应该通过暗线送至城外的，但是青岚敛目一想，心中却又有了另一个主意。

没多久，一条传言迅速在市井坊间流传起来，说宋军主帅曹彬染病不起，大夫为其诊断乃是心病，问其原因，曹彬只忧心忡忡答道："听闻南唐要任皇甫继勋为主帅，此人精通兵法，怕是个难缠的对手啊！"

人人口耳相传，说得真真切切，仿佛曹彬就在面前说出那番话一般。这传言很快便流传至宫中，李煜听闻，思索之下，竟然真征召了皇甫继勋入宫觐见。

皇甫继勋是大将军皇甫晖之子，长得仪表堂堂，虎背熊腰，觐见时侃侃而谈，说起兵法来头头是道。李煜听得心中欣喜不已，当即改了主意，任命皇甫继勋为神卫统军都指挥使。

"青岚这丫头，真是胆大，"千里之外的汴京深宫里，皇上将刚拆的前线军情递交给晋王，语气倒是颇为赞赏的，"只不过，也亏了她，金陵城如今已经尽在国华掌握之中了。"

晋王摸了摸下巴，一脸看热闹般悠闲的笑脸："皇甫晖有子如此，恐怕九泉之下，也要被气得七窍生烟了吧？"

"万事俱备，只欠一座浮桥……"皇上走到地形图前，抬手一指，径直点在采石矶之上。

当日在朗然居，青岚随手点落的棋子，如今，怕是到了该用得上的时候了。

又是幽静的子夜时分，杨云溪熟门熟路地叩响了青岚的房门，他现在已经习惯了这个时候偷偷出宫找她。青岚飞快地把门打开把人让进去，在黑暗中依旧神采飞扬："明日我要出城，将樊若水送去大营。"

"我已经接到皇上的密令，全力配合你行事。"

杨云溪牵起她的手在桌边坐下，认真与她讨论起出城的路线来。原本青岚想要独自行事，但是杨云溪顾虑到她的安全，决定与她一同前往。

青岚担忧道："你不在宫中，不会惹人起疑吗？"

杨云溪的嘴角弯起一个浅笑："无妨。反正一切都要结束了……"

因为有了李煜所赠的折扇，青岚出城时确实没有遇到太大的麻烦，樊若水的家人早已经被安排离开金陵前往汴京，而他本人也一直都住在城外，所以，青岚只要出城与他会合即可。杨云溪用煤灰涂黑了脸，又粘了胡子，把自己打扮成了一个举止粗鲁的车夫。

他们在渡口与樊若水会合，樊若水袍服束发，穿戴整齐，完全是儒生的装扮，只是他身后的那艘渔船似乎与他的打扮不甚相符。

青岚将披风拉起来挡住大半面容，显然是不想让太多的人见到她的模样。

杨云溪跟在青岚身边，看起来就像是她的护卫兼跟班。

三人一路同行，很快来到宋军在江畔的大营之外，门口守卫森严，一队士兵手持银枪来回巡逻。樊若水毕竟没有见过什么大场面，显得有些胆怯，但还是硬着头皮站在青岚身边，小心地问道："我们现在要怎么办？"

青岚的手还半掩在衣袖当中，这半响她的手心里一直攥着一物，掌心都是汗水，湿漉漉的。她正打算把东西往外拿，杨云溪忽然抬手一把按住她的手，然后快步向前走去。

士兵顿时就注意到他，上前拦住他欲查问。

青岚立刻想到杨云溪既然是紫鸾暗卫，身上自然有证明身份的信物，果然就见杨云溪自怀中取出一枚令符，亮在众人面前，神色凛然："即刻通传曹帅，我有要事求见。"

他既没有说明自己的身份，也没有表明来意，但手中的那枚令符却是军中几乎人人都认识的，令符上的紫色鸾鸟振翅欲飞，正是传说中紫鸾暗卫指挥使统领才拥有的身份信物。

只是他们都未亲眼见过，难以判断真假，只能飞快地入中军帐中禀明主帅曹彬。曹彬原本在与诸位将领议事，忽然听到卫兵禀报，顿时一愣。

紫鸾暗卫指挥使统领是皇上近卫，除非奉皇命行事，否则绝对不会轻易离开汴京。

想到这里，曹彬神情肃穆起来，挥了挥手，吩咐道："立刻将人请进来。"

随即挥退众人，只留下两名亲卫在身边，不一会儿便见卫兵领了一行三人入帐来。杨云溪自然走在最前面，身后跟着青岚，最后才是樊若水。

杨云溪进帐就看到曹彬端坐在桌案前，他没穿盔甲，只是单衣素服，不像个百战百胜的将军，倒像是个有功名的书生。

"见过曹帅。"杨云溪进帐站定，便依照军礼单膝跪地参拜。紫鸾暗卫虽然是皇上亲卫，但是无论从编制还是人员调配，都依照军中规矩行事。

曹彬将他从上到下打量了一番，忽然大笑："竟然是你！"

以他的官阶以及与皇上的交情，自然认识清平侯，只是杨云溪化了妆，所以才没能第一时间将人给认出来。

杨云溪低头，一手按在膝盖上，沉声答道："卑职奉皇上之命，护送御前尚宫青岚姑娘及樊公子面见曹帅。"

青岚当即屈膝行礼："青岚见过曹帅。"

曹彬点了点头，他之前已经收到汴京密报，天子亲笔书函，言明潜伏在金陵中的内应，会将一个叫作樊若水的人送来大营，此人有计策可助大军渡过长江。

樊若水也跟着行礼问好，杨云溪沉默地望了青岚一眼，她便心领神会地接话道："樊公子对采石矶一带的风向、水利等状况十分了解，他可助我军搭建浮桥，渡过长江，直取金陵。"

曹彬听了顿时心情愉悦："真的吗？那就太好了。"

顿时转身朝着樊若水长揖行礼，谢道："相助之恩，请受曹某一拜。"

樊若水连忙推辞，但曹彬还是认认真真地行了礼，还将他让到上位，可见对他的重视。曹彬这些年来南征北战，攻城略地无数，却始终拿长江天堑没什么办法，一来宋军不擅水战，二来江中的水利条件太过复杂，所以金陵才久攻不下，一直拖到现在。

樊若水的到来，无疑是雪中送炭。

曹彬立刻喊来了军需官，着他与樊若水一道商议渡江搭建浮桥所需的工艺和材料。青岚的手这时候又拢在衣袖里，终于还是小心地问出一句："曹帅，奴婢是否可以与您单独谈谈？"

曹彬不知道青岚的用意为何，但既然是紫鸾暗卫带来的人，他也就不再怀疑，轻轻点了点头。

最后甚至连杨云溪都退了出去，只留下青岚和曹彬两人。青岚收敛了一下心神，终于将衣袖里的那件什物掏了出来，双手捧到曹彬面前："这是皇上着奴婢转交给大人的。"

曹彬定睛一看，顿时大惊，青岚手中捧着的是一把镶金匕首，正是当今圣上的贴身之物。他当即跪倒在地，高举双手，战战兢兢地将匕首接了过去，这才重新站起身来。

"皇上这是……"不知道为何皇上突然将贴身匕首赠予他，曹彬十分不解地望向青岚。青岚将皇上交托给她的话缓缓道来："皇上说，这匕首曾陪他征战沙场多年，如今束之高阁已久。今次赠予大人，三军将士，生杀予夺，唯卿是从。"

曹彬心中深受震动，将匕首恭敬地捧在手中，俯身向北叩拜："臣，谢皇上厚爱。"

青岚看着曹彬跪拜之后起身，这才接着说道："不过，皇上还说，战火虽然无情，但百姓何辜，望大人怜悯一二。"

曹彬剑眉微蹙，此事他倒是也想过，只是大军围困金陵数月，进退不得，众人都窝着一股子心火，若是真的攻入城中，谁也料不到会发生什么事。

他有些犹豫，欲言又止："这……"

青岚微微一笑，眼眸璀璨如同阳光洒落在江水之上，点点波光，清澈直看入人心底："若是大人觉得此事为难，奴婢倒是有一个办法……"

曹彬见面前青衫女子露出真诚的笑意，她的唇一张一合，轻描淡写之间，便将一个难题化解于无形之中。

青岚缓步出帐时，杨云溪已经卸去伪装，恢复了原本英俊潇洒的模样，见了她便主动向她伸出手去，青岚毫不犹豫地将手送入他的掌心，两人十指相扣，相视微笑。

杨云溪极少笑，但笑起来却极为好看，暖融融的仿佛是春水流过心上，盛开一路的繁花似锦。

他牵起她的手，毫不避讳地亲吻她的手背，然后以商量的口吻对她说道："大军不日将攻城，你留在这里，等我来接你。"

青岚立刻明白了他的意思："你还要回金陵？"

杨云溪点了点头："我和李煜的恩怨，还没有彻底了断。"

青岚低下头，目光由明转暗，又由暗及明。她深知杨云溪为什么一定要回去，她拦不住他。大战在即，他的身手出色，足够应付各种各样的困难和危险，但是，如果自己跟在身边，势必要成为一个累赘。

青岚现在甚至有点懊悔，怎么没像雨微醺一样学点功夫来防身自保，必要时，或许还能跟杨云溪并肩战斗，而不是像现在这样，必须要留在最安全的地方。

她点了点头："嗯，我留下。我等你来接我。"

杨云溪当日便返回南唐王宫，青岚则得到曹彬的许可，在军营中住了下来。

樊若水入宋军大营后不久，宋军便开始陆续派遣熟悉水性的士兵在采石矶搭建浮桥，并加紧训练攻城事宜。

"李煜现在收不到任何关于军情的消息。"皇上乐呵呵地读着八百里加急送来的暗卫密报，现在前线一切顺利，只等浮桥搭完，就可以全面攻城了。

晋王缓缓转着手中的佛珠，面露欣喜之色："这么看来，皇甫继勋倒是帮了我们大忙了。"

皇甫继勋虽然熟知兵法，可是对守城作战可谓是一窍不通，他不但对宋军在江畔的举动熟视无睹，更封锁一切消息。直到宋军兵临城下时，李煜还在王宫中吟诗作对，对军情一无所知。

其实浮桥三天前就已经搭好，但曹彬看起来似乎并没有发兵攻城的打算，众将急不可耐，纷纷上门请缨。结果没想到曹彬这一下子突然就"病了"，而且十分严重，卧床不起。

众将前来探望，言谈之际，时不时就说起攻城的事情。曹彬后来干脆一次把人都集中在自己面前，对他们说道："其实我这病不是顽症，而是心病。我知道大家急于攻下金陵，但是，如此心境之下，难保当中有人行事有所偏差。除非你们立下保证，入城之后，绝不滥杀无辜屠戮百姓，否则，我这心病，是不会痊愈的。"

此计乃是青岚想出的，只为让众将做出保证，以保全金陵百姓的身家性命。

其实皇上离开金陵之前，只是吩咐青岚将樊若水送去面见曹彬，又留下贴身匕首，赐予曹彬生杀予夺之权。只是青岚见金陵百姓深受战火摧残，心生怜悯，所以便趁此机会，多说了几句话而已。

杨云溪默默地站在李煜身后，看他提笔疾书，文人雅士的书卷气尽展无疑。这样一个满腹才情的君王，却无半点治国的雄才伟略，宿命将他推向了这个位置，也就注定了无可挽回的悲剧结局。

亡国之痛，降臣之辱，这些，已经足够偿还当年杨家一门的血债了。

杨云溪此刻心中一片清明，没了对恨的执念，也就没有了困扰。青岚说得对，如今死的人，已经够多了。

这时不知道从何处传来一阵杂乱的声响，似乎是有人在呼喝，又或者是什么重物被撞开了，李煜被惊动，抬起头去看杨云溪："外面发生什么事了？"

杨云溪低下头："我去看一下。"

说完转身一跃而去，李煜似乎是没有将这件事放在心上，而是继续认真修改起他的词来。不一会儿杨云溪就回来复命："国主，是宋军，他们已经将王宫包围了。"

"什么？宋军？怎么可能？宋军不是还在江对岸吗？怎么可能这么快就来了？"

李煜顿时就慌了，饱蘸墨汁的毛笔在宣纸上拖下长长的一道墨迹，甚至连他刚刚写好的词句都被涂抹了，这时候显然他已经顾不上其他了。

杨云溪只是沉默，此时此刻，也没什么要解释的必要了。

"金陵城已经被宋军攻破了？"

李煜半天才反应过来，战战兢兢地问道："皇甫继勋呢？他在哪里？"

杨云溪只是点了点头，语气颇为平淡地："还请国主早作打算。"

他其实想要劝李煜投降的，他不想让金陵城的繁华染上硝烟战火，只是话到嘴边，却又硬生生咽了回去。

李煜语调忧伤，长吁短叹："唉……莫非，真是天要亡我南唐？"

杨云溪沉默不语，但是心中却想，朝代更替，成王败寇，人各有命。就如同当初李氏夺取杨吴江山一样，现在，终于轮到有人要从李氏子孙手中，抢走属于杨家的东西了。

李煜整个人一下子显得苍老了许多，黯然道："为今之计，覆巢之下，岂有完卵。城破国破，怕是只有以身殉国，才能告慰李家列祖列宗的在天之灵了吧？"

他顿时高声喝道："来人，准备柴草，通知皇后、诸位嫔妃、各大王公族亲，到灵钦殿，随寡人一起，去见我李家的诸位先祖吧！"

"国主不要！"

"国主三思！"

各位宫人一听，顿时惊慌失措，黑压压跪了一地，唯有杨云溪一个人站在那里，沉静如水，面色如常。

李煜见状，于是悲从中来，忍不住喝道："事已至此，你们还想要寡人怎么办！"

死，或者作为降臣活着，除此之外，他已经别无选择。

宫外宋军的喊杀声传入宫来，叫人心绪慌乱不已。刀兵相见，似乎下一秒就要冲入深宫内院，宫人们人心惶惶，纷纷四散逃窜。

灵钦殿外堆起了高高的柴草垛，小周后与诸位妃嫔都换了素服，除去头上、身上的金银珠翠饰品，在台阶下黑压压跪了一地，嘤嘤地低声啜泣着。

李煜自宫人手中接过火把，把心一横，便伸手点燃了柴草垛，仰起头问道："谁与寡人一起？"

诸人只是哭泣，却无一人答话。李煜便无奈挥了挥手道："罢了，罢了，你们各自谋生去吧！"

杨云溪望着李煜一个人孤寂走向灵钦殿的背影，背在身后的一只手紧紧攥拳，心中却禁不住矛盾起来。如果论及杨、李两家的恩怨，他应该是希望看着李煜死的吧？可是为什么真的看到这一切发生，他的心中，却并不开心呢？

他站在原地思绪翻涌，眼看着李煜走入殿中，火势越来越大，浓烟中夹杂着火焰，彻底将灵钦殿吞没。

诸位嫔妃的哭声越来越大，小周后终于忍不住从地上爬起来，口中声声唤着"国主"，凄惨哀婉，一边朝着灵钦殿跑了过去！

杨云溪在那一刻仿佛看到青岚落泪的悲伤模样，她就那么语气黯然地对他说："极目千里，无复烟火。锦绣河山，如今安在？"

是啊，为了这锦绣江山，死的人，已经够多了。

想到这里，杨云溪骤然闪身上前，抬手拉住小周后，沉声道："我去救国主出来。"

小周后泪眼汪汪地看着他，哽咽不语，但目光里却分明含着感激的神色。

杨云溪纵身冲入火海，虽然殿外火光粼粼，但火一时间还未烧到殿内，只是略有浓烟渗入，令人感觉有些气闷。杨云溪用手掩住了口鼻，四处寻觅，终于看到李煜正跌坐在一个角落里，看起来十分无力颓废的模样。

他身形一晃便到了李煜的面前，定睛看着他。

李煜半响才抬起头，看到杨云溪，惨笑道："你怎么进来了？"

杨云溪沉声道："国主，死很容易，活着却更难。"

李煜的肩膀轻轻一颤，显然是杨云溪的话触动了他心底的情绪，语气悲怆："可是，难道真的要寡人当个亡国的君王吗？"

杨云溪听到此处忍不住冷笑道："世事无常，有因自有果。当年杨吴皇帝被逼禅位于齐王徐知诰，情形，怕是与今日也差不多吧？"

李煜神色登时一变，惊诧道："你……"

杨云溪双目冷如冰雪，勾起嘴角，一抹冷笑触目惊心："国主不必惊慌，我不是来报仇的。若是我要取你的性命……"

他将话硬生生咬住半截，抬手指尖轻勾，一道银光破空而出，紧贴着李煜的脸颊飞了过去，只听砰的一声，径直扎入李煜身后的木柱之中，刀刃闪着锐利的寒光，李煜忍不住连着打了好几个哆嗦。

杨云溪反手把蝉翼刀收回衣袖中，轻描淡写地补充了几个字："易如反掌。"

李煜禁不住打战，抬头就见杨云溪一点点靠近，神色严肃："必输之局，我劝国主最好还是降了吧！"

李煜神色一沉："寡人宁死……"

杨云溪神情冷漠，带着几分鄙视地打断他："死很容易，但活着的人，却要替你承担一切。你若是忍心如此，我无话可说。"

李煜脑海中顿时浮现出小周后那张凄然的面容，顿时心中一阵凄苦，目光闪烁，显然又有些动摇了。

杨云溪知道李煜向来优柔寡断，所谓宁死不屈，只不过是一国之主死要面子而已。所以懒得跟他废话，直接抬手拎起李煜的胳膊，上手把人架起来就往外走。

这时候火势已经蔓延到了殿门口，熊熊燃烧着，挡住了他们的去路。

杨云溪刚一迟疑，往后退了半步，忽然听到门外传来青岚有些失控的怒喝声："都呆着干什么，还不赶紧救火！"

杨云溪冲入灵钦殿不过片刻的工夫，宋军已经攻破王城，自东门如同潮水一般涌进来。这路兵马领头的是曹彬手下的一名副将，士兵入宫之后便分作小队，各自驻守一处，倒是表现得训练有素，一切井然有序。

青岚征得曹彬应允随军同行，于是换了一身男装，长发高束，精神抖擞地与统军副将一同入宫，得知李煜在灵钦殿自焚，匆忙策马而来，只见熊熊大火几乎将宫殿吞没其中，嫔妃、宫人跪了一地，而且哭泣个不停。

环视一圈不见杨云溪，她顿时心中一阵焦躁，随手揪来一个人厉声问道："南唐国主身边的云大人呢？"

杨云溪在南唐宫中化名为云溪，青岚这么一提，那人立刻一边发抖一边指着大火的方向啜泣道："在……在里面！"

青岚登时愣了一下，然后转身就往殿门口跑，浓烟模糊了她的视线，呛得她连连咳嗽，又是火又是烟，想要靠近都困难，就更别提进去救人了。青岚虽然心急如焚，但也不敢贸然行事，于是连忙挥手，喊人上前救火。

火势太大，一时半会儿要扑灭也难，但是总归是人多，有的打水，有的扑打，有的撤走柴草，倒是起了些效果。眼看着火光小了些，青岚正打算再往前靠近一点，就看到火光中骤然有人影闪过，仿佛是破开重重烟雾，朝她疾奔而来。

"云溪！"

青岚一眼就认出两人当中有一个是杨云溪，于是兴奋异常，连忙上前搀扶。

杨云溪见到青岚，心中一暖，仿佛身上被火灼烧的伤痛都在瞬间痊愈一般，他将李煜交给身边的士兵，抬眼朝青岚露出一个艰难的笑容，跌跌撞撞往前走了两步，下一秒便无力地跌向她的怀中。

他原本是没什么事的，只是吸了浓烟，此时有些头晕，再加上临出门时一根房梁掉下来，正巧砸中他的后背，所以此时有些难受。

青岚此时什么都不管了，只跌坐在地上，任凭杨云溪靠在她怀中休息。杨云溪的脸被烟熏得发黑，嘴唇干裂，外衫被火烧出几个大洞来，露在外面的手背更是被灼伤了一大块。青岚一低头就看到他手背上的伤，顿时鼻子一酸，眼泪就落了下来，一滴滴掉在杨云溪的手臂上。

"我没事。"杨云溪怕她担心，轻轻摸着她的头柔声安慰。青岚吸着鼻子擦掉眼泪，自怀中掏出一条手帕，拉过杨云溪的手到眼前，悉心地为他包扎起来。

杨云溪见手帕上隐约有兰花图案，禁不住轻声道："这手帕？"

青岚破涕为笑："是你送我的那一条呀！"

那一日她升任尚宫，杨云溪送她这条手帕，说是恭贺，当时她暗暗收了起来，一直都带在身上。

杨云溪眼中含笑，但是却还是轻叹了口气："看来，又要再送你一条了。"

青岚扬起脸，泪光莹莹，显得十分娇俏可爱："好呀！我等着。"

杨云溪禁不住将她拥进怀中，背后是熊熊燃烧直冲天际的火光和烟尘，他们却在此刻紧紧相拥，心中不约而同地期盼，未来的日子，都能犹如今日，历经生死，永不分离。

锦绣缘·合欢曲

九重宫阙深重凄冷，萧条纷乱，昔日繁华奢靡的景象不复。

历经数月征战，宋军终于攻陷南唐王宫，南唐国主李煜自焚不成，率子弟及官属四人，身着轻纱白衣，举降表，于南门出降。

南唐亡。

隔日圣谕下，曹彬奉命率军沿江南下，继续收复南唐其他领土。清平侯杨云溪加封江南转运使，护送李煜及其亲眷北上入京，等候赐封。

当……当……当……忽然远处传来悠长的钟声，一声接着一声，好似重重撞在每个人的心里。

杨云溪安然立于船头，忍不住抬眼望去，见南唐太庙尽数掩于烟雨之中，缭绕迷离。千年古钟敲响之时，却是国破家亡之日，令人不胜唏嘘。

出行前，李煜以臣虏之身参拜太庙，于神殿之上题诗道："四十年来家国，三千里地山河。凤阁龙楼连霄汉，玉树琼枝作烟萝，几曾识干戈？一旦归为臣虏，沈腰潘鬓消磨。最是仓皇辞庙日，教坊犹奏别离歌，垂泪对宫娥。"

一路北上，至汴京时，天气已然暖了不少。

入城时，午时已过，街头巷尾都在议论那场盛大的受降与封赏，天子亲至，于城门之上接了南唐国主李煜奉上的降表，昔日华衣锦袍的帝王，如今沦为亡国之臣，一袭白衣立于城下，三跪九叩，口称万岁上主。

圣上遣人宣旨，当场赐封李煜为违命侯——违命不入汴京觐见，违命不奉旨受降——李煜脸色苍白如纸，却只能硬撑着接旨谢恩。

晋王随侍圣驾在旁，却不看向李煜，而是径直望向小周后的方向，呆滞不动。

南唐大小周后，姐妹二人皆是风华绝代，二人一个傲然一个端庄，冬日寒梅与秋日金菊，各有千秋。大周后于数年前病逝，李煜哀思良久，后纳小周后，姐妹二人共侍一夫，自是成了一段坊间流传的风流佳话。

"北方有佳人，绝世而独立。一顾倾人城，再顾倾人国。"

从小周后秀丽温婉的容颜里，依稀似乎能看到大周后惊世绝艳的傲然风骨。

"平身吧，违命侯及夫人初入汴京，今晚朕在集英殿设宴，为二位接风。"

九五之尊沉声吩咐，晋王这才回过神来，目光渐渐飘远。伊人已逝，现在回想起来，也不过徒增伤悲而已。

入夜时分，皇上在集英殿设宴招待违命侯李煜夫妇，受邀的除了晋王，还有几位地位颇高的妃嫔。青岚既然回宫，自然也要随侍圣驾。她换了女官的服饰，重新按照宫中礼仪梳起了发髻，未再多增添什么首饰，只戴了一支金钗，发髻间摇曳点点金光，端庄素雅之中，却不失华丽之气。

杨云溪自然是不愿意在这样的场合露面，虽然来了，但却隐在暗处，只观察着殿中众人的一举一动。

皇上与晋王同行而来，众人连忙起身接驾，黑压压跪倒了一片。虽是宫中宴会，但赵匡胤并未着龙袍，只是穿了一件玄黑常服，衣领及袖口各自坠了一圈明黄，衣袍上铺满的龙形暗纹绣工倒是江南一绝。

"都起来吧。"

赵匡胤快步走上主座，招呼晋王在他身边坐下，众人这才敢起身，各自落座。

违命侯李煜偕了夫人前来，侧位早已经为他们备好，昔日的一国之主如今面色有几分憔悴，初到汴京，棉袍外又罩了夹袄，不过仍是一副文人墨客才有的儒雅气度。

席间，皇上与晋王谈笑风生，说的都是些朝中的趣事。

菜上完了便是传酒，皇上有心宴客，早已经命王继恩将宫中珍藏的葡萄酒拿了出来。殷红色的葡萄酒倒入杯中，馨香四溢。晋王率先举杯，朝着皇上敬酒，笑道："美酒在前，臣弟便抢个先了，恭祝皇兄四海一家，万寿无疆。"

话音刚落，便仰头将杯中酒一饮而尽。

"晋王这是要抢了违命侯的风头啊！"

皇上笑着看向李煜，违命侯显然是没有兄弟二人的心情这么好，心情沉重，但又要强颜欢笑，答道："晋王想说的，便是臣想说的。"

皇上朗声笑道："诸位，你们今天都沾了违命侯的光了，这可是西域葡萄酒，诸位也尝尝吧。"转头看向一直默不作声的李煜又道："违命侯此来汴京，希望朕精心修建的礼贤馆，能让违命侯及夫人住得舒适自在。"

"罪臣谢皇上隆恩。"

李煜连忙放下手中酒杯，偕小周后一起跪倒在地，诚惶诚恐。

"大家同饮吧！"

皇上说着举杯环顾，众人哪敢不从，纷纷举杯，齐声应道："谢皇上。"

刚要饮酒，忽然听到晋王闷声喝道："慢……慢着……"

皇上看过去顿时吓了一跳，晋王脸色青紫，说话之间，一口鲜血呛了出来，染了半幅前襟。他匆匆奔到弟弟身边，扶了他查看，就见晋王艰难地扯着他的衣袖，缓缓道："酒……酒中有毒。"

话好不容易说完，又咳出一口血来。皇上顾不得其他，当场喝道："传太医！"

众人惊诧不已，纷纷将酒杯丢在一旁，惊魂未定地拍着胸口直呼自己命大。

杨云溪自暗处现身，当即朝着禁宫侍卫吩咐道："封锁紫宸殿，不许任何人出入。"

说完就奔至晋王身边，抬手取了他刚刚用过的酒杯，放在鼻下轻轻嗅了嗅，半响沉声道："九里红幽，产于桑乾河畔。"

青岚听了杨云溪的话，忍不住喃喃低语道："桑乾河……辽人境内……"

她经常出宫帮皇上买书，皇上对于辽人的风土人情，也有所涉猎，她从旁也跟着看了不少。

杨云溪转头朝青岚吩咐道："冲一盏绿茶，要浓的，水不要太烫"

青岚知道杨云溪是要救人用，于是赶忙奔去冲了浓浓的一盏绿茶来。皇上立刻抬手接了，按照杨云溪所说，先给晋王灌下去。

杨云溪抬起头来，四下环视，目光直落在王继恩身上，问道："葡萄酒都经过谁的手？"

王继恩认真回忆了一下，很快说出几个名字来。杨云溪当即喊来几个侍卫，让他们按照名字去抓人。很快，几个人都被带到御前，颤巍巍地跪在地上等待查问。

杨云溪缓步上前，检查了几个人的手，然后挥了挥手道："都带下去吧，不是他们。"

晋王这时候忽然皱紧眉头，猛地睁开眼睛，弯腰伏在案上，低头作呕。皇上在旁轻拍晋王的后背，看着他又呕出一口血，脸色却稍稍有些好转，于是柔声问道："光义，你觉得如何？"

晋王直起腰来，点了点头，只是语气还是有些孱弱："好多了。"

这时候太医已经到了，战战兢兢地帮晋王把脉，捻着胡子沉声道："王爷所中之毒十分怪异，老朽不敢确定，但似乎……或许……没有生命危险。"

他支支吾吾，毕竟不是江湖人士，对这些偏门的毒物其实并没有什么了解，倒是杨云溪适时走了过来，把九里红幽的毒性向老太医介绍了几句。九里红幽恰好与绿茶的药性相克，所以刚刚他以绿茶延缓晋王体内毒性发作，这时候太医只要开出祛毒的药即可。

见晋王安然无恙，皇上这才放下心来。吩咐人将晋王搀扶出去休息，几个太监立刻上前，有一人低头从青岚身前匆匆走过去。她见了忽然一愣，她眯起眼眸来，将那人上下打量一番，顿时小心地挪到杨云溪身边去，抬手从他背后扯了一下他的衣襟。

杨云溪转过头去，就看到青岚神色紧张地望着自己，抬手暗暗指了那人，一边低声说了几句话。

杨云溪目光骤然间锐利如刀锋一般，身形如电，上前抬手拦在那人面前，冷然道："等等！"

那太监年纪不大，生得十分瘦弱，看样子似乎被吓了一跳，低下头，声音颤抖问道："大人有何吩咐？"

"你叫什么名字？"

杨云溪神情依旧冰冷，拦在那人面前的手未动，而负在身后的手缓缓摊开，并指为掌，竟是暗自戒备的模样。

"奴才、奴才叫……"

那小太监将头压得更低了，似乎连身子也在瑟瑟发抖。青岚眼尖却看到他的手悄悄深入宽大的衣袖之中，于是连忙出声提醒："小心！"

杨云溪骤然出手，几乎与青岚的声音一致，抬手扣了小太监的手腕，眼前银光一闪，竟是一把闪着寒光的匕首！

"果然是你！"

杨云溪冷哼一声，反手一挥便将匕首打落在地。小太监出手还击，但显然不是他的对手，被他三两下就按倒在地，冷声喝道："何人差遣你下毒？"

"你凭什么冤枉我！"

小太监的胳膊顿时被扭到脱臼，但死死咬了唇不肯承认。杨云溪拎着胳膊把他扔给上前的御前侍卫，立在原地整理衣袖，却沉默不语。

皇上这时忍不住开口问道："云溪，你捉拿此人，可有证据？"

杨云溪不言，却俯身去搜那人的身。青岚在皇上身边低声言语为杨云溪解释："皇上，汉人右衽，辽人左衽。"

言毕，抬手径直指向那小太监的衣襟。见那人的神色骤然大变，禁不住用手紧紧揪住了衣襟，想要遮掩什么已经来不及。

皇上定睛看去，细细分辨，这才看出其中端倪来。

其实这人长相与寻常汉人并无异，而穿着也是普通低阶太监的打扮，若不是青岚曾经在书中看过关于辽人风俗的记载，恐怕也不会察觉到此处，并且及时地提醒了杨云溪。

杨云溪自小太监怀中摸出一个药囊，打开闻了闻，侧头冷冷盯着他问："九里红幽，谁给你的？"

这人武功极差，显然只是受命于人，绝不可能是策划者。

小太监虽然被识破了身份，但还是一脸倔强，硬挺着不说一句话。

"把他带下去，小心看管。"

皇上神色严肃起来，此事显然需要紫鸾暗卫彻查，上一次宫中清查辽人细作，没想到竟然还有漏网之鱼。

小太监忽然充满鄙视地冷哼了一声，嘴角一挑，笑容诡异却又决然。杨云溪和青岚对望一眼，几乎是同时反应过来，但想要出手阻止已经来不及。就见小太监脸色青紫，口中缓缓吐出紫红色的鲜血来，小太监是服毒自尽了！

皇上果断下令："立刻搜查他的房间和物品，与之有过接触的，凡有可疑，一律关押候审，不得有误！"

青岚将目光移到杨云溪身上，见他手中还握着药囊，忽然就想起了当日从崔尚仪那里发现的锦囊，她上前一步，往他手中望去。杨云溪见她目光有异，心领神会地低头看去，却见药囊的一角，隐约染着一抹异色。

青岚秀眉微蹙，这竟然是……茶渍？

卷三　双龙际会风云起

双龙会·紫檀香

时至盛夏，花开正好。

青岚抱着一叠文书，在紫宸殿外无聊地踱步，一边等候皇上下朝。

南唐降宋之后，吴越遣使来朝，表达归顺之意，同时上书言曰："为表诚意，吴越王不日将来汴京觐见皇上。"皇上喜悦之余，下旨册封吴越王为天下兵马大元帅，并命人筹备，以国宾之礼迎之。

因此，吴越王来京便成了一等一的大事。青岚身为尚宫，这些时日一直在忙着调配人手，并且协助王继恩一起准备接待吴越王的各种事宜。

皇上今日下朝略晚，龙行虎步而来，神色有些阴沉。杨云溪锦衣玉带，随侍圣驾。自上次宫中宴会晋王中毒之后，紫鸢暗卫在宫中又进行了一次清查，但仍然没有查出指使人下毒的真凶。所以，杨云溪也更为小心谨慎，除了禁卫军侍卫以外，紫鸢暗卫的精锐也尽数出动，在宫中各处暗自驻守，严查出入。杨云溪与卫幽为正副统领，非常时期，两人便不再潜伏于暗处，而是轮流在皇上身边值守，以防万一。

青岚看得出皇上似乎是心情不悦，于是也不吭声，只是行了礼，抱了文书快步跟上，匆匆走到杨云溪身边，抬眼向他看去，目光中带着询问。

杨云溪此时也不方便答话，只是垂下眼眸，轻轻摇了摇头，似乎是要青岚一会儿不要多说话。

进了紫宸殿，皇上入内更衣。青岚便凑到杨云溪的身边去，小心地抬手指了指屏风另一端。杨云溪拉过她的手，在她掌心飞快地写了"太子"二字。

不是吧？又有人上书请立太子？青岚想赵普都被遣去东都洛阳了，谁还那么不开眼地往皇上的死穴上戳？她刚露出一点疑惑的神色，杨云溪立刻又写：

“吴越王。”

“啊？”

青岚这下更迷糊了，吴越王和太子是怎么联系起来的？杨云溪说得太过简略，她是真的不太明白了。

杨云溪刚想开口解释，皇上已经缓步而出，换了一身暗灰色武士服，双目炯炯有神。他朝着随侍身边的王继恩挥了挥手，吩咐道：“都下去吧！朕想静一静。”

抬眼就看到青岚站在一边，于是又加了一句：“青岚，去帮朕泡盏茶。”

青岚将怀中文书交给杨云溪，福了福，转身立刻去了。王继恩把众人都招呼着退下，只留下杨云溪一人还站在那里，皇上见他手中还拎着几份文书，于是抬手指了指，问道：“是什么？”

杨云溪不知道，于是干脆打开翻了翻，认真谨慎地念出来：“欢迎吴越王的晚宴菜单、所需人手安排、所需采购物品名录……”

皇上的脸色缓和了几分，隐约有了笑意：“拿给朕看看。”

杨云溪恭敬地把文书递上前去，皇上大略看过，见一切安排条理分明，翔实清楚，于是十分满意地点了点头，赞道：“青岚这丫头还是挺能干的，朕觉得，将来她嫁过去，势必能把你府中的大小事务都打理得井井有条。”

杨云溪神情看来依旧平静，但还是忍不住低下头，嘴角勾起一抹笑意。

“等忙完吴越王的事情，朕便帮你和青岚举办婚礼。”

皇上亲昵地拍了拍杨云溪的肩膀，语重心长地：“你们成亲了，也算是了了朕与你父母，还有瑾画的心愿。”

杨云溪轻声应道：“臣打算成婚之前，带青岚回扬州祭拜。”

皇上哦了一声，似乎是有些意外，但还是点了点头，答道：“去吧……”

沉默片刻，才黯然道：“替朕，给她烧一炷香吧！”

杨云溪知道皇上对白瑾画一往情深，于是不再说话，而是任凭皇上陷落在对已亡人的思念当中。

青岚端了冲好的茶，快步重回紫宸殿中，却发现气氛莫名诡异，皇上凭窗而立，似乎若有所思，而杨云溪就站在他身后，低头不语。她的脚步因此停了停，不知道是否该上前去。皇上听到动静转过身来，见青岚怯生生站在原地，于是朝她招了招手，面容慈祥：“那是什么茶？”

青岚将茶盏奉上："回皇上，是白菊花茶。"

皇上取过抿了一口，苦中有甜，馨香扑鼻，又有回甘，于是问道："怎么是花茶？"

青岚嫣然笑道："白菊花清热祛火，正适宜夏日饮用。"

半盏茶下肚，皇上的心情也跟着好了些，于是放了茶盏，抬手取了青岚留在这里的文书来，打开其中一份，笑道："这些都是你安排的？"

青岚点点头："有些需要皇上定夺，所以，奴婢就都给带来了。"

皇上踱步走回桌案边，边看边落笔批阅，青岚就站在一边安静地看着，神色从容。

"大部分没问题，只是你申领的绸缎丝帛数目朕觉得可能不太够，另外后宫的诸位嫔妃，也需要着人裁制新衣。至于人手，你直接去找王继恩调拨便是。"

皇上将一切安排完毕，合上文书交到青岚手中。

"至于吴越王来京的安全，朕已经吩咐了禁卫军指挥使。云溪，你也调拨一队暗卫，暗中在行馆周围保护着吧！"

杨云溪俯身领命，皇上想了想又吩咐青岚道："晋王已经多日未曾上朝，连太医也不知道他如今身体的状况如何，朕派人去探望过几次，都没见到光义人。朕记得你与晋王府的那个丫头很谈得来，说不定能问出些什么来。"

青岚知道皇上这是在吩咐她去晋王府探望，于是俯身领命，答道："奴婢知道了，奴婢这就去。"

说完又抬眼望了杨云溪一眼，似乎是向他道别，嘴角含笑。杨云溪朝她眨眨眼，这样细微的小动作，却看得出无限柔情。

看着青岚离去，皇上忍不住叹了口气，黯然道："吴越王来朝，依照礼制，朕要派一人出城相迎……云溪，你觉得，朕到底该派何人去呢？"

远来是客，尤其是吴越王，这个出城相迎的人即代表当今圣上。古往今来，这种场合君王都会委派一国储君前往，可当今皇上至今未立太子不说，两位皇子德昭、德芳，甚至都极少在皇室活动中露面。反倒是晋王赵光义，屡屡被委以重任。

转瞬之间，杨云溪已经猜透皇上此刻矛盾的心情。若是换了从前，皇上心中属意的人选必定是晋王，但是如今朝堂之上，不时有人提起册立储君之事。毕竟皇上的两个儿子都长大了，有些事情，或许也可以让他们去试试看了。

再加上如今晋王权倾天下，而那张高高在上的龙椅的诱惑，恐怕没有多少人能真正抗拒得了，两人之间，也因此渐渐生出隔阂。

想到此处，杨云溪沉声道："皇上，有些事，不可操之过急。"

皇上慢慢点了点头，道："你说得有理，若是晋王身体无恙，那便还是由他去吧！"

想了想又道："对了，朕已经下旨召德昭回京，这次吴越王来朝，他也可以从旁学习。"

如今朝中，支持册立赵德昭为储君的呼声很高，谁也不知道这次回京，会不会发生什么难以预料的事情。

青岚匆匆出宫，至晋王府求见雨微醺，然后辗转向她打探晋王的状况。

"爷已经没什么事了，只是最近出了趟远门，所以才推说身体不好不见人的。"

雨微醺倒是没什么隐瞒，一五一十都说了。她知道青岚虽然是奉了皇命而来，但是她和他们从头到尾都是一根绳上的蚂蚱，唇亡齿寒，所以该说的会说，不该说的，听过就算了。

青岚点点头，深知晋王出京毕竟是有要事要办，但是她也不便多问，只道："那就好，皇上多日不见王爷上朝，甚是担心，所以王爷若是方便时，还是向皇上报个平安的好。"

雨微醺点了点头，亲切地握着青岚的双手，笑嘻嘻地打听道："听王爷说，你就要成亲了呢！"

青岚想起杨云溪，于是羞涩地笑着点点头，答道："是啊！不过可能还要等上一阵子，现在我们都在忙着筹备吴越王来京的事情，也没什么时间筹备婚礼。"

雨微醺爽朗的笑容里有一丝娇羞，不好意思地问道："那么，我能不能求你一件事？"

"什么事？"

青岚看到雨微醺双颊微红，竟是少有的露出小儿女的娇态："侯爷与卫大哥同在御前侍奉，关系应该不错，能不能帮我打听下，卫大哥家中可有娶妻，可有定亲，他可有……意中人？"

青岚一愣，顿时忍不住朗声笑起来："哎呀哎呀，你原来……"

雨微醺赶忙抬手掩住她的嘴，急切地恳求道："我求求你，你可别告诉别人呀！"

青岚见雨微醺一脸孩子气的模样，忍不住心软，答应道："好好，我一定不告诉别人。我帮你去打听，若是他没有娶妻也没有定亲，更没有意中人，我立刻就想办法撮合你们，好不好？"

雨微醺抬手抱了青岚的脖子，兴高采烈地欢呼道："就知道你最好了！"

竟然连卫幽也有倾慕者了，青岚在心里暗自想着，要不要把这件事告诉杨云溪呢？又或者可以联合杨云溪一起想办法套套话，反正，他们跟卫幽已经这么熟了。

英姿勃勃的雨微醺和温文尔雅的卫幽，一个红衣一个黑衣，站在一起倒是十分登对，不知道真的相处起来会怎样。

她坐在回宫的马车里，摇摇晃晃地一路浮想联翩。眼看着天色已经不早了，回宫了还有好些事情要忙活，于是她忍不住掀起马车的帘子，刚想吩咐车夫可以再快一点，忽然听到身后纷乱的马蹄声由远及近。她扭头就看到一队戎装侍卫护拥一人策马奔驰而来，正中那人方脸大耳，身材壮硕，倒是与当今圣上有几分相似，只是岁数看起来十分年轻。

"喂！让开让开！"

侍卫呼喝着驱赶路上的行人，青岚一看那群侍卫就知道是宫中戎卫，本着不惹是生非的原则，立刻吩咐车夫把路让出来。

那人是……青岚悄悄看着一众人策马而去，总觉得这人似曾相识，只是却怎么都想不起来。

回宫向皇上复命，青岚匆匆往紫宸殿赶，迎面却见一人疾步走来，身后跟着一众宫女、太监，排场看起来倒是不小。

青岚登时一愣，下意识地俯身屈膝行礼，她想起来这人是谁了！

皇子德昭，如今朝堂之上最有利的太子人选，半个月之前，皇上下旨召他回京，想必是因为储君之争越发严峻，而赵普不在汴京，朝中必须要有人牵制晋王。

青岚低下头，恭送赵德昭离开，然而没想到是赵德昭双手负后，大步流星地走到她面前，低头端详起来。

青岚不敢抬头，但只看到赵德昭走到她面前，停下脚步，竟然半响都未动弹。青岚不知道到他到底要干什么，只能低首不动，就听到赵德昭傲然道："抬起头来。"

青岚只得领命，缓缓抬起头来，神色恭敬："殿下有何吩咐？"

赵德昭挑起眼眸看着她，目中无人地："你就是青岚？"

青岚冷不防被赵德昭喊出名字来，只得低下头："奴婢是。"

赵德昭上前一步，肆无忌惮地抬手挑起青岚的下巴，目光与她直视，道："听说，父皇把你许给了云溪？"

青岚低声答了句"是"，赵德昭轻哼了一声，嘴角勾出一抹邪魅的笑意："原以为是什么倾国倾城，原来不过尔尔。"

随即放开手，又问道："侍奉父皇多久了？"

青岚垂下眼睑，神色温婉："奴婢入宫五年，两年前调至紫宸殿侍奉。"

赵德昭以眼底余光瞥了她一眼，仍是那般高傲的模样："替我跟云溪说一声，我自黔南路带了上好的苗疆美酒，请他有空过府一叙。"

杨云溪本就深受圣眷，如今侍奉御前，除了清平侯的身份，皇上还赐封他为御前禁卫军都指挥使，可谓荣耀一时。

青岚恭敬地答道："奴婢知道了，奴婢一定转达。"

赵德昭似乎是不太喜欢青岚，脸上一直带着轻蔑的神情，转身离去。青岚这才站起身来，望着这位皇子殿下的背影，轻轻地叹了一口气。

赵德昭的目光很可怕，在他面前，青岚总有种被他瞬间看透一切的恐惧感。

青岚随后到紫宸殿向皇上复命，就说晋王前几日身体不适，但如今已经大略好了。皇上看起来这才放下心来，松了口气道："那就好……朕还在担心，若是光义身体不见好，出城迎接吴越王的人选该换成谁呢？这下朕可就放心了。"

青岚心中猜想，皇上本来心中属意的人选就是晋王，只是毕竟德昭、德芳两位皇子都长大了，况且，从皇上调赵德昭回京这件事来看，皇上似乎对晋王还是有些防备的。

"皇上，潘大人求见。"

王继恩在旁打断了两人的对话，神情恭敬，皇上朝他挥了挥手，示意将人喊进来。青岚依稀猜到来的可能是宣晖北院使、大将军潘美，于是低下头，屈膝行礼，轻声道："皇上，奴婢先告退了。"

"好。"皇上点了点头，青岚向来都是办事可靠之人，如今位居尚宫，所有事务也都办得井井有条，一想到她很快就要出嫁，还真有些舍不得。

青岚行礼告退，走到门口时又遇上了引潘美进门的王继恩，她立刻躬身向着王继恩问安。潘美自王继恩身后闪出来，身着深紫色官袍，身形魁梧，久经沙场风霜的脸上，带着几分洒脱豪爽的气度。

青岚赶忙参拜，心中却想，江南已然平定，皇上在此时召见潘美，究竟是意图封赏呢，还是打算挥师北上呢？

回到住处，连翘连蹦带跳地凑上来问好："姐姐用了晚饭没？"

青岚摇摇头，连翘于是笑着拍了拍掌："姐姐等我一会儿，我去给你弄点吃的来！"

连翘很快带着一个新调拨过来的宫女捧来饭菜，青岚就招呼她们一起用膳。新来的宫女脸色蜡黄，相貌平常，名叫瞳儿，看起来是很规矩的。青岚一边打量她，一边与她谈天："哎，你戴着的这对金耳环是哪儿买的？样子看起来很别致。"

瞳儿所戴的一对金耳环确实模样精巧了些，听见青岚问话，瞳儿赶忙答道："是祖传的。"

青岚点点头，此时心中已经了然分明。这个瞳儿正是晋王府所遣入宫的细作，她所戴的一对金耳环，正是她身份的标记，级别应该不低。

用完饭之后，青岚便借口让连翘帮她出去取东西，把瞳儿留下来单独说话。

瞳儿殷勤地收拾着碗筷，青岚端坐打量着她，见四下无人，便轻声细语问道："你入宫多久了？"

瞳儿停了手上的动作，抬起头来答道："奴婢入宫半年多了。"

"在宫中做事，要谨慎小心，不要给主子添麻烦。"

青岚淡淡道，她不知道瞳儿的任务是什么，也无心过问，只希望不要牵连到自己，也不要给晋王惹麻烦就好。

瞳儿屈身行了礼，恭敬答道："奴婢谢尚宫大人提点。"

天渐渐黑下来，青岚斜靠在窗口安静地迎着烛火看书，一头青丝倾泻而下，发丝环绕，一时间更显得风情万种，无限娇美。

忽然听得一阵悠扬的笛声自夜空中飘荡而来，曲调婉转动人，青岚紧跟着循声转头看去，就看到杨云溪潇洒地坐在屋檐上，手中捧着短笛吹奏。

青岚惊喜地放下书站起来，杨云溪一曲奏完，自屋顶纵身一跃而下，片刻之间就来到她的面前。两人一个在窗外，一个立在窗内，相视而笑，青岚道："你怎么来了？"

杨云溪变戏法般地从怀中掏出一条手帕，默默地递给青岚。

青岚接在手中一看，竟然是跟之前他送自己的那条一模一样，不止是材料质地，甚至连上面的兰花图案都分毫不差。她惊讶道："咦？你又去买了一条？"

杨云溪点了点头："赔给你的。"

上次青岚用帕子给他包扎烫伤的伤口，他就一直想着要再买一条送给她。

青岚笑得很开心，立刻把帕子宝贝地揣进了怀里。

杨云溪见她心生欢喜的模样，于是开心道："我明日要出城迎接吴越王入京。"

皇上任命他为御前禁卫军都指挥使，其中也有一个原因就是要他全权负责迎接吴越王入京以及全程护卫等事务。吴越王毕竟是一国之主，如果在汴京有个闪失，恐怕吴越之地生变，江南又将有兵灾之祸。

青岚与杨云溪虽然都在宫中侍奉，但是这些日子彼此都很忙碌，聚少离多。青岚一听杨云溪又要走，于是依依不舍道："要去多久啊？"

她嘟起嘴巴的模样娇俏可爱，杨云溪见四下无人，于是大胆地上前，侧身吻了一下她的唇，然后便飞快地退开少许，道："可能要七八天。"

青岚冷不防被他亲了个正着，连忙左右看了看，幸好没被人发现，于是羞涩道："那么，你路上小心。"

吴越王入京在即，每个人似乎都如临大敌，各自忙碌。只是人们心中所怀的目的，似乎却不尽相同。

七日之后，吴越王的车驾入汴京城，晋王代圣驾出城相迎，在城门外颁旨，封吴越王为天下兵马大元帅。

杨云溪身穿玄色轻甲，手中持剑正是皇上所赐，安然立于吴越王身后，身后的禁卫军戎装以待，军姿肃穆威严。

晋王亲自相送吴越王至宫中勤政阁下榻歇息，之后入紫宸殿向皇上复命。

晚宴自华灯初上时开始，青岚立于圣上身后，着尚宫官服，眼看着吴越王

与君长相守

双龙会

自殿外踏着红毡上殿。杨云溪随侍在旁，仍是剑不离身。原本内殿不许武官持剑入内，但杨云溪曾得圣上口谕，为护吴越王安全，可随时持剑入殿。

吴越王至紫宸殿觐见，行三拜九叩之礼，并带来金银玉器、锦缎丝绸、海鲜干果等贡品不计其数。

杨云溪抱剑站在吴越王的身后，遥遥看到青岚，于是动了动嘴角，露出外人不易察觉的柔情来。青岚腰垂佩玉，正是杨云溪所赠之物，一路走来摇曳生姿，她的乌黑长发此刻已经按照尚仪的制式高高盘起，鬓发间坠了点点珠翠，双手半掩在宽大的衣袖里，交叠端在身前，目光坦然平视，迎上杨云溪的目光，淡淡一笑以作回应。

"今日天下兵马大元帅入京，朕略备薄酒，为大元帅接风洗尘。"

皇上说着朝吴越王举起酒杯，吴越王连忙起身，跪地拜谢，道："臣谢皇上恩典。"

"平身平身，今日就当是家宴，不必拘礼。"

皇上使了个眼色，王继恩立刻上前搀扶吴越王。众人跟着举杯敬酒，大家欢欢喜喜地一同饮了。这时便正式开席，宫女们宛若行云流水般地送上各色菜肴和美酒佳酿，丝竹礼乐也跟着奏响。

晋王坐在皇上下首，倒是距离吴越王更近。赵德昭坐在晋王身边，三人频频举杯敬酒，言谈甚欢。而违命侯李煜与夫人也应邀而来，只是两人神色尴尬，只得勉强欢笑。毕竟吴越王主动归顺，风光受封，圣宠正隆，而李煜则是降臣，白衣出城递交降表，又被封了个违命侯的头衔。

青岚正欲出殿安排歌舞表演，无意间却看到晋王不经意间目光飘向远在另一侧的违命侯夫人。

那个眼神里充满了仰慕和渴望……青岚仿佛察觉到了什么，于是默默地往后退了一步，不动声色地离开。

她安顿好了歌舞再回到殿中，一阵扑鼻的香气扑面而来。青岚眼皮骤然跳动了两下，心下一惊，顿时有种不好的预感。

只是圣上与吴越王等人酒过三巡，一边观看歌舞一边言谈甚欢，直至天黑才各自散去，倒也平安无事。吴越王向皇上辞行之后便返回勤政阁休息，杨云溪带领御林军沿途护卫。

青岚留下来带领宫人收拾打扫，只是看起来一直心绪不宁，连翘看出她的异样，于是关切地问道："姐姐这是怎么了？一直心不在焉的。"

"可能是被晚上的熏香熏得有些头痛。"青岚抬手按了太阳穴，那股香气若有似无，她总是觉得这味道与平常用的不大一样。

这时候就听到有人站在门口跟人说话，语气疑惑："咦？什么东西这么香？"

"别提了，刚刚不知道谁把紫宸殿的熏香给打翻了，洒了我一身，幸好皇上不在，不然就死定了。"

青岚顿时心中一动，连忙拉了连翘问道："今儿紫宸殿点的是什么香？"

"这是新进的紫檀啊？"

连翘一脸不解，青岚上前拦了刚刚说话的两人，果然闻到香味格外浓重，她疑惑地又问道："今天宫中各处点的都是这个紫檀吗？勤政阁也是吗？"

连翘摇了摇头："我只知道勤政阁的香炉子是新换的，焚香应该也是新进的吧？"

青岚抬手揉了揉额角，不知道为什么，总觉得这香味熏得她头痛，鬼使神差冒出一句："不知道吴越王是否喜欢这个味道，连翘，跟我去勤政阁看看吧！"

她带了连翘两人匆匆往勤政阁去了，远远地就听到一声尖叫，随后便是此起彼伏的尖叫声和家具被推倒的巨大声响。几个侍女惊恐万分地跑出来，脸上都带着受了惊吓的表情，一边惊叫道："蛇！有蛇！"

青岚心中一惊，连翘更是吓得哆嗦，不肯再上前半步。只是青岚担心杨云溪，于是什么也顾不上就往里冲，勤政阁里面已经乱了套，根本没人去拦她。青岚一路跑进内室，抬眼便见到地上盘着一条青花红底白纹的小蛇，嘶嘶吐着信子，几个侍卫都被咬了，脸色青紫，显然是中了剧毒！

杨云溪将吴越王挡在了自己身后，正面与那条小蛇对峙。青岚却一眼就看到他身侧又窜出一条小蛇来，正飞快地向他的方向窜去！青岚当即迈步疾跑两步，抬手用力将杨云溪推开，冷不防小蛇一口咬在她的脚踝上。杨云溪见状，蝉翼刀从指缝中骤然飞出，径直将小蛇钉在了地上！

小蛇并未当场丧命，而是剧烈地挣扎起来！杨云溪目光一撤，反手回撤，蝉翼刀在空中折个来回，却是奔着另外一条小蛇去的。那蛇显然是意识到危险来临，抖着尾巴掉头跑了，跑得很快，几乎是顷刻间就没了踪影。

"青岚！"

杨云溪飞身上前，接住了青岚摇摇欲坠的身子。她的脸色很快开始发青，眼眸散开，双唇也变成了深紫色。杨云溪迅速查看她的伤口，见脚踝上被咬的地方有清晰的齿痕，迅速发黑，并蔓延开来。

青岚在他怀中意识迷离，但仍然坚持着一字一句竭力把话说清楚："焚香中，有人动了手脚。"

说完头一歪，当即昏迷了过去。杨云溪手心冒汗，抬手撕下一片衣襟，揉搓成细长条，在伤口寸许外的地方用布条紧紧扎住，手腕一翻，蝉翼刀当即扎进伤口，划开一道口子！

吴越王此时稍稍缓过来，意识到发生了什么事，便喊人通传太医，想要过来看看青岚的状况，却被一身杀气的杨云溪逼退到一边，不敢靠近。

紫黑色的血液顿时喷溅出来，染透了半幅衣襟，青岚的意识开始迷离不清，只是仍能看到视线里杨云溪看向自己的眼中似是带着泪光。

"云溪……"青岚无力地伸出另一只手，却触碰不到杨云溪的脸颊，心中默默地说道，"幸好，你安然无恙。"

"放心，你不会有事的。"杨云溪用染了血的手握住她的手，目光中透着令人不寒而栗的杀气。

"我不会让你有事的。"杨云溪放开青岚的手，起身查看一旁的香炉，那浓郁的香气令人作呕。他目光流转，隐隐察觉出其中端倪。他将香炉中未燃尽的香料认真地收好，然后目光森然，腰间短笛吹出尖厉的啸音，缓步走向那条被他当场斩杀的小蛇。

那条小蛇被他捏碎了七寸，尖锐的毒牙隐隐发黑。杨云溪以蝉翼刀将蛇开膛破肚，蛇胆捻在指尖，见它完好无损这才松了口气，转身快步跑到青岚身边，捏着她的下巴，将蛇胆放入她口中。

青岚昏迷间似乎没有反应，杨云溪找来半杯水，然后嘴对嘴送入青岚嘴中，帮助她把蛇胆咽下。

吴越王在旁看得目瞪口呆，青岚脚踝的伤口此刻依旧在往外流血，只是颜色从深紫变成了暗红色。

杨云溪帮青岚拭去额头的汗水，见青岚虽然脸色苍白，已然没了刚才的青紫色，只是失血之后的羸弱，这才放下心来。

这时候宫中暗卫收到传讯，陆续赶来。杨云溪将香料、香炉尽数交给他们，又迅速地吩咐他们到各处查看，寻拿可疑人员。

事关重大，顷刻之间已经有人禀报了皇上。皇上刚在福宁宫歇下，听到消息匆忙赶来，中途遇闻讯而来的赵德昭，两人一并来到勤政阁。皇上见吴越王安然无恙，这才彻底放下心来。

"宫中怎么会有毒蛇？"

皇上显然很是愤怒，人命关天，更何况那个差点丢了性命的人是青岚。

"勤政阁傍水而建，有蛇很正常，想必只是平日里未曾察觉而已。"

赵德昭抬手指了指阁外的勤政湖，一边四处查看着，一副漫不经心的样子。

杨云溪在一旁沉默不语，他刚刚送青岚回房休息返回勤政阁，面见皇上。只是皇上与皇子说话时，他并不方便开口，等赵德昭走了，这才屏退众人，将事情一五一十地禀报给皇上。

"这么说，有人刻意谋害吴越王？"

皇上捏着下巴思索，只是这一会儿的工夫，宫中暗卫已经尽数出动，将所有相关人等全部收押，只等审问。

杨云溪点了点头，皇上于是又道："此事由你负责，务必查明。如有人从中作梗，朕许你先斩后奏之权！"

杨云溪俯身领命，答道："皇上放心，微臣自会将此事查个水落石出。"

皇上低头看到杨云溪手中所持的宝剑，于是心中一动，道："这宝剑可合用？"

杨云溪最初收到这把剑时，一看就知道此剑并非凡品，且有了些年限，外是青铜剑鞘，上面镶嵌琥珀，剑长三尺有余，闪着森冷的光芒。

杨云溪点点头："是把好剑。"

"此剑名承影，见影不见形……"皇上似乎很是骄傲，一边介绍道，"这是朕年轻时随世宗征战，曾经用过的一把剑。"

"臣……"杨云溪一听就顿住了，当场反手将剑递过去，被皇上抬手按住，笑道："朕久居深宫，只用天子之剑，又怎么还会需要它呢？"

只是皇上说着语气有些怀念，宝剑配英雄，纵横沙场，金戈铁马的日子对于他来说，早已经成为过去，所以，他才为承影找了这个新的主人。

"谢皇上。"

杨云溪知道这把剑对当今圣上来说意义非同寻常，心中也感动不已。皇上虽然不是他生父，但是既有相救之恩，又有养育之恩，他其实心中也一直都把皇上看作亲生父亲般敬重。

皇上拍了拍杨云溪的肩膀，语重心长地："朕原本送你这把剑，是想问你是否有意随潘美学习领兵打仗，你虽然出身军中，但一直都是暗卫，多数时候见不得光，任务又太过危险。所以朕想着，你若对领兵有兴趣，不妨去试试。只是那时候正逢你调查李崇焕时受了重伤，所以一直也没问。只不过现在，你跟青岚的婚事也订了，朕实在不忍把你送上战场，让你们两地分别。"

杨云溪深知皇上有意出兵北汉，他自己对战场倒是满含期待，希望一展抱负，于是拱手握剑，庄重道："臣愿意。"

皇上无奈地叹了口气，道："那就等青岚身子好些了，你与她商议之后，再给朕一个答复吧！"

杨云溪直起腰来，侧立在皇上身边。说完公事，皇上想了想又道："青岚现在情况如何？"

想起青岚，杨云溪忍不住露出忧虑的神色："劳皇上记挂，她已经无恙，只是虚弱了些，需要好好调养几日。"

皇上略略放心了些，道："那就让她好好休息吧。"

杨云溪道了谢，这才匆匆离去。

双龙会·归去来

夜已深，杨云溪独自一人走在御花园的小路上，忽然听得不远处有脚步声隐约自林间传来，于是心中警觉，闪身躲在一旁，静观其变。果然不一会儿的工夫，远处闪过一道黑影，杨云溪毫不迟疑地抬脚跟上。

那黑衣人的轻功显然在他之下，只几个起落便被赶上，杨云溪不敢靠得太近，只是小心不让别人发现自己的行迹。西边永宁宫的西偏殿荒废已久，他跟着黑衣人一路追到这里。此外假山林立，杨云溪闪身藏在山石之间，屏息偷听起来。

"为何会失败了！"

说话的是个声音嘶哑的男人，或许是为了掩饰身份刻意改变了声线。

杨云溪小心地侧头去看，见那与黑衣人接头的人罩在宽大的黑色披风里，只能依稀看出个清瘦的轮廓。

分不清男女，更看不清脸。

"属下也未曾想到，竟然被人察觉。这次失败了，宫中有了防备，想要再行刺吴越王，似乎不那么容易了。"

黑衣人自称"属下"，显然那个穿披风的人身份要高过他。

"再想办法，一定不能让吴越王活着离开汴京！"

那人的声音自披风底下缓缓传出来，杨云溪忽然觉得他的声音似乎有些耳熟。

"属下不懂，为何不直接刺杀皇上？吴越王之死，不过是让江南生乱而已，若是大宋的皇帝死了……"

杨云溪一边听一边用力收紧指尖，目光中杀机一闪。此时披风下的声音又传来，打断了那人的话："愚蠢！如今晋王权倾朝野，皇上如果死了，潘美又拥军在外，皇位十之八九都要落入晋王手中，对我们来说有何好处？"

这些人称皇上为"大宋的皇帝"，最有可能是辽人。但是为什么晋王登基，对他们没有好处？

杨云溪心中暗自思索，就听那人又道："属下知道了，但是二皇子那边……"

听到此处，杨云溪禁不住无声冷笑，顿时明白过来，赵德昭与辽人达成了某种交易，借以对抗晋王的势力。皇上属意由潘美领兵出征北汉，而晋王与潘美交好已久，要获得他在兵力上的支持十分容易。赵德昭十分畏惧晋王权势，所以才想要谋害吴越王，让江南生乱，以此牵扯，不让潘美领兵北上。

杨云溪在黑夜中缓缓合上眼睛，一时间四周陷入黑暗，唯有耳畔传来的声音无比清晰，山风穿过假山拂过流水。

大战在即，你们却如此不安分……杨云溪心道，圣意已决，攻伐北汉如今是箭在弦上，不得不发，吴越王这条命，根本挡不住精锐的大宋军队。

赵德昭此举，无疑是自己断送了成为储君的道路。

他正在思索是现在召集暗卫将这两人当场缉拿，还是准备放长线钓大鱼，忽然就听得喵的一声，竟然是一只黄色花斑野猫跃上假山，惊动了心怀鬼胎的两人，于是那个披着披风的人冷喝一声："谁？"

随即朝着黑衣人同伴使了个眼色，那人立刻就奔着杨云溪的方向寻觅而来。

杨云溪知道自己藏不住，于是干脆主动出手，手腕一抖，蝉翼刀自衣袖之间骤然飞出，直取那黑衣人的面门！这一刀出得十分巧妙，贴着黑衣人的耳畔划过，不伤他半分，却将他蒙面的黑巾径直割断！黑衣人躲闪不及，再回过头来时，脸上的黑巾已经飘飘然掉落在地，杨云溪借着月光辨认他的长相，登时喝道："原来是你！"

　　这人是禁军，还是他的属下，没想到竟然是混入宫中图谋不轨的辽人。黑衣人深知自己不是杨云溪的对手，见行迹败露，立刻就想逃窜，杨云溪见状立刻上前阻拦。穿披风的神秘人纵身上前与他动手过招，两人身形交错，各自过了半个身位，急速退开，警觉地打量着对方，心中深知两人势均力敌，短时间内很难分出胜负。

　　黑衣人见杨云溪被拦，于是就想逃走，杨云溪的蝉翼刀飞出一道弧线，扎入他身体再反手一扯，硬生生拉出一道血淋淋的口子！

　　黑衣人惨叫一声，当即跌倒在地，哀号起来。杨云溪分神出刀的片刻工夫，神秘人已经反手一掌重重拍在杨云溪的胸口，然后借势向后退走！

　　杨云溪这一下被打得不轻，勉强提气再追已经有些困难，于是只追了两步，弯腰咳出一口血来，抬头时神秘人已经逃得远了。

　　好在黑衣人还在，杨云溪干脆利落地上前将那人扭着胳膊绑了，然后召来宫中侍卫，吩咐将人带到大牢亲审。他冷面无情的威名在外，手段还没用多少，黑衣人就如同竹筒倒豆子一般地全都说了。可他毕竟不是主使，知道的事情有限，最多也只是知道他们是与赵德昭合作的，甚至连那神秘人的真实面貌都没看过。

　　汴京金楼，城中最有名望的烟花之地，一人锦衣玉带坐于桌边，两边各自有一个娇滴滴的美人靠在身上，一个喂酒，一个劝酒，左拥右抱，娇娆满怀，倒是十分惬意享受。这人一张方正的脸，似当今圣上，正是皇子赵德昭！

　　忽然窗边传来轻微的响动，赵德昭自脂粉堆里抬起头来，嘴角斜斜扬起，不以为然道："你怎么来了？"

　　来人穿一件黑色披风，帽子几乎挡了全部面容，他刻意压低了的声音有些沙哑："我有重要的事情与你商量。"

　　赵德昭十分不情愿地挥了挥手，将身边的两个美人挥退，临走时还不忘在她们二人脸上各亲了一口，笑得一脸猥琐。

宽大的披风被掀开，露出一张清俊的脸庞，面容清瘦，甚至带着些不正常的病态的白。

赵德昭端起酒杯慢悠悠喝酒，神色高傲："说吧，什么事？"

"韩原被抓了。"

那人语气简明扼要："我已派人去大牢灭口。无凭无据，不会有人把你定罪，但是，杨云溪已经知道了你我合作的事情，他迟早会是个麻烦。"

赵德昭眯起眼睛，狭长的眼眸里闪着阴冷的光芒："我这个弟弟啊……从小就看着讨厌！"

他刻意把"弟弟"二字咬得很重，他与杨云溪虽然是名义上的兄弟，但是实际上全无血缘关系。杨云溪一直深得皇上喜爱，时常陪伴左右，侍候御前，这让他这个亲生儿子都觉得嫉妒。

他身为当今圣上的嫡子，虽然已经成年，但是不但始终未曾封王，而且连参与朝堂之事的机会都没有。而晋王却深受重用，风光无限，也难怪他会心生罅隙，甚至不惜自毁前途，与辽人结成同盟。

"……你放心，虽然他武功高强，但是我知道怎么做，会让他轻易就范。"

赵德昭显得信心满满，自斟自饮又一杯下肚。

赵德昭冷笑着斜扬起嘴角，朝着那人勾勾手，看他俯下身来，于是凑在他耳畔，轻轻低语几句。

看着神秘人跃窗而去，赵德昭又让人召来那两个美人，陪着自己继续调笑喝酒。

金楼灯火绚烂，纸醉金迷，谁曾想到在这汴京城的一角，很快将发生一场惊天动地的大事……

翌日清晨，青岚终于自沉沉昏睡中转醒，只觉得浑身酸痛，头昏脑胀，捧着额头想了半天才记起发生了些什么事情。杨云溪在她床边坐得端直，目不转睛地盯着她看。青岚见状还是忍不住笑起来，只是虚弱无力。

杨云溪靠过来，动作轻柔地将她的手拢在自己的手中，关切地问道："觉得还好吗？"

青岚点点头："我真的没什么了，你昨晚一直守在这里吗？"

看着杨云溪脸色稍有些憔悴，眼底带着血丝，一看就是昨晚没有好好休息的模样。杨云溪想了想，还是不打算把赵德昭的事情告诉青岚了，省得她乱想，于是违心地点了点头。

青岚有些担忧地："我没事的，你要不要回去休息一会儿？还是……吴越王那边不需要你吗？"

杨云溪拍了拍她的手，答道："皇上命我调查昨夜之事，我稍后就去了。"

青岚打了个呵欠，身子还是有些乏力，杨云溪于是扶着她躺下，意思是可以再睡一会儿，青岚不想让他分心，干脆就顺着他的意思来，乖乖躺好，朝着他嫣然一笑。

杨云溪低头吻了她的额头，这才帮她盖好被子，提了承影剑匆匆离去。

青岚等了一会儿，这才敢睁开眼睛，转头见杨云溪已经走远了，这才撑着身子坐起来，一边大口喘气。

脑子从模糊变得清醒，突然让她想起一件事来：当日有人在酒中下药，导致晋王中毒，杨云溪找到了装九里红幽的锦囊，上面沾染了一抹茶渍。

当时她闻过之后，分辨出那是大红袍，而且年份较为久远，因为是陈茶，宫中很多人都会取来喝，所以经由暗卫调查之后，全无可疑。但是，现在关于紫檀香中掺入其他香料的做法，让她忽然意识到，其实当初茶渍的味道中，不仅有大红袍，其实还有陈皮淡淡的苦涩。

以陈皮入茶，宫中最早就是经她的手为皇上冲泡，后来宫中人人仿效，但大多数都是单独以陈皮冲入沸水，只有太医院里的一位名叫沐双的大夫，曾经托人来问过他，在茶中加入陈皮是否可行。

沐双，木双……木双为林。

如一道惊雷在耳畔炸开，青岚忽然想起在崔尚仪房间找到的那个背面绣了"林"字的锦囊。一切犹如连环锁扣，一环套着一环，竟然环环相扣，将所有的前因后果都连在了一起。

"青岚姐姐，太医院的御医过来了，说是奉了皇上的旨意，给你把把脉呢……"连翘蹦蹦跳跳地窜进来，笑盈盈地一闪身让出一个清瘦的身影，却看得青岚心中像是忽然被人用拳头重重锤了一下。她竭尽全力让自己平静下来，一边撑起身，朝着来人施礼："沐大夫好。"

也不知道是有心还是无意，来的竟然就是青岚此刻心中正在怀疑的那一个。

沐大夫信步而来，朝着青岚拱了拱手问安："尚宫大人今日觉得身体如何？"

青岚点点头，挥了挥手吩咐道："连翘，快帮沐太医冲盏茶来，柜子里有我珍藏的六安瓜片。"

连翘应了一句连忙去了，沐大夫将药箱搁在一旁，挽了衣袖开始为青岚把脉。青岚看他将两指轻轻搭在自己腕间，静目凝思，于是垂眸不语。她向来不是那种爱多事的人，假若杨云溪不在，她绝对不会主动去探沐大夫的口风。

沐大夫为她诊完脉，出言安慰道："尚宫大人依然有些气血不调，最好还是卧床休养几日，我开个方子，只要按时服用，七日之后，应该便能康复。"

说着提笔蘸墨写下一张方子交给青岚，青岚只是道谢，笑得极为礼貌，可心中却是半点都不情愿吃他的药。

沐大夫开了药方之后就走了，青岚立刻起身换衣，事关重大，不容耽搁，她必须将此事告诉杨云溪或皇上。

换好衣服已经是筋疲力尽，毕竟身体刚刚恢复尚显孱弱。连翘见了关切地要去搀扶，青岚面色苍白道："我有些气闷，出去走走，你不必管我。"

说着就慢慢挪着走了出去，紫宸殿距她较为近一些，不过皇上尚未下朝，青岚去那边转了一圈也没见人，所以打算去找杨云溪。

花园里倒是安静，连个宫女、太监的都不曾遇到。青岚走着走着忽然觉得一身冷风吹过脊背，心中顿时抖了抖，还没来得及转身，忽然自身后伸来一只手，将她的手臂反剪在背后，另一只手用力捂住了她的嘴巴！

青岚还没来得及呼救，当即就被制服。剧烈的挣扎中，她似乎看到晋王那张平和温润的脸依稀闪过视线，她想要张口向他呼救，但晋王却只是默默地望着她，嘴角还带着一抹似有似无的笑意。

青岚三两下挣扎过后即昏厥过去，被人轻松地扛在肩膀上带走。

晋王这时才默默地闪出身来，望着挣扎中不知道什么时候掉落在地的白玉环佩，水波不兴的眼底，似乎微微泛起苦涩的光。

"对不起，青岚。"

他在心中暗自叹息，然后缓步上前，将白玉环佩捡了起来。

"跟着他们。"

晋王沉声开口，一道黑影顷刻间自他身畔悄然掠过，径直尾随着沐太医的身影而去。他将白玉环佩收到怀中，然后毅然朝着另一个方向走去。

　　杨云溪很快就接到一个让他无比头痛的消息，当日被抓的黑衣人在牢中被杀，虽然留下口供，但是没有证据，就算是向皇上禀报，也无法彻底追查出更多的线索将赵德昭定罪。检验完尸体，杨云溪思前想后，还是决定去紫宸殿禀报实情。一进门就看到晋王正坐在那儿喝茶，一边与皇上有说有笑。他连忙上前请安，皇上抬了抬手，道："正巧呢，光义说他有事儿找你，起来说话吧！"

　　杨云溪不知道晋王为什么突然找自己，就看到晋王笑着从怀中取出一块白玉环佩递了过来，问道："云溪，这是你的玉佩吧？"

　　杨云溪定睛一看，那是他送给青岚的那块玉佩，怎么会突然到了晋王手中？目光中刚流露出疑惑，就听到晋王又道："刚刚经过偏殿的花园，就看到玉佩掉在了草丛里。我曾看你戴过，所以就给捡回来了。"

　　杨云溪只得实话实说："回王爷，玉佩微臣送给了青岚。"

　　晋王笑得别有深意："哦，原来是这样。"

　　皇上在旁接话："青岚的身子怎么还没好就跑出去了？朕刚才还让太医院派太医过去为她诊脉来着，不能让……呃……王继恩，今儿去的是哪位太医来着？"

　　"回皇上，是沐太医……"

　　王继恩答话，还不忘顺嘴夸上一句："沐太医虽然年轻，但是医术却是极为不错的。"

　　皇上扫了晋王一眼，见他慢悠悠地把玉佩还给了杨云溪，而杨云溪虽然表情淡然，但是眼中却透着关切，于是笑道："不知道沐太医会不会扑个空，走，咱们一起去青岚那儿走一圈，正好把玉佩还给她。"

　　皇上率先起身，众人自然不敢怠慢，銮驾一行顿时往青岚所住的院子行去。杨云溪越想越觉得有些奇怪，他走时青岚明明好好睡在床上，怎么可能没过多久就跑到偏殿的花园去？她走的这个方向……依稀是朝着勤政阁去的！

　　王继恩通报，结果只看到连翘一个人跑了出来接驾。皇上奇道："青岚呢？"

　　连翘应道："回皇上，姐姐说有些气闷，要去外面走走。这会儿还没回来呢！"

　　"不会是掉了玉佩，所以还在花园那边到处找吧？"

王继恩小心地猜测着，晋王摇摇头："臣弟捡到玉佩的时候，并没有看到附近有人。"

杨云溪总觉得心中有些忐忑，不知道为什么就紧张起来，问道："青岚出去之前，有什么人来过吗？"

连翘点点头，认真回想："只有太医院的沐太医过来给姐姐把过脉，还开了方子，他走了之后，就再也没有人来过了。"

"青岚身子弱，让人四处找找吧！"

皇上当场发了话，于是王继恩会意地当场喊来一群宫女、太监，让他们四处去找。

杨云溪不放心，也跟着一起去找人，但是大伙儿快把往偏殿花园这一路翻了个遍，就是没有青岚的影子。

皇上此时已经回到了紫宸殿，临走时把寻找青岚的事情全权交给杨云溪处理，并要他及时通报。杨云溪记挂青岚，全然忘记了要把赵德昭串通辽人的事情告诉皇上。

正在此时，忽然有人通报来找杨云溪，说是杨管家从府中送信过来。这倒是让杨云溪惊讶了一下，抬手接过信函，缓缓拆开。

信函中只有薄薄一页，却夹着块水绿色的碎布，似乎是衣襟一角。

杨云溪顿时将眉头紧锁起来，掌心收拢，那块娇嫩清新的莹绿被握成褶皱的一团，正如同他此刻的心情一般。

原来竟是他绑走了青岚。

杨云溪定了定神，把信函重新折好，连同那块布一起重新装进去，转身朝出宫的方向走去。

卫幽快步走来，刚想开口喊杨云溪，就看到他脚步匆匆，身形一晃便已经在数丈之外。他心中十分诧异，众人都在寻找青岚，杨云溪独自一人这是要去哪里？鬼使神差的，卫幽便加快了脚步，尾随杨云溪而去。

杨云溪调任之后，卫幽便升为暗卫首领，他能以商贾之子的身份深得皇上重用，武功人品自然都是一等一的，甚至说在轻功方面，他可能还能略胜杨云溪一筹，假如卫幽铁了心要不让杨云溪察觉的话，杨云溪便必然发现不了他在身后跟踪。

杨云溪接到的信函上写了地点，是汴京城郊一个幽静的宅院。此刻大门紧闭，门口空无一人。杨云溪站在门口看了一会儿，却不抬手敲门，忽然飞身跃上屋顶，安静伫立，观察着院内的地形。

"侯爷既然来访，又为何不进来？"

沐双自花园的林间闪身而出，他身材修长，看起来倒是颇有几分医者的仙风道骨，只是目光炯炯有神，带着毫不掩饰的肃杀之气。

杨云溪见状便自高处一跃而下，落在沐双面前，双手负后，沉着从容，直盯着来人露出充满威慑力的表情："约我来的人，不是你。"

沐双笑得十分坦然："那又如何？"

杨云溪懒得跟他废话："青岚呢？"

沐双抬手轻轻一拍，立刻有两人拖着一个青衣女子走出来，然后将她丢在一旁地上。杨云溪快步到她身边，抬手将她扶起，却见垂落的漆黑长发之下，一道阴寒的杀意骤然闪过，匕首自衣袖中抽出，直奔杨云溪的要害而去！

卫幽正躲在暗处观察，见状吓了一跳，正打算出手相救，就看到杨云溪已经察觉危险，反手扣住对方的手腕用力一扭，竟然是将那女子整个人连同匕首一起重重摔了出去！

青衣女子惨叫一声，杨云溪手中雪亮的蝉翼刀已经如同闪电般破空而出，径直刺入对方的要害，一线殷红炸开，杨云溪反手将刀一抽，再度喝道："青岚呢？"

卫幽依稀明白过来，看来是有人绑架了青岚，意图借此谋害杨云溪。看对方这架势，是不想让两人活着回去了。他悄悄弯下身子，施展轻功，如同一只燕子一般，当即朝着院子的另一个方向掠去！

见杨云溪一刀就解决了那个杀手，沐双并不觉得意外，指着地上的尸体朗声笑道："你怎么知道，她不是青岚？"

杨云溪目光沉稳，表情镇定："她不是。"

青岚是什么模样，恐怕没有人能比他更加清楚了。只不过一眼的工夫，他就能分辨出她并非青岚，而是有人冒名顶替的。

沐双的表情很冷，带着几分尖刻的邪气："侯爷倒是好眼力啊！"

杨云溪心中仍然牵挂青岚此刻是否有性命之忧，于是又冷然喝了一声："二皇子想要什么，你不妨明说！"

他向来说话言简意赅，且直来直去，不愿意绕弯子，虽然此事看似跟赵德昭无关，但是正巧在他发现了二皇子与辽人勾结谋害吴越王的真相之后，青岚就被人有意绑走，联想之下，他便也不妨开口套套话，确认一下自己的猜测。

"此处环境优雅，风景宜人，二皇子想请侯爷夫妇在此小住，不知侯爷意下如何？"

沐双摊开手，表现得颇为礼貌。杨云溪抬眼环视周围，见静谧之中隐约可见刀光剑影，似乎是埋伏了不少人在此，假若他此刻说上一个"不"字，恐怕这群人就要一拥而上试图将他诛杀在当场了。

杨云溪略微往后退了退，选择一个对自己相对有利的位置。心中却在思索，就算他能将这些人击退，但青岚又怎么办？看来只能先挟持沐太医，然后试图逼他说出青岚的下落了。

既然心中已经有了主意，杨云溪立刻又往前挪了半步，冷然道："我不同意。"

沐双见状，冷笑道："既然侯爷不给面子，那么，我也只能冒犯了！"

说完朗声喝道："来人，请侯爷去客房休息！"

杨云溪早已经察觉这些人的存在，所以毫不意外，一见有人拎着兵器现身，当即果断地抬手扔出蝉翼刀。他的兵刃回旋自如，而且极为锋利，只听刀剑金戈撞击之声，众人还没反应，那薄若蝉翼的小刀已经将几人的刀尖剑尖齐刷刷给削了下来！

杨云溪后退，将身后大树作为屏障，闪身躲开攻击，反手蝉翼刀横扫，连续几声，众人的手腕纷纷中刀，被制服在地。沐双见状飞身上前，他不用兵器，躲开蝉翼刀之后就以一双手掌上前近身，向杨云溪发起攻击。

蝉翼刀适宜远距离攻击，但近身搏斗却并不灵活，杨云溪被沐双咄咄紧逼，无奈之下只能将刀收入袖中，以拳迎敌。

最终一场伏击只变成杨云溪与沐双二人之间的决斗，两人势均力敌，打得难解难分，只不过杨云溪心中顾忌青岚的安危，不敢对沐双下杀手，所以两人你来我往，却依旧打得不分胜负。

这时候忽然听到一声尖厉的笛音自院后响起，杨云溪立刻辨出这是紫鸾暗卫用以互相传讯的暗号，当即一惊，卫幽怎么来了？

这时候笛音又响，短长相间，声声急促，杨云溪一拳砸在沐双肩膀上，借力后退稍许站定，嘴角一勾露出冷然笑意。笛音之意正是通知他，青岚已经成功救出，他们将调人来此将对手一网打尽，要他尽量拖延一点时间。

但是沐双似乎是察觉到情势发生了变化，后退半步，摆了个招架的姿势。杨云溪上前主动出手，这次他没了顾忌，出手因此狠辣得多，沐双被他打得有些招架不住，连着被杨云溪在身上砸了好几下。他心思骤转，只得祭出下策，瞪着杨云溪身后大吼一声："二皇子！"

若他喊的是别人，杨云溪或许不会太注意，但他这么一喊赵德昭，杨云溪倒是信以为真，转身回头去看，见眼前空无一人，这才意识到竟然中计了，再转过头时，沐双的身影已经远去，再也追不上了。

这时候忽然有大队人马破门而入，全部都身穿捕快制服，腰间悬挂的令牌上写着"开封府"三字。杨云溪见状，知道来的全是晋王的人马，只是不知道他们怎么会来得这么快。

捕快头子不认识杨云溪，但是却认得殿前禁卫军统领的腰牌，确认了杨云溪的身份后便恭敬地向他汇报起事情的原委来。原来开封府接到密报，怀疑有人在此图谋不轨，晋王于是派出大批侍卫在附近四处搜查，终于在这里听到激烈的打斗声，于是他们就立刻冲了进来。

杨云溪清楚自己并非开封府的人，所以无权在此指挥开封府捕快，只是抬手指了指地上被他制服的众人，道："他们绑架了宫中尚宫，将我诱至此处，意图行刺……"

说到此处忽然听到一阵熟悉的脚步声，扭头一看，竟然是卫幽扶着青岚走进门来。青岚脸色越发苍白，只是见情势凶险，心中担忧杨云溪，见大批开封府侍卫将此处包围，当即就求着卫幽带她进来。

杨云溪看到青岚苍白的脸上笑意盈盈，发髻略有些凌乱，显然是未被礼遇，顿时心中又是疼惜又是不舍，连忙上前将人接在怀里。

卫幽见状，当即闪过一旁。青岚把杨云溪上下看了一番，确认他安然无恙，这才放心道："沐双呢？你抓到他了吗？"

杨云溪摇摇头，眼神中有止不住的失望："让他跑了。"

青岚赶忙安慰他："既然开封府介入此事，相信总能抓到他的。"

她说完这句话，又压低了声音紧跟着说道："你记得在崔尚仪房间发现的那个锦囊吗？上面的"林"字，我想，说的一定就是他，沐双应该只是他的化名，他的名字里，一定有一个"林"字。"

杨云溪听到此处，忽然心中有个名字一闪而过，他脱口而出道："萧林赫！"

卫幽在旁把此事听了个清楚明白，忍不住惊讶地看过来，显然那个名字让他十分意外。杨云溪意识到兹事重大，于是拉着青岚的手轻声问道："身子还好吗？"

青岚点点头，从杨云溪此刻的神情，她就能看懂他此刻心中的想法："我没事，我陪你一起入宫见皇上。"

杨云溪欣慰地看着青岚，她是懂他的，这让他觉得无比欢喜。

三人一同入宫觐见，马车上，卫幽有些惊讶地戳着杨云溪打听："你确定那人真是萧林赫吗？"

青岚在旁好奇地："萧林赫到底是谁？"

杨云溪抬眼朝卫幽使了个眼色，卫幽茫然地指着自己："我来说？"

杨云溪默默点点头，青岚于是很配合地揪了卫幽的衣襟摇摇："卫大哥，你给我讲讲呗！"

卫幽认命地揉着脑袋开始讲起了关于萧林赫的事情：他是辽人南院大王的独子，一直掌管着情报暗线，所有被派往诸国的探子，都是他的属下。

"他竟然亲自来了……"

青岚忍不住感叹，听起来这个萧林赫十分厉害，只是这般身份金贵的公子，怎么会轻易来到敌国皇宫之中？

"连理枝……锦囊的另一面，绣的是连理枝。"

青岚似乎是想明白了什么，可是又没有完全想清楚，只是崔尚仪临死前那一抹幽怨却不舍的眼神里，好像藏了什么不为人知的秘密。

在天愿做比翼鸟，在地愿为连理枝。

那个锦囊，或许应该是崔尚仪对萧林赫的承诺。青岚心中一震，用力抓着杨云溪的胳膊："崔尚仪并不是辽人细作，她那么做，是在保护真正的细作，也就是以太医沐双的身份混入宫中的萧林赫！"

假若他们是真心相爱的话，那么，萧林赫逃离汴京之前，一定会去的地方就是……

杨云溪和青岚对望一眼，心领神会，异口同声道："崔曦然的面摊！"

与君长相守

双龙会

崔曦然的面摊什么时候都是那样温馨，杨云溪跳下马车就看到唯一有人的那张桌子上伏着的背影，与萧林赫似乎十分相似，于是全身心戒备，蝉翼刀夹在指尖，随时等待出手。

青岚被迫留在车上，卫幽悄悄从旁边溜过去随时准备策应，但就听见崔曦然直起腰来笑道："不必这么麻烦了，现在，你们已经没办法把他带走了……"

她的语气中透着那么一点点的悲凉，卫幽走近了稍许，就看到萧林赫伏在桌上，面前放着一碗没吃完的榆钱面。他七窍流血，双目圆睁，似乎死前十分惊讶。卫幽当即朝着杨云溪做了个手势，两人都有些意外，从此情此景推断，应该是崔曦然在面里下了毒。但是，她的目的又是什么呢？

两人戒备地把目光转向崔曦然，青岚偷偷跳下车来躲在后面观望，就见崔曦然朝她招招手，道："青岚，你过来，我有几句话想对你说。"

青岚不敢轻易答应，看了杨云溪一眼，他轻轻点头，朝着她伸出手去，青岚扶了他的手，小心翼翼地走到崔曦然面前站定。

崔曦然忽然双膝跪倒在地，倒是把青岚吓了一跳。这时候崔曦然抬起头来："我听说，她在宫里的后事，都是你帮忙处理的，还有留在宫里的那些东西，恐怕也是你出了面，他们才肯退给我的吧？"

崔曦然对待青岚的态度十分客气，青岚摇了摇头，她当时感同身受，总觉得崔尚仪死得凄惨，就偷偷塞了些散碎银子给办理后事的太监，让他们置办了一口还算不错的棺材，将她体面地下葬，后来青岚又通过榆钱找到了崔曦然，于是就趁机把崔尚仪留在房中未被查抄走的首饰、衣物都找人送出了宫交给她。

青岚摇了摇头，抬手把她扶起来，笑容有些牵强："这只是我分内之事。"

"人情冷暖，锦上添花者多如牛毛，而能雪中送炭的却太少了。"

崔曦然说着抬手蹭了蹭萧林赫的头，举止竟然十分亲昵，看得青岚有些头皮发麻，忍不住往后退了一大步。

"你为什么，要杀他？"

青岚已经不是第一次这么近距离地接近一个死人，但是还是觉得有些心绪不宁。她毕竟不像是杨云溪那样见惯了杀戮，说话时显得有些紧张。她指着已经死了的萧林赫追问原因，虽然没有证据，但是青岚还是觉得从崔曦然的神态表情来看，她确实有最大嫌疑。

于是，她就忍不住开口，打算套一套对方的话。只是没想到崔曦然竟然没有否认，点了点头，言语温润地笑道："当然是为了报仇。"

她此刻抿嘴浅笑的模样让人看了遍体生寒，杨云溪这时候已经顺着她的思路推想了下去，问道："崔尚仪是为他而死？所以你要为崔尚仪报仇？"

崔曦然转过身面朝着杨云溪说话："不，我下毒，是为了给曦然报仇。"

杨云溪听到"曦然"两个字，所有复杂混乱的症结都在此时被解开。青岚这时候惊讶地指着对方冒出一句："你……你不是崔曦然，你是、是崔尚仪？"

双胞胎姐妹，花开并蒂，容貌相似甚至就连恋人都无法分辨。

"我们少年时便从镇江来到汴京谋生，是曦然率先结识了萧林赫，只是那时候他化名为沐双，师从黄老太医，正巧就住在我们家的隔壁……"

崔尚仪回忆起那段往事的时候，脸上忍不住露出了幸福的表情，年少青涩，却又满含真情实意，一切的付出和等待都是因为爱慕，一对姐妹都对这位年轻有为的大夫心怀情愫。只是后来皇帝选秀，她为了成全曦然和沐双，毅然选择入宫。

一别经年，她已位居尚仪之职，终于有机会出宫与家人团聚，却从崔曦然那里得知，沐双竟然是南院大王之子。禁不住曦然的苦苦哀求，她选择为他们保守秘密，并且以职务之便，帮助萧林赫将消息传递出宫。

"可是我没想到，原来他一直都在利用我们姐妹俩……"

崔尚仪说到此处，凝望着已经死去的萧林赫，暗暗留下泪来："他得知紫鸾暗卫正在暗自调查宫中细作，为了保全自己，他打算把一切都推到我身上。但是没想到那天我恰好有事出宫，为了掩人耳目，依旧让曦然打扮成我的样子留在房间。"

杨云溪这才明白，原来当日所抓的人并非崔尚仪，而是她的双胞胎姐妹。

"我得知此事时，曦然已死。我没办法入宫找萧林赫报仇，只能在这里等他。因为我知道，总有一天，他的身份暴露时，一定会想要斩草除根。而那时候，就是我唯一的机会。"

果然，终于被她等到了萧林赫。

"你知道他多少事情？"

杨云溪突然问，他意识到因为萧林赫死而中断的线索，此刻可以在崔尚仪这里重新串联起来。

崔尚仪拍了拍衣袖，骄傲地扬起下巴："很多，远比你所想象的还要多。"

青岚知道杨云溪想从崔尚仪那里得到些什么，只是要达到这个结果，可以有很多种过程，她不希望是最惨烈的那一种。她抬眼看向杨云溪，目光似乎在说："让我来吧。"

杨云溪知道，青岚从来都不是那种愿意多生事端的人，她向来奉行息事宁人。于是他合眼示意，表示默许了青岚的举动。

青岚于是上前一步，柔和地笑道："你协助开封府抓获辽人奸细有功，照例说，官府是会给你嘉奖的。"

崔尚仪不解地："可我……"

青岚立刻出言打断她："尚仪崔曦墨已经被圣上下令处死了，你忘了吗？"

她看着崔尚仪，嘴角含笑，又带着一点点提醒的意味，似乎在对崔尚仪说，这个世界上理应活着的，只有崔曦然。

杨云溪很快明白了青岚的意思，立刻转头看向卫幽，只是一个眼神，卫幽便心领神会："放心，这件事我不会告诉任何人。"

他和卫幽都是暗卫出身，行事作风自然江湖气息重了些，办事不拘小节，只要崔尚仪愿意说出实情，他们也就不介意给她一条生路了。

崔尚仪无奈地长叹了一口气，抿嘴悲伤道："是啊，如今，也就只有这样了。"

双龙会·喜盈门

因为崔尚仪提供的线索，潜藏在宫中的辽人细作终于被彻底清除，只可惜萧林赫的案件也只能终结于此，因为没有任何人能出来指证赵德昭——甚至就连崔尚仪对此事也并不知情。

杨云溪与卫幽将此事如实禀报给了皇上，皇上虽有疑心，但也只是将信将疑，并没有要他们继续调查，而是吩咐"此事可以到此为止"。

皇上的心中仍是向着自己的亲生儿子的，杨云溪也就无意再多说什么，他已经尽到了自己的责任，剩下的事情，也就听天由命了。

青岚休养了几日便回到紫宸殿侍奉，见皇上书桌上的奏折几乎多了一倍。

听皇上与王继恩闲谈时提起，吴越王的归期将近，那是诸多大臣上书奏请，要求皇上将吴越王扣留在汴京。期间皇上在这里分别召见了晋王和赵德昭，询问的都是关于对待吴越王的意见，结果晋王坚持放吴越王回国，而赵德昭则直言不讳，主张赐死吴越王，至少要将其软禁。

皇上听完二人之言，久久不语。青岚悄然奉上一盏清茶，但是心中却有了主意。一来她不愿意杀戮，二来晋王是她的旧主，卖个人情总是好的，而第三，也是最重要的一点，杨云溪已经与赵德昭结了怨，所以，绝对不能让他坐上皇位。

翌日，皇上设家宴招待吴越王，席间不但晋王与赵德昭悉数到场，甚至把尚算年幼的四皇子赵德芳都喊了来。

美酒飘香，宫人依次捧上诸多佳肴珍馐，丝乐声声奏响，皇上与众人倒是言谈甚欢，只是吴越王的面色似乎有点异样，或许是因为听到了诸多传言，所以有些担心的缘故。

一曲歌舞之后，便有一位身披轻纱的越女怀抱琵琶上前，先施了一礼，然后便坐下弹奏起来。

这一支曲子哀婉泣诉，正是吴越之地的清音曲调，皇上听得有些神往，吴越王更是热泪盈眶，几度欲言又止，忍住了继续听下去。

晋王悠然自得，戴着佛珠的那只手指尖勾起来，轻轻扣着桌面，随着乐曲打着节拍，似乎是听得很投入的模样。而赵德昭虽然表面上看来没什么异样，但是，青岚还是能看到他眼中燃烧的愤恨之意。

曲调盘旋而上，声声高转，如同杜鹃啼血，吴越王听到此处，终于忍不住愤然而起，合曲高歌道："金凤欲飞遭掣搦，情脉脉，看即玉楼云雨隔……"

皇上听到此句，目光骤然变换数次，从明到暗，不一会儿重又亮起来。杨云溪沉默地转头望向青岚，见她脸色平静，目光含笑，便知道这又是她的手笔，也不作声，只是看着一曲吴越歌要如何收场。

皇上一手端着酒杯，稳稳地自御座上站了起来，走向吴越王。

吴越王唱罢便有些后悔，只是当时感怀至深，情难自禁，只好下跪赔礼道："陛下恕罪，臣逾越了。"

心中忐忑不已，毕竟天子一怒，他便要在此刻血溅当场了。

皇上向他露出温和的笑容，抬起手来，轻而缓地拍着吴越王的脊背，笑道："如此佳音美乐实在难得，爱卿的意思，朕都听懂了。"

他的手仍是抚着吴越王的肩膀，复又拍了两下，道："既然爱卿担心，朕今日便把话放在这儿。有朕一日，吴越便一如往昔，断然不会有分毫改变。至于爱卿，你已经在汴京盘桓了数日，也是时候该回去了。"

吴越王用力揪紧了的一颗心瞬间松开，一身冷汗被风吹散，肩膀上空落落的，皇上的手不知道什么时候已经撤了回去。他当即俯身跪拜，言语感激真切："臣遵旨，谢皇上隆恩！"

青岚也跟着松了一口气，连忙朝着那越女挥了挥手，让她悄无声息地退了下去。

只是赵德昭的目光不善，在众人都并未曾注意的时候，阴森地自青岚身上掠过，最终落在了杨云溪的身上。

不管背后暗藏着多大的暴风雨，吴越王离开汴京，一切终于可以暂时归于平静了。

皇上下旨，要清平侯与青岚早日完婚，但毕竟杨云溪并非皇亲，所以多半事情都交给了府中的杨管家来张罗，侯府在短暂的时间里被修缮一新。青岚的嫁衣也由宫中的匠人们来缝制，皇上还赏赐了诸多珠宝玉器，又命钦天监挑选黄道吉日，恩宠程度甚至可以抵得上庶出公主的待遇。

出嫁之前，青岚独自到紫宸殿向皇上拜谢道别。高高的御座之上，皇上慈祥和蔼，见她来了，于是挥了挥手，王继恩便会意地率领众人悉数退下，让他们单独说话。

"起来吧，不必多礼。所有的事情都准备好了吗？"

皇上放下手中的奏折朝她看过来，青岚拎着裙摆起身，双手交叠握在身前，恭敬答话："回皇上，一切都妥当了。"

皇上抬眼端详着她，青岚在紫宸殿侍候多年，他看着她从稚嫩青涩的幼女，一点点出落成秀丽大方，温婉得体。她身上有白瑾画的聪慧明媚，也有属于她自己的平和坚持。他在心中默念，瑾画，你看到了吗？你的女儿，终于要出嫁了。

皇上不说话，青岚也不好接话，两人相对无言。沉默了一会儿，皇上这才回过神来，抬手自身边的桌子上取过一个褐色木盒，端在掌心，站起身来，一步步自御座上走下来。

青岚乖巧恭敬地闪身为皇上让路，皇上大步走到她面前，将盒子递过来，笑道："其实嫁妆，之前朕也送了不少给你了，这一件，原本朕是不舍得的，但是现在看来，还是应该交给你。"

青岚不知盒子里装的是什么，连忙跪下双手接过。皇上将她扶了起来，叹了口气道："这，是朕的遗憾……"

见青岚不敢动手，皇上干脆自己抬手打开了盒盖，红色的缎面上安静地摆放着一块色泽温润的琥珀璎珞。青岚顿时身体巨震，面前的这块琥珀璎珞，竟然与母亲留给她，后来又被她转送给杨云溪的那一块一模一样！

见青岚眼底流露出藏不住的诧异，皇上宽容一笑，慈爱地握住了青岚的手，笑道："别紧张，朕知道你也有一块琥珀璎珞，现在就在云溪身上，那是你娘留给你的，对不对？"

青岚这时候大脑一片空白，完全是无意识地点了下头，就听皇上又道："这一条，与你娘的那条，原本是一对的。"

只可惜他与瑾画今生无缘，只能彼此思念，却不能携手终老。

喜服的衣摆长长铺开，上面绣着的连理枝百合花色彩缤纷，栩栩如生。

青岚没有娘家，皇上便特意恩准她可以自宫中出阁，连翘帮青岚梳了发髻，捧来一对龙凤镯子戴在她的手腕上，柔声道："姐姐，祝你举案齐眉，夫妻和睦，早生贵子。"

青岚笑着拉紧了连翘的手答道："谢谢你，连翘。"

她的腰间挂了那块皇上赠予她的琥珀璎珞，耳边似乎还回荡着皇上那天对她说的话。他说，你的母亲，是朕今生最爱，也是亏欠最多的人。所以朕希望她的女儿，能够幸福。你的身份，朕早已经知晓，之前连翘观察了你很久，也都向朕禀报，认为你忠心可靠。请你不要怪朕多疑，毕竟你是李重进之女，要说半点防备都没有，那必然是骗你的。

原来，她在宫中最好的朋友，同时也是皇上派出的暗卫。

那种感觉，真是喜忧参半，一时间，竟然难以用言语来形容。接过瞳儿递过来的红盖头，抖开盖在头上，凤冠霞帔，珠帘垂落挡住姣好的面容。

瞳儿则是晋王派来监视她的人，那一天她被萧林赫挟持时，瞳儿也在附近，一直跟踪着她，所以，开封府的捕快才能这么快接到讯息赶到现场。

"走吧。"青岚低声吩咐，瞳儿便会意地搀扶着她，一步步往外走去。

这一路很长，因为被红盖头挡了脸，只能看到脚下方寸之地，所以走得很慢，她知道杨云溪就等在宫外，这一去，便从此再也不能回头。

从此，她便要依照她当初对他许下的承诺，帮他洗衣煮饭，和他共同携手，走完今后的路。

没有后悔，没有遗憾，她很庆幸遇见的人是杨云溪，那个让她放下前尘往事，坚定信念追求真正幸福的人。只是，此时此刻，她依旧无法预见他们的结局。她还欠晋王一个人情，她害怕晋王的要求，她曾经的身份，总有一天，会导致他们划界为敌。

登上马车，连翘在旁放下软帘，青岚闭了眼，低头将腰间的琥珀璎珞贴上脸颊，眼泪晕开冰凉一片，她忍不住轻轻呢喃：“娘，这样的幸福，我真的能一辈子拥有吗？”

清平侯府邸娶亲，娶的又是宫中的尚宫女官，由皇上亲自赐婚，消息自然早就传遍了汴京的大街小巷，迎亲的队伍一路上引来了沿途百姓的围观，唢呐锣鼓吹吹打打，洒下遍地热闹。

不知为什么，青岚总是觉得有些不安，不知哪里不踏实。迎亲礼节只是按照喜娘所说的行事，不知何时，她已经与杨云溪并肩站在了一派喜色的大厅里，准备拜天地。

青岚藏在宽大衣袖里的双手始终紧握着杨云溪送她的玉佩，冷玉都被攥出了温度，贴着手心，似乎能感觉到自己的心跳。

看不到身边那个冷傲如冰的男人此刻是什么表情，青岚猜测他表情沉默，目光却闪着暖意。

听着礼官的声音拖得悠长：“一拜天地！”

两人便俯身一拜，心中不约而同地默念：“天地今日为证，你我结为夫妻。”

杨云溪看不到青岚被红盖头遮掩住的容颜，只是一颗心狂跳个不停，那是他从年少时就认定的女孩，可是今日直到拜堂的这一刻，他还是觉得自己仿佛在做梦。

两人肩并肩而立，喜服璀璨宛若天边霞光，正是一对十分登对的璧人。

二拜高堂，只是杨云溪父母双亡，青岚也孤身一人，于是只是焚香祭拜。随后夫妻对拜，两人齐齐下跪，喜娘搀扶着青岚转过身，与杨云溪相对，两人又是一拜。

终于礼成，杨云溪愣了一下，礼官便催促着新郎揭开新娘的盖头。杨云溪有些紧张，双手抖着伸过去要挑起青岚的红绸盖头。红绸之下，低垂的容颜娇艳如花，眉目动人，脸颊飞红，眼波流转，顾盼生辉。

"且慢！"

忽然听到一声厉声呵斥，打断了这好端端的欢喜气氛。

青岚是新娘子，不好主动揭开盖头去看，但也依稀听出了这来人是谁。杨云溪循着声音看过去，就看到赵德昭神色冷峻地立于喜堂门口，身后跟着四名带刀侍卫，看举止做派，明显就不是为了贺喜而来的。

毕竟来人是当朝皇子，杨云溪率领众人上前见礼参拜。赵德昭神色轻蔑地轻哼了一声，扬起下巴道："都起来吧！"

杨云溪站起身来，拂了衣襟整理妥当，这才又伸手握住青岚的手，见她略微有些发抖，于是指节收紧，似乎是某种安慰。

青岚在他的安慰下渐渐平缓下来，杨云溪侧身上前一步，将她护在了自己身后，面向赵德昭问道："不知二皇子突然到访，有何贵干？"

赵德昭不怀好意地冷笑道："听说清平侯今日大婚，来讨杯喜酒。"

杨云溪将手一伸："既然是来观礼的，请上坐。"

赵德昭却动也不动，只是用目光撇了青岚一眼，道："不急，不急，有些话，我想问问新娘子。"

杨云溪神色凛然而威严，带着一抹被冒犯的怒气："二皇子若是来观礼的，就请上坐，我与青岚乃是皇上赐婚，若是二皇子有什么异议，不妨婚礼之后，与我一道面见皇上，再细说一二。"

他这话已经隐隐暗藏不满之意，但不愿意与赵德昭正面冲突，只能抬出皇上赐婚的圣旨来，希望能暂时压下赵德昭的锋芒。

但没想到赵德昭听了此话反倒笑了："云溪说得好，皇上之前确实曾为清平侯与尚宫陆青岚赐婚，但是，你身边这位新娘子，到底是不是陆青岚，现在可还不好说呢！"

青岚心中一震，赵德昭这话就像是一把锥子，狠狠刺入了她的心中。

虽然皇上已经知道她是李重进之女，或许杨云溪也已经知道，可是，她的身份毕竟还是不足为外人道也，假如赵德昭知道了此事，又趁机兴风作浪，就算皇上出面，怕是也保不住她。

杨云溪的表情倒是十分镇定，他向来处变不惊，所以赵德昭并未察觉他眼神中一闪而逝的异样神色，其实，他心中所担心的事情，恰好与青岚不谋而合。

唯一的不同，便是杨云溪只知道她冒名顶替陆青岚入宫，但并不知道青岚的背后，还有晋王这个人的存在。

青岚的心顿时怦怦跳个不停，她十分庆幸此时有红绸挡了脸，否则，她生怕自己此刻已经忍不住露出惊慌失措的表情了。

杨云溪挑眉反驳："二皇子何出此言？"

赵德昭胸有成竹道："我已暗中派人至陆青岚的家乡调查过，虽然她的户籍、人证、身份都无懈可击，但百密一疏，终于让我知道，真正的陆青岚，左手的手臂上，曾经有一块碗口大的伤疤，那是她小时候顽皮，不小心打翻了炭炉造成的。清平侯你不妨看看，你的新娘子手上，可有这块伤疤？"

杨云溪和青岚都是一愣，他们显然都不知道真正的陆青岚有这样一个印记。青岚只知道晋王为了安插细作，在各地购入许多不同的户籍。而陆家这这位小女儿是因为疾病身亡，晋王花了重金疏通，又将年幼的李秀儿送过去，让她就此顶了陆青岚的身份，而且顺利入宫，并未惹起任何人的怀疑。

现在怕是因为赵德昭有意为难他们二人，但杨云溪坚硬如冰，找不到什么可以下手的地方，所以只好从陆青岚身上着手了，没想到竟然碰巧被他查出这么一桩陈年往事来。赵德昭知道有了可乘之机，便带人赶来质问。

青岚的手臂无意识地往后缩了缩，心中有些害怕，她显然是没有那块伤疤的。杨云溪却只是冷然以对，反问道："二皇子有什么证据，能证明陆青岚的手上必须要有那块伤疤？"

赵德昭被他质问的瞬间哽咽了一下，他只是接到属下报告，说是查到些许线索，青岚的身份值得怀疑，但实质上并没有找到什么人证、物证。

"我说有，便是有！没什么证明不证明的！"

赵德昭在与杨云溪的对峙当中气势落于下风，于是干脆懒得再跟他理论，当即将手一挥："来人！给我把这个假冒入宫、企图不轨的女人拿下！"

他身后的两个侍卫便要上前领命拿人，杨云溪自然不会答应，只是今日是成亲，身上并未带蝉翼刀，所以只能上前抬手拦着，一边怒喝："放肆！"

两个侍卫自然更认赵德昭的话，愤然上前想要表现一下，但是却完全不是杨云溪的对手，杨云溪只轻轻抬手，便将两人当场给横着摔出了喜堂。

"不是拜堂吗？怎么打起来了？"

一个声音自门口传来，温润和煦，锦袍的衣襟随风飘动。一个身影不知道什么之后出现在众人的视线里，一手拎着一个酒坛，另一支手上还带着紫檀木佛珠，笑容清朗。

杨云溪松开手，上前恭敬参拜来人："见过王爷。"

来的正是晋王赵光义，青岚听到杨云溪拜见的声音，立刻也凑上去福了福。她看不到人，但听声音，晋王的气势显然没有赵德昭那么强势。赵德昭十分不满被人拦了个正着，而那个人又偏偏是位高权重的晋王，于是气不打一处来，只是拱手拜了拜，不冷不热地问候道："见过皇叔。"

众人顿时黑压压跪了一地，晋王笑着依次将杨云溪和青岚搀扶起来，以表重视，这才转头看向赵德昭，悠然问道："本王来晚了，不知道这拜堂拜完了没？我可带了上好的女儿红来贺……"

说着扬起手中的酒坛，杨管家立刻会意地上前接过来，杨云溪欠了欠身，道："谢王爷。拜堂还没完。二皇子对此有些异议。"

晋王挑眉好奇道："哦？德昭，你对这桩婚事有何异议？"

赵德昭一心要让杨云溪难堪，这会儿见晋王发问，心中灵机一动，开封府若是插手此事，必然要比自己来管更好些，于是他当即照实说了，抬手照着青岚一指，道："这个陆青岚，她是假的！"

"你胡说！"

青岚知道此刻自己再不出言反驳，就要坐实了这个指控，于是双手将红盖头一翻，露出一张清丽的面容来。

赵德昭冷笑："我胡说还是实话，你自己心中有数！"

青岚正欲开口反驳，忽然听到晋王出言一声呵斥："够了！"

两人都被喝住，见晋王立于原地，脸色肃穆，于是不约而同被他的气势震住，都不敢再开口说话。

杨云溪知道青岚的身份有异，却是不好解释，赵德昭看来又死咬着不放，实在是有些麻烦。但是想到只要青岚不是落在赵德昭手中，应该还有机会从中斡旋，找到办法来替她开脱，于是干脆一掀前襟，朝着晋王跪拜，朗声道："还请王爷主持公道！"

他这话便是暗中指责赵德昭故意为难，赵德昭听了气不打一处来，于是也朝着晋王拱了拱手，半求半命令地道："请皇叔为德昭主持公道！"

"既然如此,那此事,便交由本王彻查,"晋王将双手负后,转头看向青岚,从容道,"只是要委屈青岚姑娘,到开封府走一趟了。"

听到晋王这么说,青岚便知道他管定了这件事,心中倒是没有之前那么担心了。她朝着晋王跪拜,语气婉转带着几分哀求的意味:"青岚愿意跟王爷去开封府,但是,请王爷恩典,容青岚与云溪举行完婚礼。"

听她这么说,赵德昭在旁又想开口,晋王抬手将他拦住,沉声道:"只是掀个盖头而已,就让他们去吧!"

说着退到一边,赵德昭见晋王如此,自己也只能悻悻地站到一边去。

青岚重新站起身来,抬手稳稳将盖头放下,杨云溪心领神会,缓步上前,抬手捏住那红绸盖头的一角,然后毫不犹豫地用力掀开。

青岚的眼中闪着泪光,嘴角含笑,望着杨云溪,温柔地喊了一声:"云溪。"

杨云溪一贯冷然的脸上露出了难得的笑意,他勾起唇,点着头应了一声。

这一声虽然不是什么甜言蜜语,但是对于青岚来说,足以胜过一切山盟海誓,她深吸了一口气才竭力压抑住心中涌动的暖流,轻声道:"等我回来。"

时光回溯,仿佛是那时候他身负重任独一人前往南唐,分别时,他也曾经说过那样一句,我很快就会回来。

只要彼此相爱,一切的等待就有意义。

她低头看到杨云溪腰间挂着她赠予他的琥珀璎珞,闪着晶莹温润的光彩,与她腰间所佩戴的那一块交相辉映,仿佛是相约相守一生的承诺。

皇上曾经对她说过,琥珀璎珞一直都是一对,只是相爱的人不能相守,它们便被迫分离,天各一方。

但是终有一天,相爱的人相聚,它们也会再次重逢。

青岚永远记得皇上说起这句话时那忧伤的语气,他与白瑾画天人永隔,所有的遗憾,都化作了他对自己和杨云溪的祝福。

杨云溪抬手为她整理了领口和衣襟,抚平上面的褶皱,牵起青岚的手,略带鼻音地嗯了一声,表示对青岚所说话的回应。

青岚朝他笑笑,她不想让晋王久等,此刻她心中十分清楚,到了开封府,晋王一定有话要与她单独说。

她将手按在杨云溪的手上拍了一下,然后毅然转过身去走向晋王。

赵德昭见这一场婚礼就这么硬生生被搅散了,心中略微满意,他冷哼了一声，看也不再看他们一眼，只向晋王拱了拱手，道："此案何日开审，劳烦皇叔提前通知一声，德昭必定前去听审。"

晋王点点头："那是自然。"

赵德昭撇了撇嘴，带领四名侍卫扬长而去。

晋王朝着杨云溪安慰道："你与青岚是皇兄赐婚，此事我稍后便会上奏皇上，若是德昭无中生有，我必定还你们一个公道。"

其实三人心中都知道青岚的身份有假，但是谁也不能戳破，就这么各自演着。杨云溪低首："多谢王爷。"

青岚跟着低首道谢，临走前又依依不舍地望了杨云溪一眼，随同晋王一起离去。

晋王说一不二，当即就派人向皇上禀报。他登上马车，转身看着准备随侍在外的青岚，朝她伸出一只手："上来吧。"

青岚没敢动，晋王的这个动作，不知道为什么竟让他想起当年她被他所救时，他也是这般言语温和地对待。只是时过境迁，她如今已经位居尚宫之位，更是御赐的清平侯夫人，而并非教坊里那个卑微到不值一提的幼女。

假如有人非要毫不留情地掀起她最惨痛的过去，那么，为求自保，也不要怪她出手无情了。

青岚果决地伸手送入晋王的掌心，与他一同登上马车。

双龙会·恋无情

摇摇晃晃的马车里，晋王靠着一个软垫，一手捏着佛珠，口中念念有词。青岚坐在他对面的角落里，双手抱膝坐着，但思绪飞快地转个不停。

"想到办法了吗？"

晋王念完经，重新睁开眼睛望着她，青岚认真而郑重地点了点头："上、中、下，有三策。"

"哦？"晋王显得十分好奇，朝着青岚扬了扬下巴，"说来听听。"

青岚缓缓坐直了身子，沉声道："下策最容易，但效果甚差，最多，只能欲盖弥彰。"

见晋王目光闪亮，显然是十分想要知道详情的模样，于是青岚指了指一旁放着的茶壶，抬手假装执起，又伸出另一只手臂，缓缓做出往下倒水的模样。

既然赵德昭派人查出的证据是真正青岚手上的伤疤，那么，升堂时必然要当中查验，如果手臂突然被烫伤，无法查验伤疤，又当如何？

"虽然容易脱身，但怀疑却是免不了的了。"

晋王做出评论，听青岚讲得头头是道。青岚所说确实只是权宜之计，但若要彻底免除怀疑，光靠这个确实不行。

青岚点点头，她的意见与晋王一致："混淆视听，欲盖弥彰，二皇子既然想要知道真正的陆青岚什么样，我们就给他足够的信息。"

晋王几乎笑出声来："这是中策？"

青岚露出极为认真的表情："是的。"

晋王顿时忍不住朗声大笑："好一个欲盖弥彰，混淆视听！"

赵德昭既然想要证明现在这个陆青岚是假的，那么，必然不会只靠目前手中的一点点证据，他势必会让人继续追查，索性就让他放开了查，查到的信息越多越杂，就越不好证明其中哪条是真哪条是假。

青岚抿了抿唇："可惜这些都算不上是最好的办法。"

晋王好奇道："那么，上策是什么？"

青岚扬起脸，淡然沉稳的神色中，双目敛着些许危险的光芒："釜底抽薪。"

晋王眯起眼眸上下打量她："你想怎么做？"

青岚轻声道："陆青岚可以是假的，但李秀儿，总归是真的。"

晋王忽然将眉毛一挑，顿时眼眸中大放光芒："你可知光凭'李秀儿'三个字，意味着什么？"

青岚低头道："反贼之女，永不翻身。"

她说这话的时候，抬手轻轻拨弄着腰间佩戴的琥珀璎珞，秀美的配饰垂下半长的流苏，随着青岚指尖的动作摆动着。

她淡淡又道："但李秀儿，并非只是李重进的女儿。"

晋王盯着青岚看了片刻，忽然大笑道："青岚，你还真是让本王觉得意外啊！"

李秀儿，是白瑾画的女儿，而白瑾画，是当今圣上最爱的女子。如果说这个世上还有谁能救下李秀儿，那么，想必也只有当今圣上一个人了。

青岚浅笑着摇头长叹："其实，王爷一早就什么都知道了，是吗？"

曾经以为晋王救下她只是巧合而已，但现在想来，教坊中的李氏族亲女眷那么多，他为什么偏偏就带走了她一个人？

当皇上主动揭破她身份的那一刻，青岚忽然想明白了很多事情，为什么晋王将她送入宫中，又为什么恰巧就安插在紫宸殿内。那是因为他早就知道，就算青岚的身份被皇上拆穿，皇上也一定会因为白瑾画而为青岚保守秘密。

晋王合上眼睛，沉默不语。

思绪仿佛又回到了那一年的烟雨江南，金陵古城繁华奢靡，他正值少年，初次独自一人离家外出，是为了帮哥哥向白家小姐瑾画送信。

他的戎马半生中曾经遇见很多人，但却有一个人，始终在他心上，从未离开过。

那一年，在白家大门口，他遇见了来访的阁老之女，虽然只是匆匆一瞥，她从未将他看在眼里，放在心上。但是，却只因为世间那匆匆的相逢与邂逅，他竟然对她，一见钟情。

周阁老膝下有两位千金，一位惊世绝艳，风姿傲骨；另一位娇美温柔，似水如烟，而这一对姐妹花，最终都嫁给了同一个人：南唐国主，如今的违命侯李煜。

世间诸法，如烟似幻，唯有求不得苦。

当今圣上最终未能与白瑾画结为连理，而晋王对大周后的一腔思念，也只能默默收藏在心里，无处倾诉。

他懂得那种遗憾，正如同他第一次看到小周后时，眼前浮现出的，竟还是十几年前，他初遇大周后时，她那张仿佛未带半点人间烟火的淡淡笑脸。

所以，他知道，假如白瑾画的女儿在自己手中，那么，便多了一张克敌制胜的王牌。

他派人暗中查找，终于得知李秀儿并没有死，而是被误认为是奴婢而送了教坊，于是他亲自前往，想要把人从教坊中带出来，没想到恰好遇见了自楼上一跃而下的年幼女孩。

仿佛冥冥之中，有一双无形的手，正在缓缓推动这一切。

"看来，皇兄已经知道了……"晋王从思绪中回过神来，将佛珠平摊在掌心，朝着青岚招了招手，"青岚，你过来。"

青岚不知晋王的用意，但是又不敢违背他的命令，于是小心地挪了挪，只蹭了半个身子过来。晋王看得出她眼中的戒备，于是无奈一笑，抬手拖过青岚的手腕，将手上的那串佛珠套在她的手上。

青岚只觉得手腕上一暖，紫檀佛珠颗颗圆润，竟然带着妥帖的温度，她惊讶地抬起头，顿时更是想不清楚晋王到底意欲何为。

晋王拍了拍青岚的手，笑道："别紧张，这只是个信物。你带着我的佛珠，开封府中，便不会有人为难你。"

否则，开封府暗无天日的大牢里，谁会有空去顾及一个小姑娘的死活？

青岚垂下眼眸，俯首拜谢："谢王爷。"

她和晋王如今又要携手合作，既然如此……青岚鼓起勇气，抬眼迎着晋王的目光看去："有件事，奴婢觉得，还是有必要让王爷知道……王爷可知道，为何二皇子一直针对奴婢和云溪？"

赵德昭与萧林赫联手设计谋害吴越王之事，杨云溪是秘密禀报给皇上的，所以晋王在宫中的细作并未得知，晋王也就不可能知道，否则，依照他的雷霆手段，赵德昭早就要从高高在上的九霄云天跌落在地了。

赵德昭决不能登上皇位，否则，她和杨云溪将永无宁日。所以，为今之计，是给晋王一个让赵德昭彻底失去太子之位的机会。

"哦？萧林赫与德昭，这倒是新鲜了。"晋王听了忍不住感叹一二，自己这个侄子果然愚蠢得可以，竟然自掘坟墓。

"只可惜萧林赫已死，再无证人可以指证二皇子，云溪和卫幽虽然亲耳听到，但是，皇上似乎并不太相信。"

青岚将详情一五一十都说了，晋王听完当即心情大好，道："有无人证其实并不重要，重要的是皇兄是否相信。"

青岚不解："皇上似乎并不相信？"

晋王浅笑摇头："不，他相信。"

他与皇上感情甚笃，比起常年在外的儿子赵德昭，晋王更了解他哥哥的脾性和心思。皇上其实已经相信了，但是因为那是他的儿子，所以他隐而不发，只要赵德昭懂得收敛，不再重蹈覆辙，他完全可以当此事没发生过。

"德昭太天真了，竟然会相信那些辽人，"晋王笑着摸了摸下巴，"不过，经你这么一说，本王倒是有了一点新的想法。"

皇上即将用兵北汉，辽人利用赵德昭，只是因为不愿意看到宋朝势力继续扩张，以威胁到他们的燕云十六州。而赵德昭的目的，恐怕也是为了皇位吧？想到这里，晋王摆了摆手，笑得有些得意："青岚啊，看来，你欠着本王的那一份人情，很快就是该还的时候了！"

青岚不敢去看他的笑容，总觉得那样的笑容里，带着几许让人不寒而栗的杀意。

晋王到底要自己做什么？青岚在心中暗暗地想，他果然还是跟以前一样，总是那么让人琢磨不透……

马车到开封府门前停了下来，晋王吩咐人将青岚带去大牢暂时关押。原本众人都是对她不屑一顾的，但是一看到她手腕上的佛珠，立刻就变了脸色，不但态度殷勤和蔼，而且还将她安置在一个相对干净舒适的单间牢房里，又让人给她送来了食物和水。

青岚前脚刚坐下，杨管家后脚就到，送来了衣物和一些必需的生活用品，然后又将开封府大牢的上上下下仔细地打点了一番。只是知道晋王治下甚严，所以钱财之类是绝对不能送的，但这方面的庶务杨管家确实也是不亚于王继恩的高手，所以置办的小礼物虽然不是昂贵，但却让众人收得理所应当，心中欢喜，自然也就睁一只眼闭一只眼，让杨管家把东西全数送进了牢房里。

青岚看着杨管家忙得满头大汗的模样，心中十分感激又感动，连忙道谢。杨管家十分亲切地上前握起她的手回应，却趁人不备偷偷将一张字条塞进了她的掌心。青岚心领神会，悄悄收了手，用垂下的衣袖掩起来。

杨管家走了，青岚见四下无人，便把字条拿出来看。字迹是杨云溪的，笔挺刚硬，看起来似乎是匆匆写就，因此有些潦草。青岚只扫了一眼内容，便将字条塞入口中，毅然吞了下去。

这才长叹一声，整个人靠在墙壁上，有些无力地望着天花板。

杨云溪已经进宫面圣，想必是向皇上寻求解决的办法。虽然确信皇上会想办法保住她，但是，此事并不容易，况且，要如何堵住众臣的悠悠之口？

青岚虽然在晋王面前表现得从容得体，但是独自一人时，忍不住又有些胆怯了，脑海里反复闪过的，都是"假如皇上救不了自己该怎么办"的念头。

假如真的要死，临死前，她还想再见杨云溪一面，亲口向他告别。可是，她真的不甘心就这么死去，他们明明已经拜堂成亲，可是为什么偏偏不能携手终老？

她不甘心！

所以，一定要想办法活着，一定不能放弃。

青岚睡不着，思绪凌乱，却十分坚定。她给自己换了身衣服，靠墙端坐，静静闭目养神。不知道过了多久，终于有人又来与她说话："陆青岚，府尹大人传你上堂！"

青岚睁开双眼，看着面前两个衙役打扮的人站着，于是站起身来，施了一礼，道："两位大人，可否为我找一盆水来，我想梳洗一下。"

那两个衙役面色略显惊讶，似乎是从未见过上堂前还如此气定神闲的女子，再加上她戴着晋王的佛珠，想来必定不是普通人，于是两人对望一眼，其中一人便出去打了一盆水回来，放在青岚面前。

青岚道了谢，在两个衙役的注视下，不紧不慢地蘸湿了一片衣襟擦去脸上有些花掉的妆容，整理好发髻，又对着水面照了照，只觉得自己的仪态不算失礼于人前，这才转过身来，走了出去。

这一案举报人是二皇子赵德昭，被举报人又是宫中尚宫、清平侯夫人，甚至连皇上都已经知晓此案，未曾表态，只是将此事交给晋王全权处理。

晋王升堂主审，着官服，两旁各有四名衙役站立，手持红漆木杖，气势威武肃穆。

赵德昭坐于晋王身侧，目光傲然中带着轻蔑，但出乎青岚意料的是，杨云溪竟然不在这里。

她目光回转，四处扫过，都没有看到熟悉的身影，心中不禁一阵诧异，究竟是什么事情，让杨云溪来不及赶来听审？

青岚竭力让自己保持镇静，缓步走进厅堂，抖开衣襟，盈盈跪拜："奴婢见过王爷、二皇子。"

赵德昭冷哼一声懒得说话，晋王倒是笑得十分和蔼："陆尚宫，哦不，应该说杨夫人，不必跪拜，起来吧！"

"皇叔，这似乎不合规矩吧？"

赵德昭见晋王让青岚起身，于是出言反对。晋王依旧是笑："杨夫人此时仍是尚宫，官职从五品，并非戴罪之身，依例，可以站着答话。"

他说到此处停了停，又接着道："不过听说前些日子勤政阁中进了毒蛇，杨夫人不慎被咬伤，身体尚未恢复，不宜久站，本王觉得，还是赐个座位得好。德昭你觉得如何？"

赵德昭被气得要命，刚想开口反驳，就听到晋王飞快地挥手命令道："来人，赐座！"

青岚盈盈拜谢，低下头时拼命忍住笑容，在对付赵德昭这方面，晋王显然是比较有心得的。

在一旁坐下，青岚不自觉地将手覆在腰间的琥珀璎珞上。赵德昭抬眼看向晋王，似乎是等着看他要如何审理此案。晋王一只手按在面前的桌案上，收敛了神色，沉声问道："杨夫人，本王接到二皇子举报，质疑你并非真正的陆青岚，关于此事，你作何解释？"

青岚抬起头来，言语清朗，眼神澄亮，没有一丝畏惧："奴婢不知如何解释。"

她不做任何解释，落落大方的态度倒是看得赵德昭有些恼火，忍不住插话道："我看，你是无话可说了吧？你编造身份入宫，必然是图谋不轨，其心可诛！"

青岚不看他，只看向晋王，目光诚恳："奴婢不知二皇子何出此言，奴婢的身份、户籍，自入宫时，都曾经被核对查证，一切清清白白，毫无可疑之处。奴婢在圣上身边侍奉已有两年有余，若有不轨，怕是早有动作，又何必要等着二皇子来揭发奴婢的身份？"

她这话说得倒是合情合理，青岚的身份是晋王亲自安排的，怎么会那么轻易被人查出破绽？

"就知道你不会认！但是，我有证据在手，不怕你不认！"

赵德昭似乎成竹在胸，得意扬扬地拍了拍手掌。晋王眯起眼眸看他，似乎是对他喧宾夺主的行为非常不满。

青岚抬头就看到有人领着一个普通百姓打扮的男人走上堂来，那人身形佝偻，似乎没见过这么大的场面，有些心惊胆战。

他颤抖着在晋王面前跪下行礼，晋王眨了眨眼，似乎是不以为然地瞥了赵德昭一眼，但并没有跟他说话，只是一边打量着来人一边问道："来者何人？"

216

与君长相守

双龙会

男人跪在地上不敢起身，语气孱弱地："小民……小民名叫孙志，是、是、是……"

他支支吾吾地说不出一句完整的话来，赵德昭轻蔑地撇过头接话："他是孙志，陆青岚儿时的邻居。"

晋王侧过头，目光直直落在赵德昭身上，眼眸中忽然精光一闪，赵德昭顿时被吓了一跳，就听到晋王沉声说道："德昭，此乃开封府，本王才是府尹，无需你来提醒本王要如何审案。"

这话已经是明显不满，赵德昭被这一警告，顿时有些敬畏地缩了头，悻悻答道："是，我知道了。"

说完便闭口不言，晋王又看向孙志，问道："你说你是陆青岚的邻居？"

孙志这会儿稍稍缓过来一点儿，于是伏地答道："小民的父母，与陆家父母乃是旧识，同样住在长兴顾渚山脚下的昌吉村。"

"那么，你可认识此人？"

晋王抬手一指，正指向一边端坐的青岚。孙志仔细看了几眼，期间一直摇头。

晋王便道："这便是陆青岚。"

青岚随着晋王的介绍，朝着孙志欠身施礼问候。

孙志摸了摸头，道："小民与陆青岚认识时年纪还太小，十岁时便跟爹娘搬走了。唯一记得的是与她玩耍时，不慎打翻了炭炉，她的手上因此被烫伤，留了伤疤。"

"杨夫人，你手上可有伤疤？你可记得此事？"

晋王转头问向青岚，青岚摇了摇头，道："奴婢早已不记得此事，也不曾有这块伤疤，更不记得有过这么一位邻居。"

"你何必抵赖？"

赵德昭在座位上冷冷出声："莫非你的身份背后，还藏着什么见不得人的秘密？"

青岚沉默不语，只是看向晋王，晋王漠然道："双方各执一词，本王也无法判断真伪。德昭，你是否还有什么其他的证据？"

赵德昭笑得邪气四溢："皇叔想要证据，侄儿这里恰好有一些，只不过，案情重大，想必皇叔应该不想让那么多人都听到吧？"

听这话的意思，是想要与晋王单独谈谈了。

晋王挥了挥手屏退众人："你们都先下去，本王倒是要好好看看二皇子的这份证据！"

他刻意将"证据"二字咬得重重的，赵德昭露出得意的笑容。青岚心中禁不住狂跳，不知为何，她总觉得赵德昭的这份证据来得突然，更有不好的预感。

众人退下，大堂里只剩下晋王与赵德昭二人。晋王依旧端坐，赵德昭却站起身来，走到晋王面前，双手撑在桌案上，看向他的叔父，语气放肆："皇叔何必明知故问，我这份证据是什么，陆青岚的真实身份是什么，皇叔恐怕比谁都清楚。"

晋王神色如常，甚至还带着笑容："哦？不妨说来听听？"

赵德昭笑得极为阴险："七年前，汴京曾经发生过一桩奇案，有人被当众割掉了一只耳朵。更有趣的是，不止受害人，就连当时在场的捕快、家丁，在此后数年中，有的举家迁离汴京不知所终，有的死于离奇灾祸。皇叔觉得，这件事是不是很稀奇？"

晋王点点头表示赞同："是很有趣。"

赵德昭接着说道："侄儿也觉得很有趣，于是派人深入调查，皇叔你猜，侄儿查到了什么？"

晋王不紧不慢地站了起来，步下台阶，走到赵德昭面前，浅声笑道："你查到，当日在汴京街头当众割掉那人耳朵的人，曾留下一个带有'延宜'字样的腰牌。"

赵德昭神色一变，他没想到晋王竟然如此坦然地承认了此事，原本他以为还要花上一番功夫的，他当即定了定心神又道："据说，皇叔当日伤人，是为了救一个幼女。想必那名从教坊中逃出来的幼女，就是今日的陆青岚吧？"

晋王双手负后站定，点了点头："没错，确实如此。"

赵德昭确认了一切，于是得意道："假如侄儿没有猜错的话，陆青岚入宫，是皇叔刻意安排的吧？只是不知道皇叔此举，欲意何为？"

晋王伸出手按在赵德昭肩膀上，笑道："德昭你何必明知故问。明人不说暗话，你有何要求，不妨说来听听？"

赵德昭轻哼一声笑道："皇叔何时这般好说话了？在朝中，皇叔可是向来说一不二啊！"

晋王浅笑着摇摇头："本王深受皇恩，岂敢怠慢？倒是德昭你，皇兄此番召你回京，原是有意许以重任，但你竟然与萧林赫之流谋害吴越王，自作孽，不可活啊！"

赵德昭反口道："皇叔又能好到哪里去？先逼走赵普，如今矛头又对准侄儿，你以为父皇心中对你真的没有半点防备？"

晋王用力按了一下赵德昭的肩膀，朗声大笑道："本王岂会不知？皇兄当日曾与我密谈，暗中出言警告，要我收敛一二。你觉得他突然调你入京，是为了什么？"

赵德昭道："父皇想要我们互相钳制，以维持朝中势力平衡。"

晋王大笑渐止，长叹一口气，道："可怜你我，把彼此当作对手，结果，却是给他人作了嫁衣！"

赵德昭听得此言，忍不住惊讶道："皇叔此话何意？莫不是……"

脑海中顿时灵光一闪，惊道："怎么可能？父皇竟然属意德芳？"

四皇子赵德芳虽然年幼，但是天资聪颖，只是谁也没想到，他竟然才是皇上心中最合适的太子人选。

晋王点头，语气笃定："皇兄原本在你和德芳之间尚有犹豫，但是得知你与萧林赫合谋的事情之后，心中便已经有了决定。只等攻下北汉，四海平定，便会正式下旨，立德芳为太子。"

赵德昭怒道："我不信！怕是皇叔不会那么轻易就让德芳当上太子吧？"

晋王反问："我为何不让？你与德芳，我自然更愿意选择辅佐他。依照他的性情品性，当上太子，对我而言，更为有利。"

赵德昭收敛怒意，渐渐平复下来，试图去威胁晋王："那么，现在呢？"

晋王坦然道："既然你知道了本王的秘密，那么，本王便给你一个提要求的机会。"

若是有第三人在场就会看出来，果然姜还是老的辣，赵德昭年轻气盛，但晋王任凭狂风呼啸，依旧从容自若，不失半点风度。

赵德昭傲然道："假如皇叔总归要辅佐一人成为太子，那么，不妨选我。"

晋王笑道："本王可以选你，但皇兄那边，要恕本王无能为力了。"

赵德昭不肯罢休："皇叔怎么可能没有办法？"

晋王低头沉思片刻，又道："也不是没有办法，只是，要看你的胆识了。"

此话语气中似乎另有深意，赵德昭还想追问，就见晋王淡淡一笑，抬手自怀中取出一枚令符，送入他手中："这一物，就当是作为你帮本王保守秘密，本王对你的谢礼。"

赵德昭低头一看，竟然愣在当场，掌心中的令符上面只刻着四个大字："青玉坛主。"

"这……"据他所知，青玉坛以暗杀和情报闻名江湖，而这一枚令符，看来乃是青玉坛主人所拥有的身份标记。

可晋王送他的，显然不只是一枚令符那么简单。赵德昭还想说话，但晋王笑着打断他的话："区区薄礼，不必在意。"

出乎青岚意料的是，晋王与赵德昭密谈之后，再度升堂时，赵德昭的座位上已经空无一人。晋王便朗声宣判："本王已经与二皇子商讨研究过证据，最终证明陆青岚的身份可靠无误，不必再审，退堂！"

惊堂木一下，青岚心中一震，她不知道晋王与赵德昭密谈之后到底达成了何种交易，假如不是这样的话，赵德昭想必是不会善罢甘休的。

晋王似乎看出了她心中的疑惑，于是朝她招了招手，笑道："杨夫人看来是累了，不如到后堂休息片刻，本王让人通知清平侯，让他来接你。"

青岚知道晋王这是有话想要与她单独谈谈。所以也就不再推辞，随着晋王一道步入后堂。

房间内摆放着一套茶具，青岚于是盘膝坐下，挽了衣袖，为晋王烹水煮茶。晋王看着她的一头长发此刻已经盘成发髻，记起她已经嫁给了杨云溪，于是禁不住感怀道："本王记得第一次见你的时候，你才七岁，没想到，一晃眼的工夫，你已经嫁人了。"

青岚看着水在壶中缓缓沸开，一时间也有些触景生情，道："奴婢也记得，第一次见到王爷的时候，王爷年少英武，行侠仗义，在那时候的奴婢心中，宛若天人一般。"

晋王浅笑，但语气却有些唏嘘："你曾经怪过本王吗？"

青岚取了茶饼在火上炙烤，又以小刀削去表面，在盏中研碎。她默不作声地做着这一切，仿若就是回答。

晋王心中明白，于是感叹道："生于皇家，谁也逃脱不了这样的命运。"

青岚停了手中的动作，抬起头来，晋王于是敛了神色又问："你是否还记得，你还欠本王一个要求？"

来了，终于来了，这已经是青岚近几天来第二次听到这句话了，于是正色道：“奴婢记得。不知道王爷有何要求？”

晋王自怀中取出那支暖玉发簪，在青岚面前摊开给她看，然后便双手用力一掰，竟然硬生生将其从中折断！

青岚不知道晋王的用意何在，只是看着他不动。

晋王抬手指了指桌子上的茶盏：“是什么茶？”

青岚取沸水冲洗茶盏，然后将研磨的茶饼碎末再冲点水，动作一气呵成，然后恭敬地送至晋王面前：“铁观音，王爷请。”

晋王嗯了一声，似乎是随口问道：“杨云溪已经知道了你的真实身份，是不是？”

青岚点头，晋王抿了一口茶，齿颊留香，接着说道：“既然如此，本王希望你想办法将杨云溪带离京城，越远越好。”

青岚咬唇，禁不住倒吸了一口冷气，晋王要将杨云溪调离皇上身边，唯一的可能性就是，他想要……心中仿佛被重重锤了一下，皇上平素慈祥和蔼的音容笑貌印入心底，她一阵不舍，但是，却还是硬着头皮答应下来：“奴婢明白。”

晋王放下茶盏，又轻声道：“你放心，本王不会伤害皇兄。本王只是想要向皇兄讨上一点保证而已。”

他说得轻巧，似乎只是一件不以为然的小事，但青岚的一颗心，却顿时无法抑制地沉了下去。

双龙会 · 诉衷情

杨云溪很快来开封府接青岚回府，青岚见了他长身玉立地站在门口，便禁不住飞奔上去拥抱他。

仿佛世间的一切都变得虚幻，唯有面前的那个人是真实的。

杨云溪反手将她抱紧，在她肩膀上拍了拍，然后放开她，上前去向晋王问安，两人寒暄两句，杨云溪便将青岚扶上马车，自己也紧跟着上了马车。

“云溪。”青岚一想到晋王的阴谋，心中就觉得不寒而栗，但又无法明说，只能无力地靠在杨云溪的肩膀上，拖长了语调喊他的名字。

杨云溪忽然往后撤了一下肩膀，似乎是不经意的躲闪。青岚一阵诧异，见他脸色有异，手不自觉地按在肩膀上，顿时有所察觉，惊道："你受伤了？"

杨云溪沉默地点了点头，青岚于是关切地追问起来："怎么又受伤了？伤在哪儿，上药了没有？"

一边说一边上前查看，杨云溪顺从地解开衣襟，让她看自己的伤口。

这次的伤口倒是并不太大，只是伤在筋骨上，好在已经上了药，伤口也开始愈合了，青岚这才放下心来，追问道："为什么又受伤了？"

她目光下移，看到杨云溪领口红绳坠下的白玉观音像，忽然一愣。

杨云溪合上衣襟，垂下眼眸，反手握了青岚的手，轻声道："我杀了赵德昭的证人。"

青岚一愣："你杀了谁？"

杨云溪沉声道："赵德昭找到一个证人，证明你是教坊出逃的奴婢，我杀了他。所以……"

所以，赵德昭无法定青岚的罪，也无法揭破青岚的秘密，更没办法借此扳倒晋王，所以，他只能以此为要挟，逼迫晋王与他合作。

青岚无力地垂眸："你早就知道了。"

杨云溪指给她看自己的白玉观音像："早在宫中第一次见你时，我就发现了你的玉佩，认出你就是秀儿。"

"你就是那个与我定亲的韩家哥哥？"

青岚从来未曾见过与她定亲的那家人，此刻相认，一切都觉得仿若隔世，兜兜转转，她从李秀儿变成陆青岚，最终竟然还是嫁给了当初承诺要娶她的那个人。

是巧合，还是缘分？

"……不对啊，你不是姓韩？"

青岚疑惑道，忽然就想起来杨云溪的母亲姓韩，一切就想通了。

杨云溪认真地点了点头："我是。"

青岚紧盯着他看，杨云溪此刻的表情映入眼帘，温柔而深情。原来，他早就认出了自己，所以，才在步步为营的深宫里保护着自己，替自己保守秘密。

她心中一阵感动，禁不住泪水浸湿了眼眶。

杨云溪的容颜棱角分明，儒雅中带着坚毅的线条，深情时会一扫冰冷，让人觉得无限温暖。青岚瞪着眼睛看了他好一会儿，边看边笑，边笑又边哭。

杨云溪忽然一把将她拉进怀中抱紧，青岚用力将脸颊贴着他的肩胛，感觉到他身上传来的温暖，让她觉得心中无比安宁。

缓缓合上眼，任凭一切的喧嚣猜忌都抛到脑后。

如今，这个世界，只有我们。

我和你。

杨云溪拍着她的后背，轻轻道："别哭，我带你回家。"

马车一路奔驰，青岚靠在杨云溪的怀中，不必说话，也觉得情意绵绵，无比幸福。

天色渐渐昏暗下来，房间里燃起烛火，一点一点跳跃着在视线里忽明忽暗，像极了现在的他们。这一秒还明亮璀璨，可谁也不知下一秒，是否就会突然熄灭，陷入一片黑暗。

丫鬟奉上酒壶酒杯，他们虽然成亲，但是却仍未喝过交杯酒，所以杨管家张罗着，让二人将礼数做完。

酒香弥漫，青岚一下子就辨认出这个味道正是当日她在书房中曾经与杨云溪共饮过的古酒云溪，于是禁不住问道："云溪？"

杨云溪嗯了一声，举起酒杯："我在。"

青岚指了指酒杯："我是说，这个，是云溪？"

杨云溪拖过她的手臂与她交缠，然后将酒杯送到她唇边，半嗔半笑道："没错，快喝。"

青岚羞涩地低下头，但还是张口将交杯酒喝了，杨云溪也就着青岚的手将杯中酒一饮而尽，然后扔下酒杯，神色温柔，却毫无亲近之意："累了吧，早点休息。"

说完便抱起被子，径直便要走开，被青岚一把扯住衣袖，问道："你要去哪里？"

"你睡这里，我睡书房。"杨云溪低下头回避她的目光，青岚却抓得更紧，不说话，只是轻轻摇了摇他的袖子。

"喂，今天虽然这样，不过也算是……新婚之夜吧？"

青岚说到此处，声音已经如同蚊蝇一般，羞涩的脸颊涨红，几乎要滴出泪来。

杨云溪转头看她，此刻的青岚娇美无限，看在眼里，心里便怪自己不该这么冲动。

青岚扬起脸，虽然眼中有细小的畏惧惶恐，但是，却并不掩饰那种柔情与期待。杨云溪的呼吸骤然急促起来。

"云溪……"青岚柔声喊他，抬手去蹭他的脸颊，那样子看起来有点青涩。杨云溪忽然一把抓住她的手，滚烫的呼吸喷在指尖，青岚仿佛阴谋得逞地弯起嘴角一笑。

杨云溪俯下身，吻在青岚的唇角上。一开始还是轻柔的，但是却在瞬间就变了调，杨云溪急切地咬上青岚的唇瓣，忽然弯腰将她抱起来，一把扔在床上。

青岚反手去扯他的衣领，把他一起拉倒在床上，随手扯掉了纱帐，遮住了一室旖旎春光。

一对白玉观音晶莹剔透，终于在某一时刻，毫无阻隔地再度相遇。

红烛渐熄，夜色渐深，守在门外的丫鬟听到屋里旖旎缠绵的动静，于是有些不好意思地走开。

翌日清晨，朝阳初升，竟然是风轻云淡的好日子。

青岚早早便自梦中醒来，只是一手托着腮，认真打量着杨云溪熟睡的模样。

无论过程如何艰辛，现在，他们终于在一起了。

只是这张脸，怎么都看不够，杨云溪熟睡的时候，少了几分冰冷，多了几分静谧温柔。青岚看着他脖颈上的白玉观音，于是忍不住用手轻轻拨动。杨云溪忽然缓缓睁开眼睛，转过头看着她，眼中含笑。

杨云溪并不常笑，青岚被这样的笑羞得满面通红，忍不住收了手，头往杨云溪的怀里拱，一面小声抱怨道："你、你装睡！你骗人！"

杨云溪看着青岚娇羞可爱的模样，心中欢喜，竟然潇洒地放声大笑起来，抬手将青岚拉进怀中，爽朗的笑声传出去很远，让站在门口等待侍候少爷起床的杨管家听得都呆了。

自家少爷自小就寡言少语，很少与人亲近，连笑都很少笑，更别说是这样放声大笑了。

杨云溪的好心情从起床开始一直持续到早膳的饭桌上。青岚坐在他身边低垂着头，一副新嫁娘的羞涩娇媚，但是心中却有另外一个念头渐渐清晰起来，她要遵照晋王的要求，想办法将杨云溪带离京城。

至于留下的卫幽，晋王也已经找到了对付他的好办法——他府中的大丫鬟雨微醺，正在对卫幽死缠烂打呢！

青岚一边低头喝碗里的粥，一边琢磨着如何找一个合理的借口。这时候杨云溪不紧不慢道："稍后，随我进宫。"

青岚正想得出神，听到这一句忍不住手一抖，勺子一歪，叮当一声撞在碗沿上，直直朝着地上飞了出去，把她自己给吓了一大跳。

杨云溪伸手帮她把碗给扶住，关切的眼神跟过去，青岚连忙解释："我在想事情。"

"想什么？"

杨云溪递给青岚一把新勺子，青岚沉沉叹了口气："我想去祭拜我娘。"

这是现在她所能想到最合理的借口，而且，就算没有晋王的要求，她也想要回一趟扬州去祭拜母亲，亲口告诉她，自己已经成亲了。

杨云溪似乎并没有任何惊讶的意思，这件事他早就已经想到了，他抬手拍了拍青岚的手，轻声道："好。"

只是在他心中，此时还有最后一个疑问。因为赵德昭的介入，他才知道原来当初青岚是从教坊中逃出来的，只是因为当时在扬州负责查抄李府的官员将她当作了普通的奴婢女眷，所以，赵德昭并没有通过此处的记录查到她的真实身份。

但是，是谁帮助青岚逃出教坊，又是谁，给了她全新的身份？

杨云溪曾经怀疑过皇上，因为青岚进宫数年，一直颇受照顾，他甚至猜想过是不是皇上因为白瑾画的关系，所以才想办法把年幼的秀儿救出教坊，然后再做妥善安置。但是，看皇上之前的种种反应，似乎又不太像。

青岚的眼底带着泪光，静静凝望着杨云溪，一时间仿佛失去了所有言语的能力。

"我发誓，这是我最后一次欺骗你。"

她在心底悄无声息地对自己说。

杨云溪似乎什么都没有想，什么都没有察觉到，只是指了指青岚的碗，道："吃饭。"

他不想逼问青岚，无论那个人是谁，恐怕这一切都不是出自她的本意。八岁的孩子能逃离教坊那样暗无天日的生活已经是万幸，相反，他要感谢那个人，他救了青岚，又给了她新的身份，将她送入宫中，所以，他们才能相遇相爱。

只是，假如现在青岚还受制于他的话……杨云溪想，他还是有必要注意一下，防止青岚被迫之下做出什么违心的事情。

用过早膳，两人便入宫拜见皇上。

皇上刚下早朝，心情看来十分愉悦，见了青岚便止不住上下打量，笑道："果真是出嫁了，看起来人都不一样了！"

青岚屈膝行礼，皇上又问了几句，却只字不提之前赵德昭指证青岚身份有假的事情，显然是他已经与杨云溪达成了一致。

之后杨云溪便郑重提出要带青岚回乡祭拜母亲的事情，提起白瑾画的时候，皇上总是显得有些神色悲伤。

临出门时皇上忽然又加了一句："云溪，早去早回。"

杨云溪知道这句话的意思，他已经答应皇上要随潘美出征北汉，大概是他自扬州回来，大军就要开拔了。

只是，这件事他还没有对青岚说。

两个人因此都各怀心事，在杨管家的帮助下整理行装。青岚看到杨云溪取出暗卫传讯所用的短笛来，忽然就想到了卫幽，转而又想到自己还答应了雨微醺的事情，于是试探着问道："云溪，我问你件事。"

杨云溪停下手中的动作，抬起头来看她，似乎是在等着她问。

青岚托着腮把自己答应雨微醺的事情原原本本说了。杨云溪禁不住在脑海中设想，假如卫幽得知这件事，估计会露出又无辜又无奈加之很惊愕的表情吧？

他那个人，对于感情的事情，反应可以算是相当迟钝了，要不然雨微醺示好的态度都那么明显了，为什么他还是什么都没感觉到呢？

杨云溪摇摇头，言简意赅："没有。"

换言之，就是没有娶妻，没有未婚妻，也没有心上人。

青岚眼睛亮起来："那就是说，小醺还是有机会的，对不对？你觉得，卫幽会喜欢小醺吗？我觉得他们挺合适的。"

杨云溪想了想，他对雨微醺的印象不深，只是她曾经出手救过他一次，当时看她英姿飒爽的模样，看起来倒是个不错的姑娘。他于是嗯了一声，权当是赞同了青岚的看法。

青岚见杨云溪也表示了赞同，于是更为雀跃："那太好了！我写封信给小醺。对了，你知道卫幽的喜好吗？一块儿告诉小醺，好让她有个准备。"

杨云溪沉思片刻，只答道："卫幽，很善良。"

卫家在京城富甲一方，声名极好，完全是因为广济堂，而卫幽就是广济堂之主。他天性善良，乐善好施，这些年来，在京中做了不少好事，卫公子之善名，深得百姓称道。

青岚现在已经很容易就听懂杨云溪简单话语里深藏的意思，她抓过纸笔，当即刷刷疾书起来。

既然卫幽乐善好施，他必然也更容易欣赏善良、侠义、有爱心的姑娘了。

书信很快送到晋王府，雨微醺看完立刻笑成一朵小花。晋王恰好路过，见她站在花园的树下捧着信傻笑，于是好奇地凑过来问道："醺丫头，乐什么呢？说出来让爷也跟着开心开心吧！"

雨微醺回过神来，手脚利索地把信藏到身后去，掩饰道："没、没什么，就是青岚来信说，要陪清平侯一起去金陵祭祖。"

晋王露出完全不信的模样："青岚的消息能让你笑成这样？我看，青岚的信上，一定说了什么关于卫幽的事情吧？"

雨微醺鼓了腮帮子，悻悻地把手收回来，低下头，一脸被拆穿了的沮丧表情："爷真厉害。"

晋王朝她挥了挥手："喜欢卫幽就去跟他说吧！你要是不好意思，爷替你去说！"

雨微醺吓了一跳，连忙摆手："爷您可别别别，别把卫大哥给吓跑了！"

晋王看她那副纠结又无限欢喜的样子，忍不住叹了口气，感叹道："你们啊……"

你们如此年轻，又怎知道错过的遗憾呢？有些人、有些情，若是那一刻错过了，便从此再也无法挽回了。

就如同他心中那个始终遥不可及的倩影，当初他只是一介布衣，而她是高高在上的国公之女，是他高攀不起。而现在，他身居高位，可伊人不在，就算坐拥锦绣河山，又有什么意义呢？

他挥了挥手，吩咐管家备车，准备外出。

雨微醺照例上前准备服侍晋王更衣，随口问道："爷要去哪里？可要换朝服？"

晋王摇了摇头："不必了，我出去走走。你要是想去广济堂找卫幽，就去吧！"

雨微醺丝毫未曾察觉晋王的异样，只是无限欢喜地行礼告退，然后一溜烟地跑去广济堂了。

广济堂位于汴京城东南，沿街熙攘繁华。卫幽走在前面，身后跟着几辆满载粮食的马车，远远地就听到一个清亮的声音飘过来："往左，再往左一点儿。哎，不是！不对！算了算了，你下来，让我来吧！"

他依稀觉得这个声音有点儿熟悉，还没来得及细想，就看到广济堂的门口架着一副梯子，有个红衣翩然的身影正站在高处忙活，底下一群人正心怀忐忑地看着她。

他走近几步看得更为清楚，连忙抬手拦了身后的马车："先等一等，前面似乎……"

话音未落，就听见那个清亮的声音又说话了，语气听起来十分得意："你们看，是不是这样好多了？……啊！"

一声尖叫，红衣身影似乎是没有踩稳梯子，凭空便毫无征兆地跌落下来！

卫幽看得真切，身形一动，人已经如同一片绿叶般自空中划过，张开双臂，恰好将那个跌落下来的少女接在了怀中！

少女一身红衣风华绚烂，径直坠落在卫幽的怀中，扬起秀丽的眉眼朝他看去，目光柔如水波，只一眼，便让人深深沉醉下去。

卫幽心中一番慌乱，但却未敢松手，只将她扶起来，这才匆匆把手撤去。

少女并没有丝毫害羞扭捏之情，爽朗地拍了拍衣襟，朝着卫幽拱手行礼道谢："多谢卫大哥！"

卫幽定睛一看，这少女并不陌生，正是晋王府的大丫头雨微醺。

"雨姑娘不必客气，"卫幽还了一礼，心怦怦跳得有些快，他竭力掩饰了这番窘迫，问道，"姑娘怎么到广济堂来了？有事吗？"

雨微醺洒脱一笑："叫我小醺吧！我只是碰巧经过，想起广济堂是你开的，就想进来看看你在不在……"

她指了指门口的牌匾，接着说下去："正巧遇上他们修牌匾呢，我就帮个忙，嗯，帮个忙。"

卫幽见她衣袖高高挽起，额间挂着细小的汗珠，知道她是真心在帮忙，于是心中一动，主动邀请道："姑娘若不嫌弃，进来喝盏茶吧！"

雨微醺显得很开心，一边把衣袖放下来整理好："都说了喊我小醺就好……"她话说了一半就看到卫幽身后停着的马车，于是侧头认真看了看，道："这粮食要运进去吗？"

卫幽点了点头，雨微醺于是干脆把刚放下的袖子又拉起来，一边兴冲冲道："喝茶还来得及，我看咱们还是先干正事儿吧！"

说着又开始张罗着指挥马车停到后院去往下卸粮食了。卫幽见她干得十分投入，而且似乎对广济堂的地形十分熟悉，那些人在她的指挥下井井有条，心中也禁不住对雨微醺抱了几分赞许之情。

他当然不知道雨微醺早就把广济堂的地形记了个清清楚楚，而且她在晋王府中的职责相当于一个当家总管，所以做起这些事情来得心应手，如鱼得水。

在雨微醺的帮助下，卫幽很快就把粮食安置妥当，眼看已经晌午，于是专门吩咐厨子准备午饭。雨微醺闲不住，在广济堂里逛来逛去，帮帮这个又看看那个，不一会儿的工夫，就跟大伙儿打成了一片。

卫幽在旁看着雨微醺站在人群中爽朗微笑的样子，忽然觉得这个姑娘看起来很美。

雨微醺恰好在那个时候转过头来看他，迎上他的目光，见他那看到出神的样子，于是弯起嘴角，笑得灿烂无比。

这个世界上，每个人都有资格拥有幸福。

而我的幸福，原来就在这里。

双龙会·共赴约

天高云淡，朗朗清风里，罗浮与元正两匹马踏着一地莹绿并肩而行。

杨云溪将腰间的水袋递给青岚，青岚拔开塞子刚想要喝，就闻到一股浓郁的酒香扑鼻而来。她忍不住皱了眉瞪他：“你不是戒酒了吗？”

杨云溪不答，只是指着水袋道：“尝尝。”

青岚抿了一口，酒香浓郁，唇齿间有淡淡回甘，她诧异地问道：“这是什么酒？”

杨云溪道：“这是瑶泉。”

青岚没听过这种酒，于是摇摇头，抿着唇回味道：“这个味道，好甜。”

杨云溪自青岚手中取过水袋，仰头喝了一口，道：“开封西郊有泉水名为瑶泉，瑶为美玉，泉水清洌甘甜，附近百姓多取水酿酒，至儿女成亲时，取珍贵之意，作为贺礼赠予新人。”

他停了停，沉声道：“这瑶泉，是皇上所赠。”

青岚心中先是一暖，皇上往昔对自己的一幕幕场景涌上心头，历历在目，随即便是忍不住的惭愧心痛，皇上对她这么好，可她却还是要依照对晋王的承诺，将杨云溪从皇上身边调离。

杨云溪见她沉思半天不说话，以为她舍不得皇上，于是轻声安慰：“我们很快就回来了。”

只能如此了，只希望皇上吉人天相。青岚深吸了一口气，扬起脸来，点了点头。

她终归还是自私了，为了自由，最终要辜负对她那么好的皇上，可是，此时此刻，她似乎并没有别的选择。

这一趟南下，他们对外只说是陪着杨云溪回金陵祭拜，但实际上却是一路往扬州而去。这是青岚能够想得出的最好的办法，从汴京到扬州路途漫长，她又刻意放慢了速度，骑马之后换了水路乘船，一路与杨云溪看看沿路的风土人情，日子过得倒也平静。

一日行到丰阳县，商山之南，沿岸便是群山峻岭，青岚从未见过这般峰岭奇峻的景色，忍不住看得有点呆了。杨云溪见状，便不再前行，而是在当地找了家客栈落脚。小小县城里自然没有什么大客栈，只是杨云溪久经江湖，而青岚也不是挑剔的人，两人简单收拾了一下，便出门寻吃的了。

丰阳县生产板栗，大街小巷都可看到卖糖炒栗子的摊贩，青岚好奇，便花了两个铜钱买回一小捧，油亮香甜的栗子个大饱满，吃得青岚眉开眼笑。杨云溪其实不喜吃甜食，但见青岚开心，也跟着吃了几个。

吃了栗子总觉得有点渴，青岚找了一间茶馆坐下喝茶，小地方自然没有什么名茶，冲茶的水也只是普通井水，权当是解渴。杨云溪听着青岚娓娓说着冲茶所用的水要挑选区分，见她说得津津有味，也就甘心当个好听者了。

只是两人坐了不一会儿，便有几拨身披青白两色长衫的江湖人士依次进门，各自占了桌子坐下。等到最后一拨人进门时，见没有空桌子可坐，于是便嚣张地到青岚和杨云溪面前来赶人："喂！喝完了没有？喝完了就让开！"

青岚向来不爱惹事，杨云溪也是一副懒得理他们的模样，两人对望了一眼，便起身喊老板来结账。

青岚见这一屋子都是穿着相同衣服的人，禁不住好奇地多看了两眼，这一看没想到竟然惹到了离她最近的那个人。他油乎乎的头发，脸也仿佛没有洗干净，看了就让人恨不得退避三舍，见青岚看他，于是当即很粗暴地抬手挥去："看什么看！"

原意可能是驱赶，青岚连忙躲闪，后退时不慎撞了椅子，差点被绊倒，被杨云溪拉了一把才站稳。

杨云溪原本是懒得搭理这些人的，但是却容不得他们朝着青岚动手。当即目光一挑，一言不发地冷冷看过去。那人被这一眼看得遍体生寒，好一会儿才缓过来，硬着头皮喝道："有什么好看的，还不快滚！"

"青玉坛的走狗。"杨云溪冷哼一声。他无心和他们动手，只是想要教训他们一下，于是抬手自桌子上捞了一个茶盏，连着茶水一起朝那人扔了过去！

那人听到杨云溪的话反倒怒了："你说谁！"

刚一张开口，顿时一个茶盏连同茶水迎面砸过来，他躲闪不及，被砸中了鼻子，茶水连同茶叶顺着脸颊流下来，显得十分狼狈。

青岚被杨云溪护在身后。在场的人虽然多，但是没有一个看起来是高手的模样，她清楚杨云溪的身手，以一敌多绝对不是问题，但她还是谨慎地扯了扯杨云溪的衣袖，小声道："云溪，还是别惹事了！我们走吧！"

杨云溪为青岚解了气，也就不再恋战，转身牵了青岚的手就要走，但是当即有人扑上来阻拦，一边喝道："打了人还想走！"

"什么东西，也敢辱骂我们青玉坛？"

"给你点颜色瞧瞧！"

杨云溪心中只觉得无聊，转身反手蝉翼刀便自腕间飞出，他无意伤人性命，也只是点到为止，一口气削了上前那几人的头发，当即就把人给吓退了。

有人恍然大悟："蝉翼刀？"

蝉翼刀在江湖上颇有些名气，连带着众人都惊恐起来。杨云溪潇洒地收刀而立，再无一人敢上前挑衅。

青岚便适时地一把拉上他跑了出去，生怕那群人还会追上来。

两人一路狂奔出去好远，直到青岚跑不动了，气喘吁吁地停下来抱怨："明明是他们先动手的，为什么我们要跑啊！"

杨云溪看了她一眼，没表情地："那就回去。"

青岚连忙抱住了他的胳膊："哎别别，都跑出来了，多一事不如少一事。"

杨云溪浅浅一笑，眼睛里的表情仿佛在说："你上当了。"

青岚这才反应过来，用力捶了杨云溪两下："喂，你骗人！"

青岚打了几下，忽然又想到什么，露出疑惑的表情："青玉坛，这个名字听起来……好熟悉啊！"

总觉得在哪里听过这个名字呢？青岚想了又想。杨云溪拉着她往客栈走，到了门口却停了步，道："你先回去。"

青岚知道他的打算，他想必是觉得青玉坛众人的举动有异，所以打算回去暗自查看一下情况。她点点头，嘱咐了一句："早去早回。"

杨云溪暗卫出身，若不是有什么大事，一般的小角色是奈何不了他的。青岚想青玉坛的众人里，也不像有什么大人物的样子。一边就往客栈房间里走，推门的瞬间忽然灵机一动，竟然想起来到底之前在哪里听说过青玉坛了！

是当初雷庆一案时，赵普派来追杀他们的人！

记得当时杨云溪说，青玉坛是拿人钱财，替人消灾的地方。而雨微醺还跟着补充了一句，听说青玉坛的新当家，最近抱了棵大树打算乘凉。可见当时青玉坛是依附赵普的，但是赵普被贬往洛阳之后，就不知道他们又去攀附谁了。

青岚在房间里等了一会儿，眼看着天色暗下来，却不见杨云溪回来。她明明是有些担心的，但是不知道为什么等着等着就觉得疲累，竟然不知道什么时候伏在桌子上睡着了。

醒来时，发现自己竟然躺在床上，身上盖了薄被，侧头就看到杨云溪靠坐在身边，睁着眼睛静静望着她："醒了？"

青岚很自然地靠上去，伏在他肩头往窗口看去："现在什么时辰了？你什么时候回来的？"

杨云溪扣了她的十指在掌中，道："半个时辰前回来的。天已经黑了。"

青岚想起他是去查青玉坛的，于是好奇地打听："你都查到了什么？"

就在这时，杨云溪听到青岚的肚子发出咕噜噜的声响，想必是饿了，连她自己都察觉到了，不好意思地按了按肚子。

杨云溪拉了她一把："去吃饭，慢慢说。"

两个人到大堂吃面，四下无人，杨云溪便压低了声音，将打探到的事情言简意赅地告诉了青岚。原来青玉坛最近换了新主子，所以有些不太安分。

青岚拿着筷子夹面条，疑惑道："你说青玉坛他们到底要干什么呢？"

杨云溪虽然吃起东西来慢条斯理，但是不动声色间，自己面前的一碗面已经被他吃了个干干净净。他眨巴眨巴眼睛，目光落在了青岚的碗上。

青岚自己说了半天见杨云溪连半个字都没回答，抬起头就看到他正看着自己没吃完的面条，一脸欲说还休的模样。青岚很干脆地将碗往他面前一推，反正这么一大碗她也吃不完："呐，吃吧！"

杨云溪接着吃起来，一边道："我已通知卫幽。"

青玉坛的异动虽然现在看不出有什么门道，但是他总归是觉得有些不对，所以就找机会传讯息给了卫幽，让他派人去盯着青玉坛的动静。

青玉坛的事情倒是没耽搁他们的行程，快到扬州时，京中传来消息，皇上偕晋王共同往东都洛阳祭祖，临行时，下旨由皇子赵德昭监国。

此圣旨一下，满朝震惊。皇上登基以来，但凡有事离京，都是由晋王监国，而此番赵德昭被委以重任，不免也让人有所猜测，皇上是否察觉了晋王对皇位的威胁，所以才决定确立赵德昭为储君的人选。

但皇上和晋王都一如既往地平静，似乎对此并无任何异议。

青岚与杨云溪自水路抵达扬州。扬州此时繁花盛开，锦绣无双，是堪比古城金陵的多姿多彩。

李府在许多年前就已经因为那场大火而化成了废墟，残垣断壁依稀可见，历经多年，依旧无人问津。青岚一步步踩在早已经被岁月风干的焦炭之上，发出清脆的声响，这里似乎是多年未曾有人来过，一切还都保持着记忆中的模样。

"娘亲……"青岚的眼中噙满了泪水，缓缓跪下。

视线里，仿佛还能看到最后分别时，娘亲那张不舍又决然的脸。冲天的火光吞噬了一切生命与希望，带着她的爱，一并燃烧化成了灰烬。

甚至，尸骨无存。

她将手掌贴在地上，抓起一抔土，那是她唯一能够做的，试图寻找母亲曾经存在痕迹的办法。掌心平缓摊开，风吹动尘土，一点点散落在她的视线里。青岚泪流满面地喃喃低语："娘，你看到了吗？你的秀儿回来了……"

她回来了，还带来了那个愿意爱她的人。

"秀儿长大了，成亲了，这是云溪，他是韩湘凌的儿子。"

青岚掌中的尘土不知道什么时候就被全吹散了，青岚直挺挺跪着，杨云溪走到她身边，掀了衣襟跪下，朗声道："娘，我是云溪。以后，我会照顾青岚。"

"从现在开始，到生命的最后一刻，我都会好好照顾青岚。"

他向来不擅言语，最简单的话，在他心中，却是重若千钧的承诺。

青岚想了想，自腰间解下皇上赠予她的那块琥珀璎珞，又朝杨云溪伸出手去，杨云溪心领神会，也把青岚送他的那一条拿下来，并排放在一起。

"娘，他说，他从来没有忘记过你，也从来都没有辜负过你。"青岚双手撑在地上，俯身叩拜。那段从未圆满的爱，因为种种误会而错过，但是，他们的心，却从来都没有分开过。白瑾画心中最爱的人，一直都是赵元朗。

杨云溪随着青岚的动作一起叩拜。

"娘，我会好好生活，你不必担心我。"

青岚抬手擦干眼泪，露出坚定的笑容："我现在是云溪的妻子，我相信，我们一定会幸福的。"

说着再次俯身叩拜，杨云溪仍是默默跪拜，然后不动声色地把青岚搀扶起来。

"云溪，我想给娘亲立个碑。"

青岚靠在杨云溪的肩膀上，她哭得有些无力，但是语气却是坚定的。杨云溪点点头，顺着她的意思说下去："就让这对琥珀璎珞，陪着娘吧。"

青岚也是这个意思，两人便在扬州城外选了一处幽静的地方，为白瑾画立了碑，并把琥珀璎珞葬于此。两人在坟前焚香祭拜，杨云溪忽然想起那一日，皇上神色黯然地对他说，替我去给她上炷香吧！

青岚在坟前又虔诚地跪拜三次，这才站起身来，淡淡笑道："娘，我走了。"

杨云溪牵起她的手，在旁边补充道："以后，每年我们都回来看您。"

说到这里,忍不住转头相视一笑,果然是心有默契,很自然就想到一处去了。

两人并未骑马,而是步行回城,扬州城外被多条碧水环绕,沿路景致秀丽宜人。青岚深深吸了一口气,这是她时隔八年来第一次回到故乡,心中萦绕着莫名的欣喜:"好漂亮呀!"

杨云溪看她笑靥如花的模样,于是心中思绪翻涌,竟然又回忆起了他第一次见她时的场景,那时候她也是这样笑得无忧无虑,美丽得让人沉醉。

他禁不住心思一动,道:"我见过你,八年前。"

那时候他随同母亲到李家定亲,远远地,曾经见过年幼的秀儿在花园的池塘畔喂鱼,笑得手舞足蹈。那是发自心底的快乐,对于他那样不太会笑的人来说,尤其珍贵难忘。于是,那个笑容从那时起,便深深印在了他的心里,

青岚好奇地抬起头来看他,眼底仿佛落满了星辰:"啊?什么时候?"

脑海里拼命回忆,却找不出半点关于杨云溪的痕迹。她只能无奈地摸头道:"是吗?不记得了……"

杨云溪低头飞快地用唇蹭了一下她的额头,然后答道:"定亲那天,你没看到我。"

青岚哦了一声,心想原来是这样。就听到杨云溪的语气沉下来:"还有,扬州城破那日……假如……"

假如我来得更早一些,现在的你,是不是就会活得快乐一点呢?

青岚抿唇别过头,似乎不太想要回忆这段往事。她很快就收敛了神色,转而安慰起悲伤的杨云溪来:"都过去了,过去的事情,就不要提了。"

杨云溪点点头,望着青岚,似乎要从她的眼睛看进她的心里。人们都想要将过去抹去,从而摆脱梦魇,重获新生。可是,前尘往事如云似雾,仿若一张无形的网,在生命里始终萦绕不去。

他放下仇恨的代价,是南唐的覆灭,李煜白衣出降,一将功成万骨枯。而要青岚放下过去,重获自由的代价,又是什么呢?

青岚不知道杨云溪在想什么,但是从他的眼神里,就能看出那一抹挥之不去的担忧。她忍不住脱口问道:"云溪,你在担心什么?"

杨云溪见青岚问了,便不再隐瞒,只是柔声道:"你。"

青岚一愣:"我?"

杨云溪点点头:"还有,当年从教坊中救了你,帮你隐瞒身份,送你入宫

的那个人。"

杨云溪的这番话说得毫无征兆，青岚完全没有准备，仿佛被一拳砸中了命门，整个人耳畔都嗡嗡作响，双唇颤抖着，竟然一时答不出半句话来！

杨云溪见她浑身发抖，顿时手足无措的样子，于是柔声道："不能对我说吗？"

青岚瞪大了眼睛，眼底迅速地弥漫起一团浓重的水雾，眼看就要当场流下泪来。她几乎用尽了身上所有的力气，才让自己没有倒下，而是坚定地摇了摇头。

"对不起。"

终于说出话的那一刻，眼泪便也随之决堤。她用力咬着唇，眼眸中闪着泪光，楚楚可怜却又显得一如既往地坚强倔强。

对不起，我还是不能告诉你。

那一刻恍若时光静止，一分一秒，生命慢慢消逝，只有彼此深情对望，但心中各自酸楚，无法解释或者挽留。

杨云溪被青岚的颗颗眼泪砸在心上，这时候就算是铁石心肠也已经动容，更何况他的一颗被坚冰包裹的心早已经被青岚的真情所融化，于是心生不忍，张开手臂，将她一把揽在怀里。

青岚绝望地伏在他怀中，放声大哭起来。

我就知道，我们之间，终究要走到这一步无可挽回的结局。

我是晋王阴谋夺位的棋子，而你是忠于皇上的禁军统领，所有深情相许、沧海桑田，都将在真相揭晓的那一刻，分崩离析，不复存在。

云溪，我要怎么办？我该怎么办？

听着青岚哭得几乎泣不成声，杨云溪却只能轻轻拍着她的肩膀，柔声却无力地安慰她："不想说就不要说。"

青岚扬起一张梨花带雨的脸，抽泣着问道："可是那样，你还会相信我吗？"

杨云溪抬手为她擦拭眼泪，动作和语气都异常温柔："凡事顺你本心而为就好。"

那是当日皇上托他带给她的话，现在回想起来，原来一切冥冥中早已注定，无论他们想要如何费心逃离，但倾覆相思，舍弃半生，最终的结果，却并未改变分毫。

两人回到落脚的客栈，回房刚关上门，杨云溪突然将眉宇一挑，上前半步

236

与君长相守

双龙会

挡在青岚身前，抬手朝着屏风之后愤然出拳，一边喝道："谁？"

一道黑影跃入视线，却朝着杨云溪单膝下跪，神色恭敬而焦急："属下奉卫统领之名，传讯给大人。"

说着双手奉上一封信函，杨云溪接了拆开，匆匆扫了一眼，顿时脸色大变。"我即刻动身！"

他抬手把信函递到青岚眼前，这事情也不必瞒着她。信使见状，便恭敬行礼，然后飞快地越窗而出，瞬间不见了踪影。青岚接过信来一看，当即脚步踉跄，后退了两步，撞上桌子才停下来。

那信上只有短短数字，但字字重若千钧，青岚顿时便被压得喘不过气来。

东都洛阳兵变，皇上被困，晋王遇袭，下落不明。

卷四　问君犹记多情诗

问情诗·洛阳谋

东都洛阳八面环山，五水簇拥，时至今日，仍存有盛唐之风韵风骨。

只是此时城内外戒备森严，杨云溪与青岚日夜兼程，终于赶到洛阳城郊的一处山岭与卫幽会合。

事情紧急，而幸好暗卫之间有固定的传讯之法，只是书信毕竟有限，不能将事情详细说明，杨云溪和青岚都不知道到底在洛阳发生了什么事，只能去问卫幽。

卫幽身边的暗卫已经所剩无几，而他自己身上也是带着伤的，出乎意料的是雨微醺也跟他们在一起。据说晋王与皇上原本是打算出城往夹马营的方向去的，但中途竟然遭遇不明身份的刺客袭击。皇上当时微服出行，所带侍卫不多，晋王率领禁军及部分晋王府侍卫留下断后，而卫幽和雨微醺则奉命保护皇上突围。

皇上安全脱险之后，立刻返回行宫调拨禁军前去支援晋王，但是没想到禁军刚一离开行宫，洛阳守军立刻发动兵变，将行宫重重包围。

禁军统领杨云溪不在洛阳，而晋王也在兵戎交战中下落不明，不过皇上毕竟是武将出身，临危不乱，当即命令卫幽携带虎符前往调集洛阳周边两路守军来援，并且传讯杨云溪，召他立刻到洛阳统领禁军平复叛乱。雨微醺则领了晋王府剩余的侍卫掩护卫幽突围，并继续寻找晋王的下落。

"洛阳守军为什么会突然兵变？何人带头？何人在背后怂恿？"

青岚听了卫幽与雨微醺讲述这几日来的情形，满面愁容，似乎是对此十分不解。

"前朝世宗柴氏子孙、郑王长子柴昊。"

这紧要关头也没有人愿意打哑谜，卫幽当即做了回答。

青岚登时一愣，柴氏复辟？这听起来似乎不太可能，柴昊怎么有能力策动洛阳守军造反？

不知怎的，她禁不住怀疑起一个人来："你们说，二皇子赵德昭与此事会不会有关系？"

卫幽倒是没有想到这一层，被青岚这一提点，倒是有些领悟："有可能，不过，这回袭击圣驾中，倒是没有二皇子的亲信，只发现了青玉坛的人马。"

恰好杨云溪之前传讯给他，告知他青玉坛近来的异动，卫幽查证之下，发现竟然有大批青玉坛的人马在洛阳集结，也刻意提防，只是没有想到他们会配合洛阳守军一起发难。

"青玉坛？难道连赵普也参与了此事？"

雨微醺也跟着一起往下大胆猜测："又或者，他们根本就是同谋！赵普不是一直主张立二皇子为太子嘛！"

杨云溪隐约觉得事情有些怪异，现在皇储未立，赵德昭又奉命监国，这回看来他的胜算大增。赵普那么精明的人，怎么可能突然协同皇子叛乱，这个举动显然有些不寻常了。

而晋王，又为什么会突然下落不明？

"王爷还没有找到？"

杨云溪问道，雨微醺摇摇头，语气十分担忧："找了好几天了，半点消息都没有。当时跟在爷身边的侍卫也一个都没找到，只听撤下来的禁军说，当时他们护着王爷从另一个方向突围了。"

卫幽将虎符交给杨云溪："皇上已有旨意，要你统领禁军，配合援军平复叛乱。"

杨云溪并未有任何异议，而是问道："可有地图？"

卫幽挥了挥手，有人立刻呈上地图，杨云溪大略看过之后才又道："可以强攻，但不知此时宫内是何情况。"

卫幽无奈地摇摇头："随侍圣驾的暗卫传不出任何消息。"

杨云溪瞪了他一眼："再想办法。"

行宫至今仍未被攻破，皇上不愧是征伐天下，驰骋沙场的一代武将，就算久居深宫已久，也仍是百足之虫死而不僵，与叛军对峙数日，等到附近两路大军回援。

"赵德昭如今何在？"

事已至此，杨云溪也不禁起了怀疑，又问，卫幽再度摇头："照理来说，应该在汴京，但……"

"假如他是主谋，那么，此刻应该已经到了洛阳。"青岚知道杨云溪的意思，开口轻声打断卫幽的话。杨云溪点点头："很有可能。"

卫幽心领神会："我让人去查一查。"

雨微醺眉心微蹙，看起来仍是很担心晋王的安危，卫幽拍拍她的肩膀："我已经加派了人手去找，一定会找到的。"

雨微醺顺势便靠在卫幽肩头，轻轻点头。

"入夜强攻倒是不难，但赵德昭若是主谋，只是平定叛乱，还是无法将他定罪，"青岚说出自己的担忧，"就像上一回，他与萧林赫合谋，也是因为没有证据，才功亏一篑。"

杨云溪此刻心中担忧的也是这件事，赵德昭犯上作乱罪不可赦，但若他从头到尾都没有出面，那么，其罪当诛也算不到他的头上。

"逼他现身。"杨云溪果断道，这是现在唯一可行的办法，只是，或许有些冒险。

"怎么才能逼他现身呢？"

雨微醺忧愁地想，卫幽低头思索不语。

青岚咬着唇迟疑了片刻，有些犹豫地小声道："我想，我有个办法。"

杨云溪顿时将目光转向她，眼底有繁星一般绚烂的光芒闪烁，他当场就猜透了她的心思，语气笃定："引蛇出洞。"

"此计不难，但难在必须有人混入宫内，向皇上禀明一切，共同布下这个陷阱。"

青岚沉沉叹了口气，她想起了什么，但是依旧有些拿不定主意。假如赵德昭真的是幕后主使之人，父子互相算计，太过残忍。

雨微醺当即举手，爽朗地主动请缨："让我去！"

卫幽正想开口拦住她，就听到她如同连珠炮般地道："我是女的，他们绝对不会起疑心！让我去吧！"

青岚走到她身边，神色果决："我之前曾经随皇上来过一次洛阳行宫，王继恩公公曾经告诉过我，有一条小路可以避开守卫出入行宫。假如那条路还在的话，我们可以从那里进去。这件事交给我和小醺，你们在宫外随时准备率军平叛，我们到时候里应外合。"

卫幽还有些担忧，还没等他开口，杨云溪已经抬手拦住了他，沉声道："好。"

这时候，一切的儿女情长都应该被忽略。生死关头，帝王的安危系于一线之间，他们哪里还有时间去记挂个人的得失荣辱？

四个人细细商议，将计谋逐步敲定，然后分头行动。

杨云溪带领了一小队士兵佯攻正门，吸引叛军的注意力，而青岚和雨微醺两人扮作普通宫女，借着夜色和交战的掩护，成功从小路混入了行宫之内。

两人一边观察宫中的状况，一边匆匆向皇上所在的正殿奔去。洛阳行宫在皇上协同禁军的驻守之下，竟然也分毫未失，只是被困数日，粮食短缺，连带着士气日益低落下来。

正殿守卫森严，青岚和雨微醺刚拐进走廊，立刻就被人发觉，将两人扣下盘问。按照雨微醺的意思，就应该直接把人打翻然后闯进去，但是被青岚以眼神阻止了。青岚发觉自己来得匆忙，并没有将腰牌带在身上，眼看着无法向侍卫证明身份。她灵机一动，把脖颈间挂着的白玉观音像扯下来，交给侍卫，道："我是御前尚宫女官青岚，这个玉佩可以证明我的身份，不必惊动皇上，只要劳烦您喊王继恩公公出来即可。"

侍卫将信将疑，但是并没拒绝，差遣了一人入内，将王继恩给叫了出来。

王继恩此刻人都瘦了一圈，脸色蜡黄而疲惫，看到青岚时几乎惊讶地尖叫出声来："岚丫头？你怎么来了？"

见王继恩真的认识青岚，侍卫们这才彻底放下心来，青岚连忙上前问安，道："皇上可好？青岚有事，需要立刻面见皇上！"

雨微醺会意地俯身凑在王继恩耳畔低声道："我们自宫外来，带了卫大哥的消息来。"

王继恩知道她口中的"卫大哥"就是卫幽，于是不敢耽搁，立刻将两人带入内室面见皇上。

皇上此刻正在榻上小憩，他这几日精神极为紧张，难得有空休息。刚合上眼不一会儿，就听到门外传来匆忙的脚步声，王继恩刻意压低了的声音在外传来："皇上，青岚和雨微醺在外求见。"

皇上一听这二人的名字，顿时睁开眼睛，瞬间便倦意全无。他坐起身来，朗声道："让她们进来！"

青岚和雨微醺两人随王继恩进了内室参拜，皇上毫不掩饰自己的惊讶之情："快起来吧！你们怎么进宫的？"

青岚和雨微醺对望了一眼，雨微醺便会意地答道："青岚领的道，后院有条小路，侯爷领了一小堆兵马假装进攻，吸引了叛军的注意，我们趁乱就混进来了！"

皇上又问道："光义可有消息？"

雨微醺的眼神顿时黯淡下来，摇了摇头。

皇上原本满怀期待的神情瞬间化为一片忧虑，青岚见状连忙安慰道："当时有人见王府侍卫护送王爷从另一个方向突围了，可能是走得远了，所以这会儿还没找到。皇上放心，云溪和卫幽已经加派了人手，想必很快就能找到王爷的下落。"

听了青岚的话，皇上才稍稍放心一些，又问："云溪放心让你们进宫来，是不是已经想到什么平叛的办法了？"

皇上深谋远虑，一眼就看破众人的打算，青岚也不隐瞒，把他们的猜测和计划一并都说了。

皇上并未答话，只是沉默地听着，神色却逐渐落寞，带着些许力不从心的沧桑。青岚反复提及赵德昭的名字，皇上也并未提出质疑，看来是早已经心中有数。

青岚言罢，皇上却依旧一言不发，仿佛入了定。雨微醺小心地唤了一声"皇上"，皇上这时候才回过神来，无奈地苦笑道："若真是如你们所猜测的那样，朕的这个儿子，还真是不省心啊！"

但这无奈和沉寂也只持续了短短片刻的工夫，很快皇上便恢复了帝王才有的从容，语气沉稳而有力："朕同意你们的办法。朕也很想看一看，这洛阳叛军，到底都是听谁调遣，听谁指挥！"

青岚从皇上眼中看出了隐忍的怒意，天子一怒，便不再是血溅五步那么简单。雨微醺与青岚奉命留在皇上身边，但乔装易容成普通宫女，王继恩也提早交代了侍卫，谁都不能再提起当晚有人入内拜见皇上的事情。

一夜风平浪静，但天色始终阴沉，雾气迷蒙，直到第二天清晨，仍然不见朝阳初升，天空黑压压地仿佛要下雨。叛军再度发起攻击，皇上亲临城上指挥御敌，刀兵交战之中，忽然不知何处一支冷箭斜斜飞来，不偏不倚，正中皇上胸口！

侍卫护着皇上匆忙撤退，但阵前主将受伤，士气低落，败局已定。叛军潮水般攻上来，不一会儿便将行宫彻底攻下！

皇上在侍卫们的护卫下撤入大殿，此时洛阳行宫正门大开，最先进城的是郑王长子柴昊，身后跟着一队黑衣打扮的侍卫。他们一入宫就直奔大殿而去，显然是要借势逼宫！

大殿外四周开阔，难以防御，柴昊轻而易举地就破门而入。皇上满身鲜血，依靠在龙椅之上休息，身边的侍卫已经寥寥，拔下来的箭矢扔在地上，伤口只是粗略包扎。

他看到柴昊带人闯入，于是艰难地喘息着喝道："好一个郑王长子！"

柴昊在皇上面前站定，嘴角满含得意的笑容："皇上怕是也没想到，自己戎马一生，竟会有今日的下场吧？当日，你陈桥兵变夺去我柴氏天下，又赐酒毒死我父亲，因果循环，报应不爽，现在，便是你要赎罪的时候了！"

皇上以手按着伤口，身体孱弱，但言语上却是不肯示弱："就算朕死了，天下也是朕的儿子来继承。"

柴昊听罢此言便笑道："哦，那是正好。皇上不妨仔细看看，这人是谁？"

他的身后闪出一个黑衣人影，正是二皇子赵德昭！

皇上看到赵德昭现身时，似乎并没有感到太多的意外。只是按着伤口，表情有些痛苦。

赵德昭装腔作势地俯身行礼："儿臣见过父皇。"

皇上鄙弃地："朕之前还不信，原来你与他们竟然是同谋！"

赵德昭冷哼一声："儿臣不过是仿效父皇行事罢了！"

当日皇上也是兵变夺取天下，坊间传说，此计原本是出自擅于谋略的晋王之手。皇上靠在龙椅上，抬起一只手颤巍巍地指着赵德昭道："朕已命你监国，将大权逐步交予你手中，你为何还要费心做如此忤逆犯上的图谋？"

赵德昭上前两步，语气愤怒："命我监国？将大权交予我手？是啊！以往这些殊荣，都是只有晋王才能拥有！他年少封王，权倾朝野，而我如今却只是个没什么实权的贵州防御使！他是你弟弟，我才是你的儿子！"

皇上的脸色很不好看："是朕的错，朕总觉得你们年少，需要多历练。"

赵德昭挥了挥手，语气强硬地打断皇上的话："那都是借口！当年晋王一样年少，就随你四处征战，屡屡委以重任！而我和德芳，你甚至连大臣都不让我们见！"

皇上无力地："既然你不能原谅朕，那么，告诉朕，你现在想要什么？"

赵德昭抬手直指龙椅，语气坚定："我要这天下！"

他又往前走了两步，语气中有逼迫的意味："假如父皇不愿意给，那么，儿臣只能自己来拿了！"

身边的侍卫靠上来戒备，皇上只是挥手示意他们退下："敌众我寡，无谓强争了。"

侍卫悻悻退到两边，但依旧保持着对战的姿态。赵德昭一步步朝着皇上走过来，威胁道："父皇既然知道无谓强争，那么，便遂了儿臣所愿吧！"

皇上半垂着眼眸沉默了片刻，忽然开口问："柴昊，德昭他许了你什么好处？"

柴昊之前一直在冷眼观看父子之间的博弈，冷不防问到他，回过神来答道："无需好处，若能看你让出皇位，对我柴氏一门来说，就是最大的欣慰了。"

皇上浅笑道："可这天下，仍是姓赵。"

柴昊道："二皇子已经与我许下承诺，只要登基为帝，便会聘我柴氏之女为后，将来两家血脉合一，永享这江山社稷。"

皇上按着伤口的手松了松："想得倒是轻巧！但朕若是不成全你，反倒对不住你们的这番精心谋划了！"

说着抬手掷出一道圣旨，不偏不倚扔在了赵德昭的脚下！

赵德昭俯身捡起圣旨来打开一看，当即得意起来，上面明白地写着册立自己为太子，同时禅让太子登基的字样，于是将圣旨一合，扔给柴昊，道："既然父皇圣旨已下，那就赶快向诸位中军将士公布这个好消息吧！"

柴昊稍稍迟疑了一下，心中暗暗感叹事情为何竟然比想象中的还要顺利，但是仍然一言不发，拿了圣旨刚要转身，皇上忽然朗声道："慢着！"

赵德昭见皇上竟然颤巍巍地自龙椅上站了起来，前襟满是鲜血，脸色苍白，但是眼睛里坚毅的光却始终未曾熄灭："要当这个皇帝，你还需要答应朕一件事！"

赵德昭问："什么事？"

皇上一步一步缓缓走到他的面前，沉声问道："善待众人。"

赵德昭被皇上眼底锐利的光芒刺痛了眼，禁不住有些畏惧，但很快就让自己冷静下来，道："父皇放心，只要他们真心臣服于儿臣，儿臣必然不会为难。"

皇上缓缓摇摇头："不，你不会的。"

他将手彻底从伤口移开，直起腰来，认真盯着赵德昭，一字一句道："你若登基为帝，所有曾经与你不和的、不听你号令的、对你曾有过轻视的人，都必然不会有好下场。"

赵德昭放声大笑："原来，父皇如此了解儿臣啊！"

皇上痛心疾首道："朕曾经想过，要不要再给你一个机会，直到此时此刻，朕才确信，你已经无药可救。"

赵德昭似乎丝毫没有察觉到皇上的异样，只是骄傲地笑道："那又如何？如今一切尘埃落定，就算父皇反悔，也已经覆水难收了！"

柴昊看着皇上渐渐平静的面容，心中顿时有隐约的不安。他再度低头看向手中的圣旨，心中一个念头渐渐清晰起来……他终于明白到底哪里不对了！

这道圣旨，来得太快，而且，太干净了！皇上若是重伤之下写就的圣旨，怎么可能连半分血迹都没有沾染上？

皇上静静打量着赵德昭，不作声，只是看着自己如今已经长大成人的儿子，原以为他还懵懂年少，没想到皇位竟有如此大的诱惑，让他心甘情愿踏上这条不归路。

"覆水难收？"

皇上将目光收回，环视大殿四周，冷笑道："是吗？真的是这样吗？"

"不……怎么会这样……"柴昊看着手中的圣旨，终于发现其中的机关所在，难以置信地后退。

赵德昭转过头去看柴昊，但就在这个回转的瞬间，一道银亮的寒光不知道自何处杀出，仿若白日里的一道惊雷，顷刻间划过柴昊的咽喉，鲜血登时飞溅，将他此刻捧在手中的圣旨染红了半边！

一道蓝影自暗处现身，衣袖轻甩，蝉翼刀收回。柴昊双目圆睁，瞬间轰然倒下，竟然当场毙命！

赵德昭一惊，还没来得及伸手去拉柴昊，紧跟着蓝影而来的几道黑影已经相继跃出，将他重重包围起来！随之而来的，皇上振臂一挥，自殿外涌入大批戎装兵士，迅速便将柴昊带进殿内的侍卫尽数制服！

赵德昭顿时大惊，眼看着青岚捧着干净的外袍自偏殿走出。皇上脱去了外衫，任凭青岚服侍他换衣，擦拭干净脸上和手上的血迹。再转回头的时候，已经恢复了帝王的威严仪态，竟是半点儿都看不出受伤的模样！

殿外喊杀声呼喝连绵不绝，杨云溪向皇上单膝跪拜行礼，然后转身匆匆离去。他自赵德昭面前经过，目光坦然与他对视，赵德昭恶狠狠道："又是你！"

他明明已经胜券在握，距离那九霄之中最为尊贵的存在，仅剩一步之遥。但是，他却又在顷刻间自云霄跌落，只剩一身斑驳尘埃。

赵德昭忍不住狂喝道："父皇已经下旨让位与我，我才是一国之君！你们凭什么！凭什么这么对我！"

杨云溪脚步停了停，似乎是极为怜悯地望了赵德昭一眼，便一言不发地走出门去。皇上重新在龙椅上坐下，给了青岚一个眼色。青岚便从容上前，自地上拾起那被鲜血染了的圣旨，朝着赵德昭柔声道："二皇子只一心顾着皇位，从头到尾都没有认真看清楚这道圣旨。这道圣旨上，落款所写的是开宝十年，而现在，尚是开宝九年。"

赵德昭愣了片刻，忽然发狂地大笑起来，一边咆哮道："你们算计我！你们联合起来算计我！"

青岚看到他此刻穷凶极恶但又仿佛已经离了水的鱼般无力挣扎的模样，忍不住在心中轻叹，果真是自作孽，不可活。

皇上看着亲生儿子被一众侍卫当场拿下，眼底有怅然的神色，但脸上的神色却镇静如常，只挥了挥袖："带下去吧！朕不想再看见这个逆子。"

赵德昭见大势已去，于是怒中带笑，似乎是在讥笑："父皇你真的以为除了我，就没有别人在打你皇位的主意吗？你身边的这位陆尚宫，你为什么不问问她，她是怎么逃出教坊，又是怎么更换身份，才进的紫宸殿！"

青岚被赵德昭凶狠的眼神看得有些心慌，此刻他于大庭广众之下喝出她的身份存疑，更是让她顿时手足无措。只能转头看向皇上，不知道他会如何回应此事。

皇上淡淡微笑，语气波澜不惊："朕不必问，她是谁，为何入宫，朕早就知道。"

赵德昭怒吼："你既然知道，为何还把她留在身边？"

皇上望了青岚一眼，给她一个"别担心"的眼神，这才缓缓答道："因为，她是朕的女儿。"

此言一出，殿内众人皆被惊呆，就连青岚自己也难以置信地瞪大了眼睛看向皇上，赵德昭更是一惊："父皇，这怎么可能！"

"这有何不可？"

一个清朗柔和的声音忽然自身后响起，晋王缓步而来，仿佛春风化雨，万物新生："青岚的生母乃是金陵白家的大小姐，与皇兄早有婚约。只是战乱无情，后来失散。当年是本王暗中追查，才自教坊将她救出，捡回一条性命。"

皇上从容而立，似乎是对晋王所说并无半点异议。赵德昭顿时瘫软下来，似乎是被抽掉了最后一丝气力，只是喃喃自语："怎么可能……怎么可能！"

青岚难以置信皇上所说的事实，只是呆呆站立，目光久久停留在皇上身上，心中却只有一个念头："难道，皇上真是自己的亲生父亲吗？可若是如此，母亲怎么会从未提及？"

皇上挥了挥衣袖，侍卫将赵德昭带走。晋王见青岚异样，于是走到她身边，悄然间低语道："只是权宜之计。"

青岚这才回过神来，低头不语。

皇上又道："朕本不想重提青岚的身世，只盼她能与清平侯举案齐眉，生活平顺。但，既然今日此事有人提及，那为了避免再有人质疑，朕便在此许青岚一个封号。"

青岚茫然无措地俯身跪拜，到底还是接下了这个本不该属于她的公主封号。

洛阳兵变很快被平定，论功行赏，杨云溪与卫幽各有封赏，而最为震惊朝野的却是青岚，从御前侍奉到尚宫，最后竟然成了皇上一直隐而不宣的女儿：和庆公主。

问情诗·桃花酿

梳了单螺，当中以一支金簪妆点，素雅而又不失华贵之气，青岚披了鹅黄色对襟罩衣，静静地站在皇上身边，眉心微蹙，似是有些化解不开的心事。

皇上用过早膳之后便往夹马营的故居祭祖，这里早已经没有人居住，院子里空荡荡的，但因为一直有人刻意维护，不时修缮，所以看起来依旧干净整洁。时隔多年再度回到出生之地，皇上似乎格外兴奋，兴冲冲地进院，转了一圈，这才指着庭院的一角对众人说道："这就是朕小时候住着的院子了！朕记得，朕当时还把自己的小玩具埋在了那里呢！"

王继恩会意地立刻挥了挥手，两个侍卫上前，照着皇上的指点，在角落里真的挖出了一匹做工精致的小石马。

晋王接过小石马，看了又看，笑道："皇兄的记性可真是好。果然在这儿呢！"

说着恭敬地将小石马递到皇上手上。皇上颇有感触地望着手中的小石马，那是幼时父亲为他做的，他一时兴起，便埋在了院子里。没想到时隔多年，他少年时留下的玩具，竟然还能再回到他手上。

他自年少便外出从军，征战数年，漂泊动荡，却不曾想有重回洛阳的一天。

"前阵子,朕做了个梦,梦见了赵家的祖辈先人来问朕,打算何时回家……"皇上捧着小石马不尽感怀起来，"朕和光义都是出生于此，都说离家千里，终须得返。朕想着，有生之年，怎么也要再回一趟家，祭拜一下先人。"

青岚抬起头看着杨云溪，他神色沉稳，看不出丝毫的喜怒哀乐。她心中确信杨云溪可能已经知道了她与晋王的关系，只是不愿意开口点破，对她的细心呵护一如往昔，却越发让她觉得心中有愧。

晋王在旁笑道："东都距离汴京其实也不算太远，皇兄若是喜欢，大可经常回来小住。"

皇上摇了摇头，神色严肃起来："朕这次回来，不止想多住几日，朕还打算迁都洛阳。"

在场众人听闻此言，无不惊讶万分，先前从未听过皇上有此想法，想不到他竟然在此刻突然提出如此惊人的想法。青岚惊诧之下，立刻转头去看杨云溪，他垂下眼不声不响地摇了摇头，示意自己对此一无所知。

"恕臣弟直言，"最先出言表达看法的是晋王，他语气平缓，但看得出也在刻意压制心中的情绪，"迁都不是小事，不可如此仓促决定。"

皇上语气极为笃定："朕并非仓促决定，而是考虑已久。汴京位于中原，地势开阔，前朝时还有燕云十六州作为屏障，可避免外敌入侵。但如今，燕云十六州都尽在辽人掌握之中，辽军南下毫无屏障，若是长驱直入，不日便可直抵汴京。在军事上来说，汴京无天险可守，并非国都的上上之选，而洛阳则不同，洛阳自古有天堑作为屏障，地势险要，易守难攻。"

晋王的脸色一变，似是在思索什么，然后便道："皇上，臣弟以为，守国之道，在德不在险。"

一番话说得义正词严，青岚与杨云溪不约而同地感觉到浓烈的火药味自皇上与晋王两人之间传出。

皇上沉默不语，显然是被晋王的一句"在德不在险"哽咽住了。青岚知道其实皇上所说的迁都理由充分且合理，但举国迁都毕竟事关重大，晋王反对，也在情理之中。

皇上的脸色阴沉下来，直直盯着晋王看了半响，终于将小石马往王继恩怀中一塞，冷哼一声，愤愤将衣袖一甩道："回宫！"

青岚看了看怒气十足的皇上，又看了看同样脸色不善的晋王，心想，皇上为人稳重大气，但并不拒绝新事物，而晋王看起来虽然年轻，却更墨守成规些。最重要的是，他这些年来苦心经营的势力都在汴京，若迁都洛阳，一切则毁于一旦。

皇上匆匆返回行宫，便派了王继恩在门口守着，言明不见任何人。王继恩朝青岚使了个眼色，青岚便会意地冲了茶端来。皇上正在桌旁翻看地形图，他盯着洛阳看了许久，听到脚步声似乎有些恼怒："朕不是说，不许放任何人进来吗？"

青岚脚步一停，当即跪下参拜。皇上抬起头，见是青岚来了，面色有所缓和："起来吧，怎么是你？"

青岚起身，走到皇上身边，将茶盏放在皇上的桌案边："奴婢见皇上心情不好，便自作主张，泡了一杯洛神花茶，给皇上清心祛火。"

皇上叹了口气，原本挺直的脊背弯下来，靠在椅子上端了茶喝。青岚站在他身侧，见他两鬓已经斑驳。其实当今圣上如今也不过五十许，但终日操劳国事，此刻也难以掩饰神色中透出的疲态。

"青岚，朕真的错了吗？"

皇上放下茶盏，止不住深深叹了一口气。青岚知道皇上所指的是迁都之事，但是她碍于身份，不好出言议论，于是只是安慰道："皇上，迁都之事确是大事，王爷也只是行事谨慎，并无恶意。"

皇上轻哼一声："朕何尝不知光义为何反对迁都洛阳，他在汴京苦心经营已久，一旦迁都，势力便会折损大半……"

青岚不敢接话，她的身份与晋王脱不开干系，此时必然不敢开口替他辩驳。皇上便又接着说下去："朕这个弟弟，看似性子平和无害，但实际上坚韧无比，认准了一件事，绝不会中途放弃。所以，迁都之事，他必然会反对到底。"

青岚低下头，皇上对于晋王的脾气秉性确实十分了解，既然如此，他或许对这个弟弟早就有所防备。在她看来，迁都确有益处，只是皇上忽然跟她提起这些……青岚想，这毕竟是朝廷之事，又涉及皇上与晋王，实在不是她一个奴婢应该过问的。

"德昭如今已经被朕软禁，朝中晋王势力恐怕无人可挡，看来，是要立太子的时候了……"

皇上一番感叹，在青岚听来却犹如夜半惊雷，心怦怦跳个不停。皇上似乎并未察觉，只是沉声问道："青岚，你觉得，如今朕该如何选择？"

青岚不敢说话，头埋得很低，恨不得将自己缩进角落里去。皇上见状，于是笑道："青岚，你不必如此，朕知道你的来历，自然就知道你与光义的关系。朕信你，也知道你其实见识广博，行事也有自己的主意，你若有什么想法，不妨直说。"

皇上这句话说出来，青岚反倒心中轻松了，仿佛放下了那块一直压在胸口的大石。她当场双膝跪地，诚恳地抬起头来答道："青岚多谢皇上的信任。请皇上放心，青岚已还了晋王的救命之恩，如今再无瓜葛，今日之事，青岚绝不会向外人透露半句。"

皇上一笑："朕信你。"

说着挥了挥手，朗声道："云溪，你也出来吧！"

杨云溪默默自房梁一跃而下，他之前一直就藏在这房间里，将皇上与青岚的对话听了个清清楚楚。

青岚抬头看他，目光晶莹闪亮，满含柔情，现在，她终于可以堂堂正正地凝望着他，因为她的心中，再也没有了要对他隐瞒的秘密。

杨云溪走到皇上面前行礼问安，然后便从容地走到青岚身边站定。皇上将目光移到青岚身上，示意她可以大胆说话。青岚知道此时皇上心中早已经有了主意，只是想要从她口中听到一些想法，用以确定他自己的想法而已。

　　思绪无需辗转，皇上其实心中的想法已经十分明显，比起赵德昭，年幼的皇子赵德芳显然要聪敏得多，况且，皇位皆是父子相传，皇上与晋王虽然兄弟情深，就算曾有过传位晋王的念头，但如今晋王已成威胁，皇上断然不可能再遂了其的心愿。

　　青岚于是从容朗声道："皇上想必此刻已经有了决定。既然如此，青岚也不妨大胆直言，德芳皇子虽然年幼，但天资聪颖，颇有帝王风范，又是孝明皇后嫡出，奴婢以为，堪任国之储君。"

　　一口气说完，倒也觉得心中轻松了不少。至于皇上立赵德芳为太子之后，晋王到底会有何反应，又要如何出手与之相争，那就不是她该担心的事情了。

　　皇上朗声大笑，赞道："说得好！"

　　接着敛眉肃穆道："云溪、青岚，朕今日在这里有一事相求。"

　　青岚与杨云溪两人对望了一眼，便不约而同地恭敬跪拜在地，出声的却是青岚："还请皇上吩咐。"

　　皇上站起身来，走到两人面前，抬手将二人一一扶起，神色落寞，带着几许无奈："朕不日将下旨册立太子，但朕也知道，德芳入主东宫之后，朝中势必将风波不断。假若朕有什么意外，朕希望你们能保护好德芳、德昭……"

　　青岚急切诧异道："皇上怎可……"

　　杨云溪忽然开口打断她的话，沉声道："微臣明白。"

　　皇上这是在做最坏的准备，毕竟那个谋夺皇位的人，是他的亲弟弟。兵戎相见，性命相博，这是他最不愿意看到的。可是，事关九五之尊，锦绣河山，谁又能抵挡得了这样的诱惑呢？

　　夜色渐深，寂静的深夜里，自窗外传来低低的虫鸣声。

　　晋王站在院子里眺望月色，那一弯新月皎洁明媚，像极了记忆中那个女子的眉眼。他垂下眼眸，目光里迅速地抹过一丝浅淡的悲伤。

　　雨微醺站在他身后，见他静静凝望天空却不动弹，于是也不敢说话打扰，只等晋王终于叹了口气，缓缓转过身来，她才小心地开口道："爷，皇上传旨，明日出发回京。"

　　晋王听闻此言，脸上竟然露出一丝笑意，话似自很远的地方飘来一般："看来，在皇兄心中，东宫之位，已经有了人选了。"

雨微醺听了一愣，她并未觉得回京与立太子之事有任何关系。

晋王只是淡淡笑道："既然如此，醺丫头，通知影堂暗卫、宫中各处细作，自皇上回宫之日起，加强戒备，若有异动，立刻通报。"

雨微醺知道晋王是察觉到了什么，于是立刻点头，转身去颁令了。

圣驾翌日出发返京，除晋王外，杨云溪与青岚也随驾同行。雨微醺借机与卫幽走在一起，并肩骑马前行，倒也是别样的意境。

"咱们一走就是几个月，不知道何大叔家的儿媳妇生了没？"

距离汴京越来越近，雨微醺开始兴致勃勃地掰着指头数日子，他们这趟洛阳之行算是周折颇多，好在众人都安然返回。她想起广济堂里的众人，于是开始拉着卫幽说长说短。

卫幽沉思了片刻，认真答道："应该差不多了。"

雨微醺于是兴奋道："那回汴京之后我抽空去广济堂找你，也看看新生的小宝宝。"

卫幽点点头："来时提前说一声，我让厨房做你最喜欢吃的白糖糕。"

两人躲在队伍最后，你一言我一语聊得很是火热，青岚无意回头时看到，于是连忙偷偷叫来杨云溪一起偷看，结果最后连王继恩都加入进来，皇上和晋王也都被惊动，于是大笑之下，开始商议着要不要再多办一桩喜事。

圣驾不日返回汴京，皇上却再未提过迁都洛阳之事，仿佛是真的被晋王那句"在德不在险"给说服了。

今年汴京的冬天似乎来得稍早了些，刚入冬就下了一场大雪。伴随着铺天盖地的银白肃穆，"册立太子"的说法便又开始在朝中流传。青岚已经知道人选，生怕晋王再找上她，于是一回京便借口身体不适，躲在清平侯府中不见外人。而杨云溪那张冰块一般冷的脸，倒是没什么人敢于冒险来找他打探消息。

雪刚停歇，雨微醺就匆匆从晋王府出来，到广济堂去找卫幽。现在她时常便会到广济堂帮忙，卫幽无法出宫的时候，也放心地将很多日常的事情交给她来打理。广济堂后厨何大叔的儿媳妇生了孙子，于是兴高采烈地给每个人送来了红鸡蛋，雨微醺也拿到两个，又吃到了卫幽特别叮嘱厨房做的白糖糕，所以回去的路上都是嘴合不拢嘴的样子。

途径一处宅院，熟悉的人影闪过，倒是看得她一愣。

那人长身玉立，身材笔挺，手腕上戴一串红木佛珠，立于一地素白之中，显得飘飘欲仙，怎么看都是晋王千岁无疑。雨微醺好奇地凑过去，见晋王所站之处正是违命侯府邸的正门，只是他在门口彷徨流连，但一直未走进去。

这时候有个小丫鬟模样的人走出来到晋王面前，施了一礼，问道："夫人有句话给王爷，既然过府，不妨见面一叙。"

晋王摇了摇头，推辞道："不必了，相见无益，恐又徒增烦恼。"

小丫鬟又道："夫人还问，王爷既然不愿相见，又何必每隔几日便会在门外徘徊流连？"

晋王长叹道："无谓流连，只是明知求不得苦，却偏偏想要回忆而已。"

小丫鬟听不懂，便转身匆匆去复命了。不一会儿又捧出一坛酒来，双手奉上，道："这是夫人亲手采摘今年春天的桃花所酿之酒，望王爷笑纳。"

晋王听到"桃花"二字，不禁长吟道："去年今日此门中，人面桃花相映红。人面不知何处去，桃花依旧笑春风。"

世间本无事，庸人自扰之。若不是他此刻心中仍有执念，又何苦对与大周后容貌相似的小周后留恋至此？只是，他自己也知道，眼前伊人并非昔日的佳人，一切都是他自己忘不掉，放不下。

这一坛桃花酿，不知是有意还是无意，倒是解了他心中的这道魔障。

"原来如此……"晋王接了酒坛，转身不语，飘然而去。

雨微醺不解地望着那个孤单寂寥的背影，并不明白到底发生了些什么。

桃花酿醇香清洌，入口绵厚，晋王一人举杯独饮，残月烛影，照在窗棂之上，晕开一片惨淡的悲凉。

天空阴暗下来，鹅毛般的大雪再度降临。青岚拎着裙摆匆匆踏上紫宸殿外的台阶，无意间转过身来，就看到一地银装素裹，掩映着深重宫阙的红墙绿瓦，飘飘然宛若仙境。

傍晚时分，宫中突然来人传旨，召她入宫，说是突然想念她亲手冲泡的花茶。青岚望着窗外纷飞的雪花扰乱了视线，忍不住联想到杨云溪今早接到暗卫短笛传讯匆忙离去的场景，他整日未归，此刻再加上这道来得无比匆忙的圣旨，不知道为什么会让她觉得格外心神不宁。

皇上不在紫宸殿，而在万岁殿太清阁，青岚在王继恩的引领下快步入内参拜，却见皇上在一旁静坐，见她来了，抬手指了指小几上摆着的一套茶具，道："朕的客人还没有到，青岚，你先准备着吧！"

青岚不知道皇上到底请了怎样的客人，只是这么看来，似乎气氛格外凝重，太监、宫女尽数被屏退在外，就连王继恩也守在了门口。青岚沉住气，挽起衣袖洗手，然后开始挑选茶叶……

有人顶着风雪而来，吱呀一声推开房门，青岚抬头看去，却见来人一身锦华蓝衣，腰间悬着一支短笛，行色匆匆，脸颊处似乎是被利刃划过，留下一道寸许的伤痕，眼中残留着大战之后的疲态。

青岚心中一动，一声"云溪"险些喊出口来，却被杨云溪以眼神制止，示意自己没事。

杨云溪看到青岚在场，眼中稍稍有些疑惑的光芒闪过，他似乎是并没有想到青岚也会在这里，但他还是不动声色地抖落身上的雪，快步走到皇上面前参拜："启禀皇上，青玉坛已全数剿灭。"

他这句话说得风轻云淡，但青玉坛在江湖上也算是小有名气，能在瞬间将其剿灭，可见筹谋已久，寻得机会便以雷霆之势出击，这确实是皇上领兵打仗的风格。

不动则已，一动便若万箭齐发，不给对方任何活命的机会。

皇上欣慰地点了点头，赞道："很好。"

目光环视一圈，禁不住又问道："不过，卫幽呢？"

杨云溪语气沉重："卫幽伤势较重，臣已经差人送他回广济堂休养。"

皇上点了点头，正欲开口说什么，就听到杨云溪非常恰到好处地又加了一句："也已经派人通知了晋王府的醮姑娘。"

皇上忍不住笑道："好！好！"

王继恩尖细的声音这时候在外响起："皇上，晋王爷到了。"

青岚正在研茶的手当即一停，就听到皇上应道："让他进来吧！"

杨云溪默默地站起身来，朝着皇上欠了欠身，便闪身躲在了屏风之后，将身形完全潜藏起来。晋王这时缓步入内，他披了大氅，肩头落满了雪花，入内转身，不经意间抖落发间的水珠。

青岚起身上前行礼，晋王见了便温柔一笑，摆了摆手示意青岚起身，道："没想到皇兄竟然召了青岚入宫，看来今晚，臣弟是有口福了。"

青岚站起身来，开始着手煮水烹茶。皇上与晋王在桌前各自坐定，皇上见晋王脸颊泛红，深吸了口气，于是好奇地问道："光义你喝了酒？这般雪夜，你倒是好雅兴啊！"

晋王笑道："故人所赠，今年春天时采桃花瓣所酿，臣弟觉得味道不错，于是就多喝了两杯。"

皇上听着一边点头，道："桃花酿，听得连朕都馋了。"

晋王一听，于是起身道："若是皇兄喜欢，臣弟便让人取了来，与皇兄共饮几杯！"

说着便喊道："来人！"

门外的侍卫不敢进来，只是在门口恭敬问道："王爷有何吩咐？"

晋王笑道："让人回一趟我府邸，把今日我带回来的那坛桃花酿拿来！"

立刻就有人领命去了，皇上倒也不反对，只是面带笑容地看着晋王。青岚将茶点开，将两个茶盏分别送至皇上与晋王面前，便悄无声息地退到一旁侍候着。

晋王端起茶盏抿了一口，喜道："虽无好酒，但青岚的手艺，还是很值得一尝的！"

皇上只是掀起茶盏，却不动口，只道："也好，这盏茶，算是给你醒醒酒。"

晋王喝了半盏茶，这才放下茶盏在一边，沉声道："不知皇兄传召臣弟入宫，所为何事？"

皇上不语，只是低头喝茶。晋王便挺直了腰背望着他，目光渐渐锐利起来。

许久，皇上终于放下茶盏，道："朕今日，剿灭了青玉坛。"

晋王若无其事地掀起茶盏撇了两下茶水，答道："青玉坛连同皇子德昭一起犯上作乱，其罪当诛。"

皇上将手按在桌子上，缓缓收紧握拳："青玉坛确实其罪当诛。凡是密谋篡位之人，朕必然都不会放过……"

话说到此处，微微一停，便又道："朕已经下旨将德昭软禁于东都洛阳，永世不得返京。"

晋王赞道："皇兄英明。"

皇上又道："这样一来，太子之选，朕便不再为难。德芳虽然年纪尚轻，但聪敏勤恳，颇有朕少年时之风。朕属意立他为太子，光义你觉得如何？"

晋王听了神情平静，再度赞道："皇兄英明。"

皇上挑眉凝望晋王："光义你真这么认为？"

晋王浅笑反问，态度不卑不亢："那皇兄以为，臣弟该作何反应？"

皇上道："若你真这么以为，朕便放心了。"

晋王慢悠悠端起茶盏喝了一口，殿内虽然火炭熊熊燃着，但茶却冷得很快，他再度放下茶盏，悠然道："皇兄既然不放心，何不亲口问一问？"

两人你来我往，语气中充满了试探与交战的意味。青岚在旁听得清楚明白，皇上对晋王并不信任，所以屡屡出言试探。

皇上笑道："就算朕肯问，光义你又可愿意说吗？"

晋王站起身来，双手负后，朗声答道："臣弟是什么脾气，皇上想必再清楚不过了。既然皇上想问，那，臣弟也不愿意隐瞒。"

皇上提高了语调，神情严肃起来："朕一直诧异，德昭这次为何如此大胆，竟敢率军逼宫，同时，还有青玉坛在其背后支持。朕一开始怀疑的人是赵普，直到派人剿灭青玉坛时，才发现原来青玉坛其主，竟然另有其人！"

晋王朗声长笑，神态自若，道："皇上的紫鸢暗卫果然厉害，这般隐秘的消息，竟然都能查到。"

皇上站起身来，走到晋王面前站定，沉声道："朕没想到，德昭谋逆逼宫的背后，竟然还有你的一份功劳！"

青岚忽然记起那一日在开封府中，晋王与赵德昭密谈许久，心中忍不住怀疑，是不是在那个时候，他们就已经定下了谋逆的计划？

晋王笑道："皇兄说的哪里话，臣弟不敢居功，臣弟只是有把柄在德昭手中，于是，只好以一物与他交换而已。"

皇上冷哼一声："以青玉坛作为交换，要他替你保守秘密？"

晋王点头："不止如此，臣弟还告诉了他一个秘密。臣弟告诉他，皇上虽然面上未有表示，但是，却还是因为他勾结萧林赫之事有所顾忌，所以，心中的太子人选，是四皇子赵德芳，而非他二皇子赵德昭。"

当日青岚将此事告诉晋王，心中也是抱了决不能让赵德昭成为太子的念头，只是她没想到，晋王竟然以此事设下陷阱，成功诱骗了赵德昭谋逆逼宫，结果万劫不复，平白无故为他人作了嫁衣。

皇上沉沉地叹了口气："德昭他，毕竟是你的亲侄子。"

晋王摇了摇头，戏谑道："皇兄难道不知道，天家向来无父子，更别提什

么叔侄了。皇兄今日召我进宫，又在太清阁外设下重重禁军包围，此举，何尝顾念过什么兄弟亲情？"

青岚猛地抬起头看向皇上，她原以为皇上只是想要与晋王密谈，可却从未留意太清阁外不知道什么时候开始，已经被手持利刃的戎卫悉数包围。看来，晋王今夜，怕是凶多吉少了！

皇上看来有些犹豫不决，只是语气却不肯示弱："光义，朕其实并不想如此。只是你暗暗调防汴京四城门驻军，又将诸多心腹安插入禁军及宫中，朕若不提早做出防备，恐怕就真要死得不明不白了！"

面对皇上的指责，晋王冷笑一声，朗声答道："九五之尊，向来是有能者居之。当年，若不是臣弟的计谋，皇兄又怎么能在陈桥兵变，黄袍加身？"

当年他不过二十，但已经表现出在权谋方面极大的天赋，是他提出在民间散布"点检做天子"的传言，让世宗撤换殿前都点检，皇上后来才有机会接任并顺利掌握兵权。

而所谓的辽人大军犯境，也不过是做出的一个假象而已。皇上如愿领旨率军迎敌，走至陈桥驿时，再暗地策动军士发动兵变，拥立登基。

寻常人都以为此计是出自皇上身边的军师赵普，唯有皇上和赵普才知道，操纵一切，翻手为云覆手为雨的那人，其实是赵光义。

皇上长叹一声："朕知道自己可能拦不住你，但为了德芳，也只能冒险一试了！光义，你若现在罢手，朕可以答应你，既往不咎！"

晋王扬声大笑，语气却是冷峻的："臣弟相信皇兄一言九鼎，言而有信，但一切已如弓在弦上，不得不发。现在想要罢手，可已经来不及了！"

皇上顿时怒从中来，喝道："既然如此，云溪！"

杨云溪一直随侍在侧，一听到皇上号令，于是将手一抬，蝉翼刀迎着晋王的面疾驰而去！晋王似乎早有准备，随手抓过桌子上的茶盏会去，刀尖撞上白瓷层层碎裂四下飞溅！杨云溪反手正欲将蝉翼刀回撤，晋王飞身而上，竟然避过蝉翼刀的冷锋，两指并起，迅速在刀刃上一弹！

铮！

晋王急退两步，脸上的笑容正盛，显然是因为杨云溪并未在他手中占到任何便宜。只是这笑容忽然凝固僵硬，一手抚胸，身子前倾低咳两声，突然吐出一口紫黑色的血来！

"光义！"

皇上在一旁看得真切，竟然不顾一切地冲上前去。杨云溪目光中透着诧异，他分明没有用上全力……

晋王踉跄着抚胸后退，一边抬手指向皇上与青岚："你们竟然……下毒！"

青岚连忙摇头："奴婢不敢！皇上！皇上更不会有此念头！"

晋王面色由灰白转青，双唇发紫，猛地咳嗽了几下便又是一口血喷出来。皇上连忙上前将他扶住，却被晋王用力挣脱开，只是躲闪后退，却禁不住脚下一软，当即摔在地上难以动弹。

杨云溪这时候看出晋王已经中毒，立刻上前查看茶具，这才抬起头来道："茶中无毒。"

皇上怒道："那为何光义会中毒？"

杨云溪上前半步，一手搭在晋王的手腕上把脉，凝思片刻，面色骤变："桃夭？"

桃之夭夭，灼灼其华。如此猛烈的毒性，却并不会在顷刻间取人性命。除却桃夭，他想不出其他答案。

青岚抬头看他，似乎急于想要知道答案。杨云溪于是道："桃夭是剧毒，但一如其名，毒性猛烈，妖冶之极，但中毒者饮下桃夭时并不自知，一个时辰后开始咳血，四个时辰后才会毒发身亡。"

"一个时辰之前？桃夭？桃花酿？王爷，你入宫前所饮的桃花酿是谁赠与的？"

青岚在片刻间就做出猜想，连忙追问，晋王以手掩口，但却还是止不住地咳血，但心中却已经清明一片。

那一坛桃花酿，他以为的解脱，原来不过是一场阴谋而已。

杨云溪神色冷峻，想也不想便道："违命侯！"

皇上不解："为何是他？"

杨云溪冷然道："桃夭向来为南唐皇家所用，当年灭我杨家时，用的也是桃夭！"

皇上当即大喝一声："速速将违命侯抓来见朕！传太医！"

杨云溪立即往外走吩咐人去办，晋王竭力忍住咳嗽，缓慢道："送桃花酿的，是违命侯夫人……"

皇上又借着嘶吼一句："将违命侯夫人一并带来！"

杨云溪走到门口拉开大门，唤来禁卫军———吩咐，又让人速将晋王府中的桃花酿带来。假若没有解药的话，或许知道毒药是什么样子，至少还有些救人的希望。

皇上将晋王揽在怀中，急切却又竭力安慰晋王："光义你别怕，朕一定会找到解药救你的！你放心，我不会让你死的！"

他脸上的表情无比真挚，情感源于内心，丝毫不刻意做作，甚至连"朕"还是"我"都不分了，刚刚兄弟间的剑拔弩张，在面对死亡的时刻，忽然就烟消云散，仿佛从未发生过一般。

晋王似乎是有所感触，无力道："皇兄……你何必……"

皇上道："你是朕的弟弟，朕怎么可能不护着你！我看着你长大，看着你娶妻生子，看着你纵横朝堂……你是朕的亲人，你说天家无父子更无亲情，可朕，从没有这么想过！"

晋王心中一动，皇上昔日的温煦慈祥，一幕幕浮上心头。这么多年来，皇上从未对他苛责过，反而信任有加，每到年节都召他进宫团聚，其乐融融，足见兄弟情谊深厚。

他只觉得胸腔中有千言万语，却都卡在喉咙里，只挣扎着吐出一口鲜血，还来不及再说什么，便合上双眼，失去了知觉。

皇上惊呼一声"光义"，但见他虽然面色如纸，但仍有呼吸，这才暂时放下心来。这时候太医受命赶来，由青岚领着进内室为晋王诊治。

这时候又有人来报："违命侯夫人已经带到。"来得倒是比预想中更快，杨云溪一问才知道原来违命侯夫人早就在宫门外求见，只是为了防范晋王的异动，所以禁军将宫门封锁，把她挡在了外面。恰好杨云溪派出的人出宫就遇见了，这才把人赶紧先带了进来。

小周后面对天子却不肯跪拜，只是盈盈而立，脸上带着无惧生死的笑意。

杨云溪会意地上前，朝她伸出手来，道："夫人，还请交出桃夭的解药。"

小周后一动不动，只答道："桃夭从来无解。"

皇上大怒之下忍不住喝道："你若不交出解药，信不信朕灭了整个违命侯府！"

青岚将晋王安置好，放心不下，便又悄悄回到太清阁，正巧遇见人将晋王府中的桃花酿送进来，她自那人手中接了，双手捧着便往里走去。

小周后面对威吓依旧不为所动，青岚缓步上前，却恰好看见她低垂的手半掩在衣袖里，却一直不自然地来回搓着手指，顿时有所察觉，她将酒坛放在一旁，上前温柔笑道："夫人有什么条件，不妨明言。"

小周后抬起头，不知道是有意还是无意地瞥了一眼酒坛，道："我的条件，怕是皇上答应不起！"

皇上冷哼一声，道："你尽管说！"

小周后道："解药我这里倒是没有，但桃夭能杀人，亦能救人……"

杨云溪沉声打断她的话："若要解桃夭，唯有血亲以命换命，你的目标并非晋王，而是皇上！"

小周后被揭穿用意倒是没有惊讶，而是从容笑道："杨大人倒是见多识广，倒也是了，杨吴一门也尽数死于桃夭之下，杨大人知道这些不算稀奇。"

杨云溪的一张脸冷若冰霜，只是不愿与人多做口舌之争，目光中的杀气却几乎掩藏不住。

皇上这时候反倒平静下来，既然小周后这么说，那桃夭就必然是有药可解，至于所谓的以命换命，他倒是没有看得那么重要。他在小周后面前坐下，语气温和道："如何杀人，如何救人，还请夫人明示。"

小周后也不卖关子，爽快答道："我这里有一颗丹药，将它化在桃花酿中，让中毒者的血亲饮下，半个时辰之后，其血自成解药。"

她带着某种嘲讽的笑容望了皇上一眼，继续说道："只不过，救人之人，便会毒入骨髓，无药可救。"

皇上听到此处，朗声一笑，道："既然如此，还请夫人将丹药拿出来吧！"

他朝着青岚伸出手，青岚却不肯上前，她已经猜透皇上此刻心中的想法，只是想要阻拦："皇上，不可！"

皇上摇摇头，语重心长地："以命换命，可谁的命又不是命呢？光义是朕的弟弟，那么这条命，便由朕来换吧！"

青岚见皇上坚持，心中顿时不知所措。晋王与皇上，二者只能择其一，此时换了谁，恐怕也只能左右为难吧？她茫然时便不由自主地转头看向杨云溪，似乎是想要向他讨个主意。

小周后自怀中取出丹药递了过去，杨云溪抬手接了，就听皇上吩咐道："来

人，送违命侯夫人回府！"

小周后盈盈朝着皇上行礼拜别，神情高傲。皇上看着她，终究还是开口喊住了已经转身的她，道："夫人可知道，光义为什么经常流连违命侯府门外，又如此相信你？毫无怀疑地就饮下你所赠的桃花酿？"

小周后脚步一停，脸上骤然生变，只是并没有回头。

皇上轻叹一声，道："世间千百事，唯有情深不灭。你与你姐姐，真是长得太像了……"

小周后立于原地片刻，终究还是开口答道："国已破，家已亡，纵然深情，也只有势不两立一条路而已。"

国破山河在，南唐几世的基业葬送于此，眼看夫君从高高在上的帝王沦为阶下囚，于是一切怨恨都直指造成这一切的源头：当今圣上。

她缓步而出，听到皇上在身后沉声吩咐："从即日起，违命侯府中众人不得随意外出，若有异动，必须及时通报宫中。"

国仇已报，但这样的代价，真的是她想要的吗？

问情诗·天机变

褐色药丸缓缓化于桃夭酒中，药香渐渐掩盖了酒香，散开满室异香。窗外大雪依旧，将整个皇宫都染成苍白肃穆的颜色，寒风呼啸着穿过窗棂，吹得每个人心中发冷。

皇上端坐在桌边，看着不远处静静平躺在床上闭目沉睡的晋王，神色苍白但嘴角含笑，直面生死却依旧无畏无惧，不失帝王傲然本色。

"皇上，圣旨取来了。"

王继恩恭敬地递上一个红漆木长匣子，皇上抬手指了指杨云溪，于是王继恩便将圣旨交给了他。

杨云溪与青岚对望了一眼，两人齐齐下跪，由杨云溪双手接了圣旨。

"云溪、青岚，这道圣旨，朕交给你们。"

皇上站起身来，沉重地拍了拍杨云溪的肩膀："若朕所料不差，这道圣旨，将来必能用上。"

　　说着朝两人做了个手势，青岚于是会意地抬手取了圣旨打开，低声颂念："北汉……"

　　一道圣旨，短短数十字，但却决定了一城甚至是一国百姓的身家性命。

　　青岚将圣旨读完，眼眶含泪，却只是难以言语地唤了一声："皇上！"

　　皇上朝她从容一笑，道："起来吧！"

　　青岚知道，皇上的这道圣旨，原本是打算在亲征北汉时所用，但是此时提前拿出，是因为他心中清楚自己时日无多，所以才早早做出托付。

　　心中不忍，却又无法反驳皇上的决定，百感交集只能俯身跪拜，将千言万语，所有的感情，都汇聚在这一拜里，青岚的眼泪悄然滑落，在脸颊划开清晰的水痕。

　　杨云溪的耳畔，却仿佛回荡起青岚曾经语气无比悲怆地对他说过的那句话："如今死的人，已经够多了。"

　　烽火无情，战乱难定，但一国之君能有如此胸襟气度，也不枉他在皇城宫阙里走的这一趟。想到此处，杨云溪虔诚地俯身叩拜："臣，遵旨。"

　　皇上拍了拍两人的肩膀，道："你们不必如此，生老病死，无人可逃。朕活这一世，从一介布衣到坐拥天下，该经历的、该尝试的、该拥有的，都有了。"

　　他说着看向杨云溪，悉心嘱咐："云溪，朕曾答应过你娘，绝不会让你再度卷入谋夺皇位的阴谋当中，但是，朕还是选择将你从岭南召回汴京，是朕食言了……"

　　杨云溪神色有所动容，禁不住应道："为皇上效力，臣义无返顾。"

　　皇上又道："不过朕唯一欣慰的，就是将青岚许给了你。她虽不是朕亲生，但在朕眼中，与其他皇子、公主并无差别。今后，希望你能代替朕，好好照顾她。"

　　杨云溪语气诚恳地答道："我，一定会的。"

　　青岚此时已经泣不成声，皇上此刻说这些话，分明就是在交代后事。

　　皇上亲昵地摸着她的头安慰道："别哭，朕现在很开心。朕很快就能见到你娘了，不知道她现在什么样，是不是还像我当初遇见她时那么美……"

　　"皇上……"这下连王继恩都忍不住了，双膝一软跪倒在地放声大哭起来。

　　"朕百年之后，光义必定会出手夺位。云溪、青岚，你们二人还是尽快离开汴京吧！"

青岚哭着摇头，皇上清了清嗓子，正色道："这是圣旨。"

说着朝着他们挥了挥手，合上了眼睛，似乎有些没力气了："王继恩，送清平侯和夫人出宫吧！"

王继恩匆忙站起身来，擦干了眼泪。青岚还在一边抽泣，一手扶着杨云溪的胳膊。杨云溪双手捧了装圣旨的红木匣子，三人向皇上拜别。

皇上的笑容苍白："不必多礼，走吧！"

皇上说着站起身走到床边去。晋王此刻面色中的青灰色渐渐退去，皇上抬手按在他的额头上，感觉到体温也十分正常，这才放下心来。他的手腕上包裹着一层厚厚的白纱，隐约透着血色，动作稍显笨拙。

青岚已经转身，却忍不住又匆匆转过头看去，皇上静坐于床边神情温和慈祥的侧脸，在那一刻永远定格在脑海中，成为岁月里注定将被风干的沧桑影像。

那是她与杨云溪，最后一次面见皇上。

青岚忍不住以手掩住了嘴巴，靠在杨云溪肩头痛哭起来。

出宫时，鹅毛般的雪片挟着凌厉的寒意，止不住地朝着面颊重重砸下来。尚未被擦拭干净的眼泪迅速被冻结成冰。青岚摇摇晃晃地走在风雪中，幸好还有杨云溪走在身边，坚实而有力地牵着她的手，做她此刻唯一的依靠。

"云溪，你说明天，会发生什么事？"

已经走出很远，青岚依旧回过头，依依不舍地看着早已经被掩盖在风雪中的太清阁，那之后将发生的一切，谁的生、谁的死、谁的皇位、谁的遗憾，如今看来，似乎已经与他们无关了。

杨云溪悉心地帮青岚整理好披风的帽子，然后抬手温柔地擦去她眼角的泪水，轻声答道："今夜若我们不出城，明日便没有机会了。"

皇上驾崩，太子未立，若论争夺皇位，赵德芳势必不是晋王的对手。皇上要他们早日离开，是因为明白他们知道晋王太多的秘密，一旦登基，很可能不会放过他们二人。

为今之计，只有抢先一步离开汴京。

回府收拾行装，遣散府中众人便连夜出城。原本城门已经关闭，好在杨云溪亮出身份，这才逼得守城的士兵将大门打开，眼看着两人两马一路踏着漫天白雪飞驰而去。

大雪天路实在难行，只走了一段就没办法前行，荒郊野外又找不到地方借宿，于是只能勉强在附近找了一处荒废无人居住的房子落脚。房里空无一物，只留着一些稻草和残破的家具。杨云溪生了火，两个人肩并肩靠在一起坐着，映着一点点跳动的火光。青岚把脑袋靠在杨云溪的肩膀上，世界在那一瞬间仿佛寂静无声。

"怕吗？"

杨云溪将木柴扔进火堆里，忽然啪的一声有火星爆开。

青岚摇摇头，温和笑道："有你在，不怕。"

杨云溪的眼中充满了疼惜，目光温柔，与青岚对视了片刻，便俯身亲吻她的额头，道："我真高兴，你还活着。"

那些他的亲人，从他的生命中一个个离去，父亲、母亲，然后现在是皇上……他生怕有一天，她也突然那样毫无征兆地离他而去。

"我会陪着你，皇上不是说，以后要你照顾我吗？"

青岚默默抬手擦拭着眼角的泪水："以后，你要牵着我的手去逛集市，吹笛子给我听，弄脏了手帕不要再买，洗干净还我就好。不过你放心，我不会白白赖着你，我能帮你洗衣服、做饭，陪你聊天，泡茶给你喝，还可以陪你一起喝酒……"

当我们一无所有的时候，我们，就是彼此的唯一。

青岚把自己往杨云溪的怀里缩，语气有些伤感，但是却满含期待："不过，我们要去哪儿呢？"

杨云溪看着包袱里露出的明黄一角，想起皇上留下的那道圣旨，于是笃定地答道："我们去北汉国都，太原。"

青岚点了点头表示赞同，北方的辽阔天地，虽有刀兵战乱，可是皇上的嘱托，就如同这寒冷冬夜里的一团火光，割舍不断。

既然决定了，便匆忙赶往太原。走到半路时，终于还是遇上了国丧。上谕发出的解释是圣上因疾病暴毙，庙号太祖，虽是意料之中，但是两人却仍是免不了悲戚感伤。

最终正如皇上所料，最终登上帝位的确实是晋王赵光义，他登基后立即改年号为太平兴国。面对朝中的质疑之声，新帝抛出了金匮之盟的答复：杜太后临终时曾召赵普入宫记录其遗言，命太祖死后传位于弟弟，太祖允。这份遗书藏于金匮之中，在先帝驾崩之后才公告天下，因此新帝登基也合情合理。

但青岚与杨云溪都非常清楚，所谓的金匮之盟，其实是不存在的。只有寥寥几人知道，在那个下着大雪的深夜里，到底发生了什么。

从汴京一路北上，自冬至春，天气渐渐暖和起来，眼看着北汉国都太原就在眼前。这里民风彪悍，就连青岚匆匆拦下街边买菜的民妇问路，对方的回答都中气十足。

他们先找了一处客栈落脚，既然要在当地安顿下来长住，就该有长远的打算。好在两人银两带得足够，商议之后干脆就买下一间铺子连带后院的厢房，青岚又重操旧业开起了茶馆。

北方与辽接壤，因而生活习惯也都类似，对饮茶的要求自然比不得汴京那么精细，但是青岚初来乍到，却也凭着好手艺赢得了不错的口碑。生活虽然过得平凡无趣，但却能享受到从未有过的宁静。

原以为时光漫长，但光阴一闪而逝，不知不觉距离晋王登基，已经过去了三年。

"少奶奶，卫公子来信了。"

杨管家把信恭敬地递过来。春节刚过，天气还没转暖，青岚懒懒地靠在毛毡上原本有些倦意，听到"卫公子"三个字，这才勉强撑开眼睛，问道："卫幽的信？"

说着抬手接过去，上面倒是洋洋洒洒写了一大篇，只是一看就是雨微醺那龙飞凤舞的笔迹。青岚一边看一边笑着感叹："小醺和卫幽看来是要把广济堂开遍大江南北了。"

三年前杨云溪与卫幽联手剿灭青玉坛，卫幽受重伤，但幸好得到雨微醺的细心照顾，半年后渐渐康复。期间杨云溪将太祖皇帝驾崩前后的经过写了一封信告诉他，要他自己决定去留。卫幽原本是因为先帝有恩于卫家，所以才甘为暗卫伴驾左右。既然恩人已逝，他便决定不再效力新帝。幸好雨微醺是皇上面前的红人，当即为他说情请命，死缠烂打多日，皇上才网开一面，卸了他的差事，放他回家去了。

只是没想到雨微醺自己跑到皇上面前请命出宫，皇上原本有意封她为御前女官，但见她态度坚决，干脆就准了请求，让她和卫幽一起经营广济堂。

"小七怎么还没睡醒？再睡就成猪了。"

青岚撑起身子舒展四肢，一边抬头往旁边的床榻看去，床上睡着个圆滚滚的小不点，正裹在被子里睡得七歪八扭，圆润白胖的像个刚出锅热乎乎、软绵绵的糯米团子。青岚走过去轻轻戳她："小七……小七……别睡啦，该起床啦！"

小七呆萌可爱，让人忍不住用手轻轻戳过去。小不点不高兴地皱了皱眉，眼睛连睁都懒得睁开，直接张口，一口咬在青岚的手指上。

"啊你又咬我？！"

青岚非常愤怒地跳脚，这小不点刚生出三两颗小乳牙，但却尖锐异常，咬得她手指生痛。

圆滚滚的小不点翻了个身又睡去了。青岚气得鼓起了腮帮子磨牙，心中暗骂，这孩子也不知道像了谁了，牙口好，吃得多，每天还至少要睡足八个时辰，否则就要诸人都不得安宁。

"怎么？小七又咬人了？"

门外珠帘响动伴着脚步声，杨云溪信步上前，只是风尘仆仆，看来是刚出完远门归来的样子。进门就看到青岚正瞪着熟睡的小不点跳脚，于是忍不住笑出声来。

"屡教不改，真想敲掉她的牙！"

青岚恨得牙根痒痒，一边抬手又去戳小七肉乎乎的小屁股。小七很不情愿地被戳醒，瘪嘴不开心，委屈地眼看就要哭出来了。

定居太原的第三个夏天，七月初七七夕节那天，青岚生下一个圆滚滚、白胖胖的女婴。杨云溪欣喜之下，给孩子取了个乳名叫小七。

"她从不咬我。"杨云溪伸手把小七从床上捞起来抱在怀里哄着，小七立刻就笑得咯咯出声，流着口水往杨云溪的肩膀上蹭。

青岚白了一眼小七，正色道："卫幽来信了。"

杨云溪一边逗着女儿玩，一边答道："我这趟去淮扬，正巧遇见他们了。"

青岚一阵欣喜："哦？他们还好吗？"

杨云溪点了点头，把小七交给杨管家照看。

青岚猜到杨云溪恐怕是有话要对自己说，果然就听到他的语气沉重下来："皇上已经发兵北上，潘美领军，不日就要抵达太原。"

青岚心中一沉，该来的，终究还是来了。

如今，赵光义继位已经两年有余，朝政稳定，前阵子又收复了钱塘，将吴越之地归于宋土。但这位皇帝的野心并不在他的皇兄之下，太祖爷生前未能攻下北汉一统天下，很显然，皇上这次是想要做到太祖没有做到的事情。

"战事一起，又是生灵涂炭……"青岚忍不住感慨。她天性善良，难得这三年平静，百姓休养生息，日子安定平和，北汉渐渐繁荣兴盛。可随着宋朝大军兵临城下，一切平静又将化为泡影。

杨云溪轻叹了口气，这一切，早在三年前，先帝就全都想到了。

"那道圣旨……"他看向青岚，青岚点了点头，语气坚定而从容："为了太原的百姓，也为了对先帝的承诺，我想，我也应该去见一见当今圣上了。"

昔日的晋王，如今的九五之尊。

"太危险了，"杨云溪打断青岚的话，"我去吧！"

当日他们逃离出汴京的时候，仍不确认当今皇上是否会赶尽杀绝，若是他真有此意，这一去便是送羊入虎口，杨云溪自然不能看着青岚身陷险境。

"如果你觉得太危险，你可以陪我一起去啊！"

青岚笑笑，她早就猜到杨云溪会这么说，所以早已经想好了答语："小七可以托付给杨管家照顾。"

边说边握了杨云溪的手，放轻了语气："云溪，这是我们对先帝的承诺，我不能逃，更不能让你一个人去。"

杨云溪被她认真的目光看得心里发痛，他也知道这是最好的办法，宋军压境注定将死伤无数，也许死去的是父亲、兄弟、儿子，那是家里的依靠，他们死去了，毁掉的是一个家。

当日，先帝也是为了阻止惨剧的发生，才留下这道圣旨。先帝的遗愿，他们必然要帮他完成。

只是此刻，杨云溪心底的担忧却丝毫未减。也许他们真的有办法劝服皇上，那还是其次，那么，要怎么劝服北汉国主刘继元呢？他默默地想着，青岚似乎是看出了他的忧虑，于是抬手轻轻拂过他的眉心，一边问："你在担心什么？"

杨云溪摇摇头，握着青岚的手从眉心上移开，放到唇边轻蹭，答道："北汉国主依附辽人已久，不肯向宋臣服，我怕，他不会答应。"

青岚嫣然一笑，试图让他安心："走一步算一步吧！"

杨云溪点点头："我去让人查探一下前方的军情。"

虽然他已经不再身居紫鸾暗卫首领之职，但打探情报消息的功力却丝毫不减，虽然不知道他是通过什么渠道探得的，但也只比北汉王宫中收到的稍稍晚上一两日而已，消息百分百准确。

那几日太原城防调动频繁，宵禁的管理也越发严格，茶馆倒是正常营业，但客人来得少了些，而且也经常会有士兵在附近来回巡查，对所有神色可疑的路人进行盘问。

青岚与附近的士兵及捕快都很熟识，见正午时分天有些热了，就让人送凉茶出去，或是请他们进来小歇一会儿，闲聊时也会听到不少消息，诸如宋军一路北上，连破数座城池，径直向太原推进之类等，多数时候她都是默不作声地听着，然后帮忙沏茶送水，与一个普通的茶馆老板娘并无差别。

大约过了有两个多月的工夫，宋军终于兵临城下，那天青岚正在拿一个苹果逗小七玩，就隐约听到城外的方向传来轰鸣的响声，似乎是有所异动。她心中也不觉得诧异，只是匆匆喊来杨管家帮忙照看小七，自己则外出一看究竟。

宋军主攻东门，厮杀声似乎近在咫尺，这是青岚第一次距离战场如此近，心中有些惊慌，紧紧攥起来的手心里全是汗水。

太原素有龙城之名，地势险要，城墙牢固，易守难攻，再加上太原守将刘继业领兵有方，在他的带领下，北汉兵将士气高涨，坚守城池。宋军无法一鼓作气攻上来，眼见死伤无数，但仍被牢牢地挡在城门之外，只能下令撤军。

这一对峙便又是三个月。

直到杨云溪收到消息，当今圣上亲至太原前线督战，目前已经在军营大帐之中，还去了潘美的军帐议事。

比起先帝，当今圣上的脾气秉性要显得火爆一些，三个月攻不下太原，势必十分暴躁。青岚想，依照皇上的性子，攻打太原对兵力的损伤极大，又始终无法攻入城中，他此刻势必非常恼火，若是此时宋军攻打太原得手，那么，他很可能会趁机泄愤，那样的话，太原的百姓就要大难临头了。

事情已经不能再耽搁了，青岚于是立刻与杨云溪商量，两人乔装出城，直奔宋军的军营大帐而去。只是军营重地，又没有令牌，出入必然不会方便，容易被人察觉。幸好青岚出发前已经把事情仔细想过三遍，早就找到了突破口：王继恩。

谁也没有想到，王继恩竟然还活着，而且继续在御前侍奉。青岚后来从雨微醺写来的信上偶然得知，先帝驾崩当晚，曾传旨要四皇子德芳入宫，但王继恩并未奉旨传召，而是让人通知了晋王。

因此，晋王最终占得先机，并于当晚就控制了整个禁宫，第二日宣布国丧时，在百官面前，赫然已经是一国储君的身份。

从那时候起，青岚就猜到王继恩可能也是晋王的人，因为依照晋王的脾气秉性，绝不可能如此重用一个临阵倒戈的太监。进一步想，当初在宫中，王继恩对她的提点和照顾，也很有可能都是晋王授意的。

看来，晋王布局帝位的这盘棋，下得比她想象中还要大。

趁着夜色混入军营当中，对于杨云溪来说轻而易举，甚至带着一个不会武功的青岚，他也能应付自如。两人暗藏在主帐附近，默默等候王继恩的出现。

果然没有多久，就看到王继恩扭着胖墩墩的身子走了过来，拐进了主帐旁边的一个小帐篷里。青岚与杨云溪两人对望了一眼，不约而同交换了个眼色，然后趁着四下无人，跟着钻了进去。

一进帐篷，杨云溪便一个箭步上前，从背后捂住了王继恩的嘴巴，趁他还没出声呼救之前，就干脆利落地一掌砸在他后颈上，将他当场制服。王继恩一开始还以为遇上了刺客，当下身子瘫软。

青岚走到他面前，落落大方地朝他行礼："王公公，好久不见了！"

王继恩惊讶地瞪大了眼睛望着她上下打量，就听到耳边响起沉稳的男声："我们没有恶意，得罪了。"

说着，捂着他嘴巴的手也松开了，王继恩转头便看到一身黑衣装扮的杨云溪，没有蒙面，显然是不怕他看到脸。他当即惊诧道："是你们！你……你们怎么……"

青岚笑道："王公公，我们来，是有一件事想要请您帮忙。"

说着将王继恩从地上搀扶起来，言语一如既往地温柔。王继恩有些惊魂未定，但他还是挤出笑容来，道："有什么事，尽管说！尽管说！老奴一定、一定帮忙。"

"我们想见皇上。"

青岚没出声说话，说话的是杨云溪。青岚怕王继恩误会，于是干脆继续说下去："公公您放心，我们不会让您为难，我们只是有些关于太原的军情，想要向皇上禀报而已。"

"这……这恐怕……"王继恩似乎是有些犹豫，搞不清楚青岚和杨云溪葫芦里到底卖的什么药，他当然不敢就那么随意带人去见皇上，一旦出了什么事，他的脑袋恐怕就要搬家了。

但是现在如果不答应的话……青岚倒是温柔地笑着，但是杨云溪就……一想到他那张没有半分表情的脸，王继恩觉得自己的心都凉了。

"你们……你们到底要干吗？"

王继恩拼命地往帐篷的角落里缩，杨云溪答道："见皇上。"

"奴才也很为难啊！"

王继恩战战兢兢地看着杨云溪，又往青岚那边蹭，毕竟她那边比较安全一点。但是下一秒，杨云溪已经不耐烦地将蝉翼刀的刀尖蹭在王继恩的脖颈上，冷笑道："不去，就杀了你，我们自己去。"

青岚皱了皱眉，假意装好人："云溪，别这样……"

"就是……就是，有话好好说……"王继恩刚动弹一下，杨云溪冰冷锐利的目光已经扫了过来，他深知这位爷确实是说到做到的，于是答应道："侯爷手下留情！好！好！我答应，我帮忙！"

杨云溪反手把刀子收了，背手站到一边去，换了青岚来扮好人："公公别怕，云溪其实没有恶意。他只是有点着急，嗯，我们这就去见皇上吧！"

王继恩看着青岚笑靥如花的模样，心想这丫头一直也不是省油的灯，只是之前在宫中比较收敛而已。

他一路都在琢磨着要不要喊人来把这两个混入军营企图不明的人给拿下，但是只被杨云溪那冷眼一扫，当即就胆怯了。依照杨云溪的身手，恐怕他还来不及喊一个字，蝉翼刀就到了。

于是青岚打扮成丫鬟，杨云溪换了侍卫的服饰，两个人在王继恩的带领下，成功进入了皇上所在的主帐，只是皇上并不在此。杨云溪冷冷瞪了王继恩一眼，他立刻缩着脖子把帐中的宫女、太监都遣了出去。

杨云溪不耐烦地又抬头瞥了王继恩一眼，王继恩往后退了一步，答道："皇上应该是去跟潘将军议事了……"

杨云溪收了目光，自己找了个角落，屈起一条腿坐着。

王继恩差点就把自己胖胖的身躯缩进角落里了，他可怜巴巴地抬头看着青岚，又看看杨云溪，一脸无辜的模样。

青岚安慰道："公公别怕，我们只是想见皇上，非必要时，不会出手伤人的。"

虽然青岚这么说，但是王继恩总觉得杨云溪看向他的目光中暗含杀气，看得他后背一阵一阵发紧。

皇上回到营帐时，天已经完全黑了。他身穿明黄轻甲，身后有个侍卫帮他捧着头盔。

正如先帝的紫鸾暗卫一般，皇上身边也有自己的私卫，正是从影堂精锐挑选而来。

"参、参见皇上！"

王继恩快步赶过来迎驾，脚下一滑险些把自己绊倒，话又说得支支吾吾，皇上当下起了疑。他抬眼看过去，青岚顺势抬起头，毫不畏惧地迎上皇上的目光。皇上当即一惊，还没来得及做出任何反应，杨云溪已经随手抽出侍卫腰间悬挂的宝剑，反手横在了皇上的脖颈间！

赵光义发现自己在瞬间被人控制，惊愕之余，却也知道不能大声呼救。他环视众人，语气平缓道："你们要做什么？来行刺朕吗？"

"皇上误会了，我们并无此意。"杨云溪的声音这时候响起，宝剑却还是抵在皇上的脖颈上。他十分清楚，只有控制住了皇上这张王牌，他们才有资格与对方继续交涉下去。

皇上冷哼一声："那你们想要什么？开条件吧！"

杨云溪这时候抬头看向青岚，青岚心领神会，便自身上取出先帝留下的那道圣旨，平举在身前，从容道："青岚今日来，是因为当初对先帝的一个承诺至今仍未兑现。"

皇上将目光投向一旁的王继恩，似乎在确认青岚手中圣旨的真假。王继恩仔细回忆了一下，便点点头，道："回、回皇上，奴才记得，确、确实有这么一回事儿。"

皇上有些惊讶，看着青岚手中明黄的卷轴，语气骤然就变了："这是皇兄……留下的？"

青岚点点头，她注意到这时候皇上的眼神也与刚才有很大不同，刚刚还从容淡定，此时忽然蒙上了一层淡淡的悲伤。她心中一动，不由得又想起三年前的一幕幕往事，于是轻声答道："是的，就在那一夜，先帝将这道圣旨交给了我和云溪。"

皇上禁不住苦笑了一下，随即便恢复了镇定自若："让朕猜一猜，皇兄留下的这道圣旨，应该是想要保全北汉的吧？"

他们是兄弟，彼此血脉相连，当初先帝为了救他，不惜赔上自己的一条性命。他永远记得那一夜，他从昏迷中醒来，发现自己不再吐血，中毒的症状也慢慢消失，而皇上却面色苍白，看起来十分疲累。

若不是因为中毒，他本来打算在那天发动宫变，逼迫皇上传位于他，他在皇上面前已没有隐瞒的必要了。原以为死定了，但是没想到，皇上只是悉心叮嘱他回府好好休息，临出门时，还情真意切地握着他的手盯着他看了半天，终究却一言未发。

后来，他才知道到底发生了什么。一切都是自王继恩口中转述的，皇上如何服下小周后的丹药与桃花酿，甘心以血为解药，帮他解了毒。

可是，他却永远失去了这个哥哥。

曾经嫉妒过他、恨过他、讨厌过他，更有过无数种将他从高高的龙椅上拉下来，取而代之的设想和念头。但是，当得知哥哥为了救他而自愿赴死的那一刻，过往的一幕幕温情浮上心头，他这才发现，原来这份兄弟情，他从来都没有好好珍惜过。

可现在后悔，又有什么意义呢？

问情诗 · 为君策

杨云溪撤去了抵在皇上颈间的宝剑，退开稍许，低头道："臣冒犯之处，请皇上见谅。"说完俯身跪拜，皇上笑容温和地将他搀扶起来，道："朕知道你只是一时情急，无妨，起来吧。"

青岚小心地打开圣旨，却并不宣读，而是郑重其事地送到了皇上的手中，坦然道："希望皇上这次出兵，能够兵不血刃，劝降北汉。"

皇上缓缓将圣旨打开，默默地在心中衡量此事的可行性。比起先帝，他在兵法上的造诣要逊色不少，这一仗虽然有大将军潘美领兵，但是他还是稍稍有些不放心，毕竟之前宋军几次攻打太原都无功而返。

这一仗，他已经抱定了不攻下北汉绝不回京的决心，但是，大军在外，若是耗得时日久了，粮草接济不上，确实也不是办法。而且，攻打太原如果耗损太多兵力，他之后的计划恐怕也要受到影响。所以，青岚和杨云溪拿出的这道先帝的圣旨，倒是让他有些心动。

"这样吧，"皇上想到此处，便有了主意，"朕明日派人通传，向北汉国主刘继元劝降。"

青岚与杨云溪对望了一眼，这恰好合了两人的心思，杨云溪只是略一点头，青岚便明白了他的意思，开口朝皇上说道："皇上英明。"

皇上见两人感情甚笃，却忍不住想到，杨云溪心思细腻，青岚又擅于计谋，这两人在一起，若不能收为己用，将来有一天很可能会成为心腹之患。他虽有如此考虑，但并未表露出来，只是平和笑道："夜也深了，今晚你们就别走了，留在朕这儿，等着明天的消息吧！"

说着挥了挥手，吩咐王继恩准备营帐，杨云溪毫无拒绝之意，点头应道："谢皇上。"

青岚见杨云溪都不反对，于是也就放下心来，在军营中住下。

两人虽然这一夜极为疲累，却都睡不着。青岚翻来覆去辗转半天，杨云溪终于忍不住轻声道："你也睡不着啊。"

青岚听到杨云溪出声，索性撑着坐起身来点了蜡。

杨云溪坐起来靠在一边，曲起一条腿，将手搭在膝盖上面，答道："我觉得，事情不会这么容易。"

青岚靠过来，把头搭在他肩膀上："北汉国主多年来一直依附辽人，宁可纳贡称臣，也要借兵来抵挡宋军，可见，他是不会那么容易就向皇上俯首称臣的。"

杨云溪沉声道："若劝降无效，皇上会立刻下令攻城。"

青岚无力地合上眼睛："那怎么办？难道真的要愧对先帝的嘱托吗？"

杨云溪不言，却从身上摸出短笛来，放在唇边吹起来。这一曲略有些悲壮豪迈，青岚听不出这是什么曲子，却被感染，不由得随着那曲调轻声哼唱起来。

笛声似远方猎猎风来，横刀立马放眼远眺，净是男儿保家卫国、纵横疆场的壮志豪情。

青岚似乎听出了那笛声中蕴含的向往之情，她早就知道当初先帝有意送杨云溪到潘美军中历练，只是中途波折太多，一直未曾如愿。而杨云溪自己，虽然这些年与自己一起隐居太原，但是，他的心中对于疆场的渴望，却一直都没有放下过。

　　一曲终了，青岚便道："你吹得真好听，我也想学。"

　　杨云溪道："这个不难。"

　　青岚嫣然一笑，道："好啊，我等你教我。"

　　忽又道："我虽然不会吹笛，但也知道曲随心动这个道理，你若想去，就尽管去吧！"

　　杨云溪握着短笛的手一紧："我……"

　　青岚浅笑，将手覆在杨云溪的手背上，任凭温暖相融，她与他，早就承诺生死与共，不负今生，她又怎么会不懂他的心事？

　　"之前我们隐居太原，不过是权宜之计，我知道你志在疆场，只是之前一直苦无机会。"

　　杨云溪目光中有些动容，却也有些失落："如今，也怕是全无机会。"

　　青岚笑着摇头："不会的，只要你愿意，我便有办法。"

　　只要是杨云溪的愿望，她一定会竭尽全力帮他实现。

　　杨云溪转念一想，顿时猜到了八九分："你想助皇上攻下太原，重新获取他的信任？"

　　青岚点头："不错。"

　　杨云溪明显有些信不过皇上："他毕竟不是先帝，况且，我们知道他那么多秘密。"

　　青岚却显得胸有成竹："就是因为我们知道他那么多秘密，才更有胜算。"

　　杨云溪摇头："他向来不喜欢被人威胁。"

　　青岚笑道："无论哪一个皇上，都不会喜欢被人威胁。但是有些要求，是可以用另外一种方式提出来的。"

　　杨云溪有些不解地望着她，不知道青岚此刻这略带诡异的笑容，到底是什么意思。

　　第二日清晨，皇上便派人向太原城中发出劝降书，守城主将刘继业将书函直接送至王宫。不久便传来消息，北汉愿意归降，不日将打开城门，迎宋军入城。

皇上完全没想到刘继元会答应得如此爽快，当即便下令大军按兵不动，等北汉国主出城受降，暗地里却派出精锐暗探四处查探，想要弄清楚刘继元到底是真降还是有诈。

杨云溪与青岚得知这个消息的时候也略微惊讶，青岚当即就大胆猜测："一定有阴谋！"

杨云溪沉默不语，却忍不住握紧了腰间垂挂的短笛。

皇上并未有召见他们的打算，只是要求他们不能离开军营。他很清楚若是杨云溪有心要离开，有多少守卫都拦不住他，但是，他绝不会自己离开而不顾青岚的安危，所以便任凭他们在军营中自由走动。

第三日时，青岚开始有些焦躁，自从小七出生之后，她从没与孩子分开那么久，心中十分想念。

杨云溪自帐外回来，神色严肃，青岚见状迎上去，就听到他言语甚冷："二十里之外，发现辽人军队。"

青岚立刻明白过来，原来刘继元所谓的归降，不过是拖延时间，等待辽兵来援。

"皇上什么打算？"

她立刻问道。刘继元此举，势必会惹恼皇上，若如她所料，皇上必是要派出大军击退辽兵，然后再开始大举围攻太原。

杨云溪神情平静："一切正如你所想。"

一场惨烈战事，恐怕免不了了。

青岚深吸了一口气，越到这个时候，她表现得越是冷静。既然阻止不了，那么，总要想办法将双方的伤害减到最低，才能不辜负先帝的嘱托。

"云溪，你信我吗？"

青岚扬起头，诚恳而深情地望着杨云溪。

杨云溪平静地点点头。青岚于是笑着拉起他的手，道："那么，我们一起去求见皇上吧！我想，关于攻打太原，我已经有了更好的办法。"

一路携手走来，杨云溪对青岚一直深信不疑，对她的足智多谋更是佩服得五体投地，此时也不例外。他牵起青岚的手，轻声道："走吧。"

皇上刚刚听完了潘美关于调兵遣将的安排，稍稍有些头痛，刚打算歇下，就听到侍卫前来通传，青岚与杨云溪在外求见。王继恩于是谨慎地上前小声询问："皇上……"

皇上以手扶额，声音稍有些无力："让他们进来吧。"

王继恩于是会意地朝着侍卫摆摆手，示意让他把人带进来。皇上喝了半杯冷茶提神，坐直了身子，正好看到杨云溪与青岚一前一后走了进来。

两人上前参拜，起身站在一边，青岚眼尖，看到皇子上桌上搁着的冷茶，于是大胆问道："可否容奴婢为皇上泡一盏新茶？"

皇上一愣，随即叹道："也好。要论泡茶，朕带出来的这些丫鬟，手艺都不及你。"

"谢皇上夸奖。"青岚福了福，便转身前去准备。

皇上便看向杨云溪："前方的军情，你们也听说了吧？"

杨云溪依旧表情冷漠："知道了。"

他沉默寡言是出了名的，皇上也不意外，接着问道："对此你怎么看？"

杨云溪想了想便答道："击退辽军鼓舞我方士气，一路前锋营，正面迎敌；一路轻骑兵包抄至敌后，前后夹击，趁辽军立足未稳之时，一举将其歼灭。"

皇上觉得他的见解很有章法，这个带兵打仗的套路倒是与潘美刚刚提出的十分相似。只不过杨云溪是紫鸾暗卫出身，并未真正带兵上过战场，所以他也有些怀疑，希望杨云溪不会像当年南唐守将皇甫继勋那样，只会纸上谈兵。

杨云溪见皇上沉默不语，便隐约猜到他心中所想，便道："臣虽未曾领兵前线，但紫鸾暗卫亦是先帝亲卫军所辖，故略有涉猎，但只是学了些皮毛，还需疆场历练。"

皇上挑眉道："哦？你有从军效力之意？"

杨云溪颔首点头，并不说话。皇上便又道："好男儿志在疆场，保家卫国，这番情怀朕明白。不过……"

他话锋一转，言语间犀利起来："当年先帝驾崩之时，你与青岚匆忙离京，一走便是三年，分明是信不过朕，认为朕有意加害，既然你们不相信朕，又让朕如何相信你们？"

杨云溪一时语塞。他们当初离京，确实是有此顾虑，而此顾虑直到现在也未消退。

青岚这时候端着刚刚冲好的茶缓步走过来，俯身向皇上奉茶，一边柔声说道："皇上想必也知道，云溪出身杨吴王族一系，当年得先帝相助，才逃过灭族之祸。当初奴婢与云溪离京，并非不相信皇上，而是因为先帝曾对云溪的母亲有过承诺，不让他再度卷入皇位之争。所以，我们才奉先帝之命，远走避祸。"

皇上对于杨云溪的身份也知晓一些，只是不清楚其中的细节，听青岚如此一说，倒是也有几分相信了，态度缓和下来，看向杨云溪叹道："原来是这样。"

青岚面色从容继续道："只是如今北汉军情复杂，我们又曾对先帝有过承诺，所以，势必要想办法相助皇上，同时保全太原百姓的安危。"

皇上端起茶盏抿了一口，凝神沉思：杨云溪倒是一员得力干将，至于青岚，既有公主的身份，又知道自己的诸多秘密，既然不放心这两人，不如留在身边更好。想到这里，于是他点了点头，道："既然云溪有意愿从军效力，朕便问一问潘美，看他如何安排。"

杨云溪单膝跪地，郑重地朝着皇上行了一个军礼，道："云溪遵命。"

青岚在旁露出温婉的笑意，随即上前，与杨云溪并排跪拜，恳切道："奴婢也有一事相求皇上。"

皇上放下茶盏："说来听听。"

青岚仰起头，语气委婉："奴婢已经多日未见孩子了……"

皇上一愣，顿时爽朗地笑出声来："原来，当年的岚丫头如今也做母亲了！"

青岚脸色绯红，低下头去："皇上就不要取笑奴婢了。"

皇上脸上的笑容未消，语气也柔和了不少："你们现在住在太原？"

青岚点点头："三年之前就来了太原，开了间茶馆。"

皇上笑得别有深意："茶馆倒是个好地方。"

青岚接话道："如今茶馆也算在太原小有名气，不少达官贵人都会光顾，其中有几位熟悉的，也算是在北汉国主眼前能说得上话的。"

皇上登时挑眉，似乎是对此十分感兴趣："若朕放你回太原，你打算怎么办？"

青岚凝神敛目，郑重道："青岚已有了些主意，只是在此之前，还要斗胆向皇上讨要一个承诺！"

当今圣上九五之尊，一言九鼎，只要皇上应允，一切便尘埃落定。

皇上便问："要朕答应什么？"

青岚朗声答道："赦北汉皇室无罪，赦太原将士、百姓无罪，归宋之后，将士可自行选择去留，百姓不迁离家园。"

皇上听了一愣："这倒与皇兄的圣旨，是一个意思了。"

青岚正欲开口再说什么，就听到杨云溪在一旁沉声说道："若皇上答应了，这里便再没有先帝的旨意。"

皇上知道这已经是两人最大的妥协了。先帝遗旨，对于皇权来说，其实是极大的威慑，他也曾经想过是否要神不知鬼不觉地除掉二人，藏起这道圣旨，权当什么都没有发生过。但一想起先帝，却还是不由自主地心软了。

不过杨云溪向来都是说一不二的人，既然他这么说了，那就不妨相信一次。想到这里，皇上便自桌案上取了笔墨纸砚，提笔写了几句话，然后以私印蘸了朱砂盖上，这才朝着青岚道："起来吧，你的要求，朕准了。"

杨云溪听了，俯身便拜："臣代太原百姓，谢皇上恩典。"

青岚也跟着一拜，自这一拜起，他们才算是真正承认了当今圣上的身份。

青岚双手接过圣旨，顿时觉得犹如千金沉重，上面系着太多人的性命——太原百姓的、北汉士兵的……还有她和杨云溪的。

"来人！"

皇上唤了一声，立刻有两名侍卫自门外闪身进入，身手敏捷，自御前参拜："请皇上吩咐！"

青岚见这两人的服饰打扮并不是御前侍卫，而是影堂暗卫，心中立刻有所察觉，皇上应该是不放心让她自己回太原，所以，这两人应该是派在她身边的人了。

"你们小心护送公主回太原，接下来的日子，听从公主差遣便是。"

赵光义沉声吩咐，两人齐声道："是。"

青岚将圣旨收好，与杨云溪一同退下。

两人静默地一同往外走，彼此都不说话，但依旧能感觉到彼此之间的暖流在缓缓流动，那是源于默契，无需任何言语。

杨云溪拉着青岚往前走了两步，与那两个影堂暗卫稍稍拉开些距离。

"带着这个……"杨云溪将腰间的短笛解下，缓缓系在青岚腰间，压低了声音对她说道，"自会有人与你联络。"

紫鸾暗卫虽然已经不复存在，但当初先帝假手杨云溪所建立起来的庞大情报网，却依旧存在。青岚回过神来，当即领会了他的用意，这些情报势必会对她日后的行动有所帮助。她于是轻声在他耳畔说道："相信我，一切很快就会结束。我和小七在太原等着你。我这就去了。”

杨云溪点点头，道："路上小心。"

"我们走吧！"

青岚朝着那两个影堂暗卫挥了挥手，自己便走在前面，那两人跟上前去，追上青岚的脚步。

杨云溪站在原地，看着青岚越走越远，但青岚再也没有回过头来看他，尽管她满眼的恋恋不舍。

平日里出入太原倒是不难，守城的几位将领都是她茶馆的常客，而此时由于宋军大兵压境，太原城的守卫要比之前严格了许多。青岚扮作刚买茶回来的样子，那两个影堂暗卫换上了寻常家丁的衣服。

负责在城门口盘查的小兵并不认识青岚，检查得十分仔细，甚至连马车上的茶叶罐子都想要打开检查。

青岚心中有几分焦急，因为皇上的那道圣旨就藏在茶叶罐子中，假若被发现了，那可就真是麻烦了。

眼看着小兵的手已经伸到了茶叶罐子的封口处，青岚连忙抬手拦了，装出一副为难的样子来："小哥，这罐子是密封的，您若是打开了，这一批茶叶恐怕就要受潮了……"

小兵把眼睛一瞪，高声嚷道："那怎么行，若是罐中藏了……"

他本是想说"藏人"的，但这罐子小得连个婴儿都放不下，就把剩下的话咽下去。

青岚刚想说话，就听到一个清朗的声音自不远处悠然而来："这罐子里能藏什么？你的脑子都让狗吃了吗？"

青岚转头一看，一个戎装少年疾步而来，他看起来与青岚年纪相仿，意气风发。她顿时不禁惊喜道："小曦！"

这少年来得倒是巧了，他是守城主将刘继业的小儿子，名叫刘曦，是茶馆的常客，平时与青岚往来甚多。刘曦笑嘻嘻地来到青岚身边，四处看看道："青岚姐姐，这次买了什么茶叶回来呀！怎么不见杨大哥？"

青岚笑道："云溪他还在后面，估计怎么也要再过三五天才能回来。这次买的是苍雾，改天你过来尝尝。"

刘曦答应着，转身朝守城的小兵挥了挥手，示意让他放行。

　　青岚看着小兵把按在封口上的手收了回去，这才真正松了一口气。刘曦跟着青岚一路往前走，一边好奇地追问："姐姐你们在城外看见宋军了没？我听我爹说，宋军这次来势汹汹，恐怕不太好对付呢！"

　　青岚摇了摇头。

　　"我爹还说，这次恐怕又要打很长时间的仗了，"刘曦悻悻道，"我讨厌打仗。"

　　青岚赞同地点点头："我也讨厌打仗。"

　　刘曦怅然道："我也这么跟我爹说过，我爹说，他也讨厌打仗，他领兵不是为了护卫王权，而是不让生灵涂炭。"

　　青岚听了十分动容，心道，像刘继业这样为百姓考虑的将领着实不多了，听刘曦这么一说，她心中的想法也越发坚定起来。她忍不住拍了拍刘曦的肩膀，安慰道："刘将军说得对，生逢乱世，只能以战止战，不过我相信，一切都会好起来的。"

　　刘曦眨了眨眼睛，流露出单纯又憧憬的表情："真的吗？"

　　青岚用力点点头："真的！"

　　青岚愿意倾尽全力，只盼望这一战之后，一切战火连绵，都将被岁月尘封，从此，山河静好，百姓安居，相爱之人不再分离。

问情诗·山河志

　　杨管家见青岚回来显得很激动，抱了小七迎上来："少奶奶，你终于回来了！少爷呢？"

　　青岚一手抱了小七，这丫头多日不见娘亲，见了竟开始放声大哭，青岚连哄带抱，孩子终于安静下来。

　　青岚将杨管家拉到内室，将事情大略对他说了一遍。杨管家听完露出一副忧心忡忡的表情："这也太危险了，你一个人，怎么应付得了？"

　　青岚竭力露出一个笑容，安慰道："杨管家你放心，总会有办法的。"

说着指了指门口站着的两个影堂暗卫，吩咐道："劳烦你，给他们俩准备个住处。"

杨管家点一点头，便领着两人走了。

忽然窗处传来一阵轻微的响动，青岚转头看去，一道黑影已经跃窗而入，稳稳落在她面前。

"这就是小七？"

来人拉下脸上蒙面的黑巾，青岚一喜："卫大哥你怎么来了？"

来人正是卫幽。

"我这次来，是收到云溪的传讯，说太原情势较为复杂，要我带人过来帮忙。他说若是到时他不在太原城中，来找你便是了。"

卫幽看了一眼青岚腰间垂着的短笛，见到这个他就已经确定杨云溪不在城中了。

青岚一边哄着小七，一边将事情的原委对卫幽说了一遍，卫幽点点头，赞同道："此事确实需要费一番周折，但于百姓有益。青岚你有什么需要，尽管说就是了。"

青岚似乎是正等着卫幽的这一句，开口道："我现在需要知道北汉王宫中的状况，哪些主战，哪些主和。"

卫幽道："这个不难，大约半日工夫便可查清。"

青岚把小七给哄睡着了，于是声音跟着放低："希望主和的众人当中，会有那么一两位，是在刘继元跟前，能说得上话的……"

时间紧迫，卫幽很快就让人将详细名单送来，上面分别列上了朝中主战与主和两派官员的官职和姓名。青岚抬眼一扫，很快就欣喜地将目光定格在一个熟悉的名字上。

太原守将：刘继业。

青岚的食指在刘继业的名字上轻轻点了点，心想，就是你了！

她当即吩咐杨管家，召集家丁和茶馆一众伙计，开始盘点起仓库里储存的粮食来。战事一起，最短缺的必定是粮草，好在这些年她精打细算，粮草倒是存下不少。杨管家看着堆得满满的仓库，不解地问道："少奶奶，您这是要？……"

青岚意味深长地摇了摇手："我自有打算，只是还不到时候。宋军一旦围城，很快城中就会断粮。杨管家，从今日起茶馆关门歇业，所有家丁和伙计分三班轮流值守，一定要好好看住仓库。"

杨管家心领神会，当即就领命去办了。果不其然，宋军很快又开始攻城。青岚托卫幽想办法打听太原城中军粮储备，又偷偷命人在民间高价收购粮食囤积。期间还不忘派人送了礼品去刘将军府上，说是为了答谢刘曦当日的相助之恩。卫幽不时送来消息通报战况，宋军成功打退来援的辽军，同时将太原重重包围，太原守军士气低落，但还是仗着守将刘继业勇猛且太原城墙坚固不肯投降。宋军一连围困十日，却仍是未能前进半寸。

原本城中就存粮不足，结果某天晚上天干物燥，不知为何储存军粮的仓库竟然着了火，火势凶猛，将存粮烧了个一干二净。

缺粮的状况整整持续了三日，军中只能以稀粥度日，后来碗里的米粒越来越少，不得已向百姓征粮。于是连寻常百姓吃饭都成了问题，城中的流民逐渐增多，开始有人为了粮食而滋事。

"东街的曹大人家被乱民抢了！

"西街的范大人家存粮的仓库也被流民抢了！"

"还有富户何老财家！"

"张掌柜的店也被抢了！"

……

被一堆禀报声吵得七零八落，刘曦摸着脑袋一筹莫展，一边同情流民抢粮是因为肚子太饿，一边抱怨显贵大臣家里明明有粮却半点也不往出拿，真是太没良心了。

青岚坐在马车里，掀起半边车帘望着不远处的情形。卫幽坐在她旁边，忍不住赞道："知道体恤百姓，倒是个不错的孩子。"

青岚笑笑："小曦确实心肠好，不过刘继业将军派他来处理这些事情，让我心中更肯定了一点，刘将军深明大义，凡事以百姓为先，确实是位不可多得的将领。"

说着她跳下马车，大步朝着刘曦走来的方向迎上去。刘曦无精打采地没注意到她，青岚主动与他打招呼，笑道："小曦！"

刘曦这才凝神回看："青岚姐姐？"

青岚上下将他打量一番："你这是怎么弄的，像跟从乱草堆里钻出来的一样。"

刘曦朝着身边的侍卫挥了挥手，示意让他们等自己一会儿。他无奈哀叹一声："我也不想啊！可是没办法，现在城里这么缺粮，天天都有流民为了粮食滋事，连我自己都……"

他说着停了停，青岚听到他的肚子里咕噜一声，很明显是饿了。

青岚笑着拍拍他的肩膀："假如不嫌弃，到我家吃饭吧！"

刘曦当下眼睛就亮了："你家有粮？"

青岚语气笃定："有啊！"

于是不但刘曦吃了一顿饱饭，就连跟着他的几个侍卫也都没落下，吃得肚子滚圆。刘曦捧着肚子哼哼："姐姐你真厉害，家里竟然有存粮啊！"

青岚暗想，三年前来太原的时候，她已经料到将来会有这一天，所以早早就做了准备，现在果然还是用上了。不过她只是笑笑："既然城中缺粮，我家仓库里的存粮虽然不多，但救个急还是可以的。"

听了这番话，刘曦差点要给青岚下跪了。随后青岚话锋一转又道："不过，若是把粮交给别人我不放心，除非是刘继业将军亲自前来。"

刘曦当即点头："没问题、没问题，我这就找我爹过来！"

青岚本想着其实刘曦可以派个人过去送信给刘继业，但是没想到，这家伙因为太过兴奋，竟然自己一路小跑去了。刘继业原本在城上督战，宋军攻城无果，刚刚退去，他刚来得及喘口气，就看到刘曦一路小跑冲上城楼，还没走近就大吼大叫起来："爹，有粮食了，我找到粮食了！"

刘继业将银枪背在身后，刚想责备一下儿子这样火急火燎的，一点大将气度都没有，就听到他说有人愿意捐粮劳军而且还是大批量的粮食，他当即也端不住架子了，立刻吼道："还不赶紧带路！"

两人来得很快，青岚在客厅备下茶具，挽袖烹茶，水刚刚滚开，刘家父子便到了。

门外两队戎装士兵，中间一位银甲黑衣的中年武将信步而来，身后还背着一支银枪，风尘仆仆，满面灰尘，显然是刚从前线撤下来。

青岚派人将刘继业迎进来，自己则端坐将茶一一点开，然后送到他们面前："两位先喝盏茶，定定神。"

刘继业一口气喝完茶才缓过神来，看着青岚温婉清秀的模样，忍不住惊讶

与君长相守
问情诗

道："曦儿，这就是？"

刘曦点点头："这就是要捐粮的人。"

青岚朝着刘继业行礼问安："见过刘将军。"

刘继业似乎没想到捐粮的会是这样一个年轻女子，但还是很恭敬地朝着青岚拱手问好："我替军中将士，谢姑娘的善心。"

青岚摇摇手，不推辞也不回应，只是笑道："将军觉得这茶的味道如何？"

刘继业不知所以，只客气道："甚好。"

青岚扫了一眼刘曦，见他也一脸乐呵呵的模样，于是又道："苍雾甘爽，回味醇香，只是舌尖留有微涩之意，两位可有体会？"

刘曦蜷起舌尖感受了一下，立刻点点头。刘继业放下茶盏，就看到青岚悠然一笑，道："那就对了，百步穿心散，也是这个味道。"

此话一出，刘曦当即仿佛被大锤重重砸在胸口，手无意识地一挥便撞上了茶盏，哗啦一声跌落在地，茶汤洒了一地。

刘继业毕竟是纵横沙场多年，历经生死，因此表现得格外镇定，只是沉声问道："姑娘费心思不过是想要将我引来，到底你有何企图，不妨明说。"

"没什么，只是想要将军答应我一件事。"青岚随意笑笑，道，"放心，并不是什么难事，将军守城数日，想必十分疲累，更无暇到城中走动，今日不妨陪青岚到城中逛逛。"

刘继业不知道青岚到底卖的什么关子，心想，这件事只能走一步看一步，于是便点头答应了。青岚笑眯眯地将手一扬，道："将军请！"

说完自顾自走在前面领路。刘继业想来是一言九鼎，言出必行，跟着青岚。刘曦搞不清楚到底发生了什么，但也快步跟了上去，还不忘招呼两个刘家的亲兵跟着。

青岚往兵营走去，大战刚过，到处是受伤的士兵，极为惨烈。对于刘家父子来说，似乎已是见惯了这些场面，但是此时此刻，心中不禁泛起悲壮无奈的感叹。

"将军看到了什么？"

青岚双手负后，目视前方远眺，这一幕幕的惨状，她实在是不愿意再看下去了。

刘继业道："守卫家国的士兵。"

青岚轻轻摇了摇头，问道："何为家？何又为国？是太原为家，北汉为国，还是天下为家，百姓为国？他们守着的，是谁的家国？"

刘继业发现自己竟然无言以对，一时语塞。青岚自言道："北汉历年来依附辽人，寻求庇护，对抗宋朝。边境百姓深受辽人荼毒却敢怒而不敢言，将士们连年征战，死伤无数，守护者的却是这样一个家国。将军觉得，这真的值得吗？"

刘继业的眼中闪过一道寒光："你到底是谁？"

青岚并不答话，直奔城中难民聚集的地方而去。

几个年幼的女孩窝在一堆稻草里瑟瑟发抖，她们面黄肌瘦，衣衫褴褛。青岚走过去，摸索出怀里收着的一点口粮，掰碎分给她们。这时候更多的难民围上来向青岚讨要食物，刘曦喊来亲兵上前帮青岚解围。刘继业看着这一切，仿佛锋利的刀子一刀刀划开他的心房。

到底什么错了？他一心想要守护的百姓，他一力肩负的家国，如今，却变成了这般模样。

"唯战，方能破乱而立，但以战止战，也要看战局形势，审时度势。将军带兵多年，这个道理，想必要比青岚明白得多。"

青岚朝着刘继业笑了笑，抬手递过一道明黄手谕。刘继业疑惑地接过，却当场大惊失色："你竟然是……"

青岚压低了声音笑道："我有幸在御前侍奉，这道旨意，是上主亲手所书，只希望能交给深明大义之士，从此战争消弭，天下太平。"

刘继业双手捧着那道旨意，呆立不动，上面丹红朱砂的"延宜"二字，已经足够证明当今圣上的身份。

皇上在这道圣旨中确实表明了对太原的怀柔政策，赦免太原三年赋税，承诺百姓可不迁离家园。对于北汉皇室，可以不入汴京，继续留在太原居住，太原守军可自行选择去留，留下的编入宋军，待遇无二，不愿意留下的可领取银两，从此解甲归田。

青岚见他呆立不动，于是轻声问道："刘将军，这道上谕，你是接，还是不接？"

刘继业忽然将手中的银枪往地上重重一放："国主待我恩重如山……"

青岚摇头笑道："私人恩情，如何与家国之义相提并论？一个向外族割岁纳贡的国主，真的值得将军如此效忠吗？燕云十六州本是我中原疆土，为何会落入辽人手中，难道将军此刻仍不明白？"

刘继业的脸色骤变，青岚所说，他心中早已清楚，只是有些事情，现在还不愿意接受罢了。

他思索良久，终于长叹一声，道："是否北汉归降，之后便能天下太平？"

青岚道："辽军已经被我军击溃，只要北汉归降，中原百姓即可安享太平，若那时辽军再来犯，将军仍能披挂上阵，与我大宋男儿一道保家卫国！"

刘继业将手谕合上，沉眸凝思片刻才道："明日清晨，我会吩咐士兵打开城门，迎宋军入城。"

青岚俯身向刘继业跪拜："刘将军深明大义，令人佩服！"

刘继业将她扶起来，无奈笑道："此后，再也没有什么刘将军了。刘是国主御赐之姓，看来现在也没有再用的必要了。我本名杨业，不知姑娘如何称呼？"

青岚笑道："杨将军叫我青岚便是。对了，我家仓库中的那些粮食，将军可以让人尽数取走，也让众位将士吃顿饱饭。"

杨业点头拱手道谢，但语气有些犹豫，似乎欲言又止："多谢青岚姑娘，不过……"

青岚知道他要问什么，于是打断他的话，有些不好意思地解释道："百步穿心散，其实是我编出来吓唬你们的。"

杨业一愣，随即朗声大笑，不禁赞道："姑娘有此胆识，当真难得！"

面对杨业的称赞，青岚心中毫无欢喜之情，而是低下头，如释重负地叹了口气。

太平兴国四年，北汉降宋。

天明时分，宋军再度兵临城下。赵光义一身银盔金甲，策马立于阵中，他已经接到青岚传讯，说已经策动太原主将开城投降，虽然北汉国主尚未表露出归顺之意，但是既然太原城已尽在主将掌握之中，自然也就不害怕一个毫无威胁的刘继元了。

杨云溪在一旁随侍，蓝色长衫之外罩着银丝软甲，腰悬长剑，面目冷峻，令人望而生畏。

杨业让人大开城门，为表诚意亲自策马至城门口迎接皇上，青岚也骑马同行，一出城就看到皇上及皇上一旁的杨云溪。

杨业率领亲卫众人下马跪拜，青岚翻身下马，只朝着皇上拜了拜，便毫不犹豫地一路拎着裙摆冲向杨云溪而去。此时此刻，只想要扑进他的怀抱，从此再不离开。因为他们的每一次离别，都那样锥心刺骨，她不想再有下一次了。

从夜探宋军面见皇上，到两军交战，再到以一己之力说服杨业投降，她唯一的牵挂，只有杨云溪。杨云溪留在宋军之中，明为在军中效力，但实际上，皇上将其留下，同时也是为了钳制青岚，假如她在太原有所异动对宋军不利，恐怕杨云溪就危险了。

杨云溪没动，而是将青岚紧紧揽在怀中，他能懂她的忐忑不安，就如同她懂他一样，他们身陷险境，只为拯救百姓，不负先帝临终嘱托。

皇上走到杨业面前，将他拉起来，笑道："杨将军，朕久仰你的大名，今日一见，果然名不虚传。"

"皇上过奖，罪臣惶恐。"

杨业自称罪臣，却被皇上打断："什么罪臣，朕早已经下旨，就算是有罪也都恕你无罪了，走，陪朕去北汉王宫里转转，见见老朋友吧！"

太原归宋，北汉王室便再无苟延残喘之能。当即皇上下旨赐封北汉国主为侯，与当日先帝平定南唐倒没什么区别。

当晚，皇上未经通传就来到青岚家。此时青岚正忙着跟小七打闹，杨云溪在旁看着，忍不住笑出声来。

王继恩通报时，皇上已经到了门口，倒是把大家搞了个措手不及，立刻迎出来接驾。

王继恩这时候已经上前招呼众人起身，皇上似乎心情不错。

皇上问青岚孩子叫什么，青岚虽摸不透皇上的意思，但还是答道："因为生日在七月初七，所以小名就叫小七，还没起大名呢！"

皇上摸了摸下巴，道："七夕乞巧，牛郎织女鹊桥相会，倒是个不错的日子。不如，就叫夕巧吧！"

得皇上亲自赐名，是难得的恩宠，青岚与杨云溪立即携手下跪道谢。二人心里明白，皇上此举，正是在笼络人心。

杨云溪效力军中，虽然时日尚短，但在兵法谋略上已经表现出极大的天分，连潘美也颇为称赞。太原平定，皇上还想将他留在身边，自然要有些示好的手段。

论功行赏，杨云溪很快升任副将，而杨业被加封为右将军，继续坐镇太原驻守。

北伐之后，皇上显然并不满意于如今的局势，而是决意继续挥师北上，攻打易州、涿州，最终直逼辽都上京，势要一举灭辽。尽管皇上的提议招致朝中一致反对，大臣们连番上书劝说，皇上却铁了心，态度强硬，称北伐之事势在必行。

皇上毕竟与先帝不同，先帝脾气耿直但乐意听取和采纳大臣们的意见，但皇上固执强硬，且独断专行，所以他无视朝中的一切反对声，坚持领兵亲征，同时任命潘美为三军统帅。杨云溪与青岚都觉得此战前途未明，心中隐约有些不安，大军分批出发，杨云溪被潘美安排在最后一拨的队伍当中。他虽然更愿意充任前锋在沙场上纵横杀敌，但军令难违，杨云溪只有服从。

北汉归降，北方平定。

不知不觉便到了五月，皇上领军北上已经有些时日，前方不断传来宋军连下数城的好消息，杨云溪从太原押运军粮出发，赶往前线与大军会合。

两人依依分别。

青岚递过一个包裹："里面有我做的点心，还有伤药，以备不时之需。"

杨云溪露出笑意："好。"

站在太原城上，目送大军远去，马蹄纷沓，惊起一地尘埃。青岚忍不住在心中默念着，希望云溪早去早归。

"前方的军情传回说，皇上已经率军攻下了易州和涿州，我军士气大振，一路北上，正直逼辽都上京呢！"

杨曦捧着茶盏一边喝茶，一边把刚刚听到的军情拿出来跟青岚分享。茶馆又开了起来，一如往昔兴盛。青岚坐在桌边挽袖研茶，一边频频点头称赞道："辽人侵占燕云十六州多年，若皇上这次能一举收复，确实是中原之幸。"

"是啊，竟然连易州、涿州也收复了，真是难得，"杨曦面露欢喜之色，但又稍有些遗憾，"可惜我没有机会随皇上出征，上阵杀敌，光复我大好河山！"

青岚在心中盘算了一下日子，却忍不住面露疑惑，笑容渐渐凝结成不解之色。皇上出发至今，已经攻至涿州，大军推进的速度怎能如此之快？除非这一路全是骑兵日夜兼程，但那样的话，皇上所带兵力岂不是太少？

辽军精锐骑兵战斗力极强，宋军虽然士气高涨，但是，又怎么可能以很少的兵力连下数座城池呢？更何况，易州、涿州一向是辽军重地，竟然不曾死守，显然十分蹊跷。

青岚越想越觉得可疑，她当即传讯给卫幽，将自己的顾虑说了，要他打探打探辽军消息。卫幽接到传讯之后，立刻调拨人手在上京各处查证。自从萧林赫事件之后，他们又在辽安插了不少探子，平日里潜伏在各处，必要时刺探重要消息。

卫幽的信派快马送到，青岚接了信匆匆看过，当即抱了夕巧至杨业的府邸求见。

出来迎她的是杨曦，原来杨业巡视军营未归。青岚便先将信拿给杨曦看，杨曦看完之后一脸迷茫："南院大王纳妾？萧皇后下旨修建祈福寺？这些和军情有什么关系？"

这时候杨业匆匆归来，见到青岚便笑道："真是稀客，什么风把你吹来了？"

青岚一脸凝重，道："事关紧急，我收到一些辽人的消息，恐前方军情有变，所以来找将军商量。"

说着将卫幽的书信交给杨业。杨业敛眉看着，神色渐渐严肃起来，思索片刻，便道："假如辽军节节败退，数城失守，萧皇后怎么会有闲情逸致修建什么祈福寺？南院大王势必忙于军情，哪有工夫纳妾？"

"所以恐怕他们已经在前方设下陷阱，引诱我军上钩。"

青岚心中一惊，目前领军的人是……皇上！

杨业用力一拍桌子："我立刻派信使日夜兼程送往前线，希望还能来得及！"

青岚担忧道："这样怕还是不够，我想为今之计，是立刻派人面见潘帅，了解情况。若真是如我猜想，皇上率骑兵孤军深入，那就必须立刻调拨大军前去接应，以免皇上孤军无援，落入辽军陷阱。"

"我去！"

杨曦当即跃跃欲试。杨业心道，杨曦确实是合适的人选。还未来得及开口就听到青岚道："我会骑马，我跟你同去，也好有个照应。"

她不肯让杨曦单枪匹马去，更不放心杨云溪，杨业想了想，道："也好，我调拨几名亲兵，沿途保护你们。"

“多谢杨将军。不过，还有一事相求。”青岚俯下身诚恳道，“这次一去怕是要数日，还希望能劳烦杨夫人照应一下夕巧。”

杨业爽朗声道：“没问题，就让夕巧住在我府中，你放心去吧！”

事关紧急，商定了行程之后，青岚与杨曦匆忙动身。一行人策马奔驰，很快消失在马蹄溅起的滚滚烟尘之中。

希望，一切还来得及。

问情诗·生死约

青岚心中焦急，一心想尽快赶往前线，于是与杨曦日夜兼程，结果追上大军与之会合时，也只比杨云溪晚到了三天而已。

青岚急匆匆冲进大营，向守卫说明了身份，表示有急事要求见潘帅，但是因为两人风尘仆仆，又不是军中人士，身上更没有证明身份的信物，守卫并不相信他们，没有人愿意为他们禀报。

杨曦被他们气得够呛，刚想发作，就被青岚制止住。她往前走了两步，朝着那两名守卫厉声道：“我乃和庆公主，有急事求见潘帅，若是耽误了，你们担待得起吗？”

说着奋力一甩衣袖，趁着两名守卫对自己的身份惊愕之际，青岚猛地拉起杨曦就往里冲！

进了军营还有岗哨，青岚此举惊动了大批守卫，于是这下不禀报潘美也不行了。杨云溪奉命出来查看情况，结果老远就看到青岚与杨曦站在一处，心中诧异，匆忙上前。青岚看到士兵们忽然分开两列，一人从中快步而来，当即心中大喜，快步上前道：“云溪！”

“杨将军，此女说自己是和庆公主……”有人立刻上前禀报，语带质疑。杨云溪沉声道：“她确是公主。”

众人一听，无不惊愕。青岚压低了声音对杨云溪道：“事情紧急，可否带我去见潘帅？”

杨云溪知道青岚匆忙前来，必然是有重要事情，所以也不问原因，当即牵起她的手："跟我来！"

青岚拉了杨曦一把，示意让他赶紧跟上。

她将自己的怀疑和担心尽数向杨云溪说了，杨云溪答道："有这个可能。"

他与潘帅也有相同的担心，皇上因为之前一路高歌猛进，未尝败绩，心中正得意不已，所以心气儿也渐渐高起来，根本不把辽军放在眼里，不顾众人的反对，亲自带了一队骑兵一路北上，直往幽州而去。潘美只能派出几路军队紧跟护卫，但步兵脚程却远远比不上骑兵，没多久就被落下。

杨云溪将青岚和杨曦带进主帅的大帐，潘美正站在地图前沉眉静思，听见动静转过身来。杨云溪便道："启禀潘帅，和庆公主来了。"

青岚上前参拜，并递上卫幽的信。潘美捋着胡须默默看过，递给一旁的杨云溪，沉思片刻，道："我和云溪之前确实也有所顾虑，没想到上京情势竟然是如此。看来，萧皇后这次是有备而来。云溪，你怎么看？"

青岚看向杨云溪，见他面色凝重。

杨云溪单膝跪地，神情郑重道："属下请战。"

杨曦立刻在旁大声说道："还有我，我也要去！"

潘美转身在地图上又看了一阵，把手停在某处一指，道："此处地势险要，易守难攻，恐怕辽军的陷阱就设在此处。"

他看了看杨云溪，又看看一旁面色凝重的青岚，这才开口下令："云溪，你领骑兵三千，火速前往高粱河，务必要保护好皇上！"

杨曦见潘美并未提到自己，刚想开口请战，就听到潘美又道："杨曦！"

杨曦顿时一个激灵，当即单膝跪地，抬头朗声道："杨曦在！"

潘美走过去在他肩膀上用力按了一下，道："杨曦，你为副将，全力协助云溪，不得有误！"

杨曦当即激动地答道："末将领命！"

两人点兵，即刻出发，青岚此时脸上虽未表现出过分的担忧，实际上，却是忐忑不安。

这一战局势极为凶险，但是，她又无法不让云溪去。

那是每个热血男儿的骄傲与荣耀。

此时此刻，她只能深深呼吸，将所有的担忧与不舍尽数压制在自己心里。

为了加快行进速度，所有的骑兵都着轻甲，携带少量的干粮。三千铁骑疾驰而去，在广阔的平原上，留下滚滚烟尘。青岚目送杨云溪的身影消失在天地相接的尽头，终于还是抑制不住地落下泪来。

三千骑兵出发之后，大军也立即开拔，毕竟骑兵只能解一时之围，最终退敌，还需中军策应。潘美原本要将青岚送回太原，无奈她坚持要留下，随同大军一起赶往前线。潘美知道她放心不下杨云溪，所以也就不再勉强，安排青岚在军中住下。

大军日夜兼程，几日便行至涿州一带。前方传来军情，潘美打开书信匆匆看过，当即被当头击了一闷棍。原来，杨云溪领兵疾驰数日，终于在距离高梁河畔还有半日路程的地方追上了皇上带领的那支孤军深入的骑兵。两军会合，杨云溪刚面见皇上说明来意，忽然四周涌出不计其数的辽兵！

宋军千里奔袭，疲惫不堪，而辽兵养精蓄锐，有备而来，两军相接，没多久，宋军便落了下风。辽军尽数派遣精锐出战，铮铮铁骑，顿时将宋军冲了个七零八落，而皇上也因此下落不明。

潘美得知这个消息，立刻命令大军继续前行，赶往高梁河畔救援。一路上收拢散兵，重新集结队伍。青岚得知这一消息无比心焦，但看着潘美为战事焦头烂额，便强忍对杨云溪的担心，没问杨云溪的下落。

眼看着高梁河就在眼前，前方探子回报，远远地看到一队宋军装扮的士兵，打着的旗号似乎是"杨"。

青岚以为是杨云溪，结果却无比失望，回来的人是杨曦。

杨曦的肩膀中了一箭，手臂又受了刀伤，一只胳膊吊起来完全不能动弹，他见到潘美与青岚就急迫地问道："你们可见到皇上了？杨大哥呢？"

青岚悲伤地摇摇头，杨曦大惊："我们被冲散了，我让杨大哥护着皇上往另一个方向走了，怎么你们没有看到他们吗？有没有派人去找啊？"

潘美点点头："已经发兵四处寻找了，你先好好养伤吧！"

皇上乃九五之尊，若是有什么闪失，可怎么办？众将回到大帐中商议，又派人四处打探，都没有皇上的下落。大家都急得像热锅上的蚂蚁，甚至有人私下议论，是否现在将先帝的二皇子赵德昭或者四皇子赵德芳召来稳定人心，作为储君人选。

青岚私下对潘美说："假若皇上平安归来，得知此事，恐怕两位皇子就都性命不保了！"

潘美点头表示赞同："确实如此。可皇上那边……"

"潘帅请放心，有云溪在，可保皇上安然无恙。"

青岚站在地图前默默看了很久，眼眸骤然闪亮，开口道："我想，我知道皇上在哪里了。"

她说着用手一指，潘美上前细看，却见上面三个小字："红花谷。"

"参照战况与杨曦所说，皇上若是从另一个方向退去，势必会走这条路……"青岚指尖挪动，缓缓前移，"沿路左转便到红花谷，若是撤退成功，现在他们应该赶来与大军会合了，但此刻仍没有消息，恐怕是被辽军包围，无法突围。红花谷地势险要，易守难攻，想必皇上无奈之下，只能选择退于谷内据守，等待援兵到来。"

潘美听完青岚所说，凝神看了看地图，道："若是辽军目的在皇上，那必定派遣大队兵马在谷口驻守。我军刚尝败绩，若是硬拼，恐怕现在我们并不是他们的对手。"

青岚十分认同潘美的看法，就看他在地图上一指，缓缓划开一条线："我们可以佯攻上京，吸引辽军兵力，暗中绕道高粱河前往救驾。"

青岚点点头，此举正合她意，立刻赞道："围魏救赵，潘帅英明。"

潘美当机立断，将桌案一拍，道："就这么定了！来人！立刻传令诸将至帅帐领命！"

迅速颁布号令，各位将领即刻整军出发。

佯攻上京的几路先锋出发之后，潘美也不敢耽搁，派遣探子外出查探，果然皇上及众人被困在红花谷中，于是立刻领兵前往救援。青岚随军出发，杨曦因伤而被安置在伤兵营休养。

未到红花谷，便遇到了从营寨中出来阻击的辽军。潘美立刻拉开架势迎敌，趁着辽军立足未稳之际，击鼓震威，双方一阵冲杀。潘美为了振奋士气，亲自披挂上阵，一杆银枪宛若蛟龙出海。

宋军在他的带领下，士气高涨，将辽军的阵形撕开一个口子，辽军没有占到上风，久战必吃亏，于是下令撤退。宋军取得了暂时的胜利，潘美下令继续前进，径直往红花谷而去！

红花谷三面靠山，唯有一条路能通往谷中，但此时这条路已经被辽军占据。潘美在附近选了一处隐蔽的地方安营扎寨，安顿好之后，便派出多路探子，至前方刺探军情。这边只等着佯攻上京的军队搞出动静，吸引辽军回援时，便可前后夹攻，趁机救出皇上。

两日后，辽军营中忽然有所异动，竟然真的回撤。宋军趁辽军不备，大军一举攻入红花谷。见到皇上，潘美才放下心来，连忙上前参拜。青岚紧随其后，四下打量却不见杨云溪的踪影，禁不住诧异道："皇上，云溪呢？"

皇上一手按着胸口，铠甲之下露出隐约带着血色的白色绷带。他听到青岚的问话，顿时面露犹豫之色，低声道："他在那边的山洞里，你……你心里总归是要有些准备……"

青岚觉得心被人用力捏碎，她强力忍住伤痛，朝着山洞的方向冲了过去！

在她身后，听到皇上提高了声调下令："速召军医来此！"

青岚一路奔跑，中途险些被石头绊倒两次，但还是踉跄着跑进山洞。山洞里光线昏暗，隐约能听到水滴击打在石头上的清脆声响，青苔爬满了石阶。杨云溪和衣靠在石阶旁，半身被血迹染透，已然干涸。他双目紧闭，面色苍白，双唇青紫，仿佛是中了毒。

青岚眼眶一热，俯下身子查看。皇上这时也在潘美的搀扶下一步步走来，道："要不是他替朕挡了这支毒箭……"

"云溪……"青岚轻声唤着，一边抚摸他的额头。杨云溪的额头烫得骇人，她喃喃地噙着泪反复说着，"我来了……你听见了吗？我来了，我来了……"

杨云溪似乎是听到了青岚的声音，睫毛微微颤动了两下，挣扎着睁开眼睛，目光散乱："青岚……"

青岚握紧了杨云溪的手："你撑住，军医来了，一定会治好你的。"

杨云溪只觉得眼皮沉重，用尽了全身的力气才让自己保持清醒。他的手无力伸出，指尖触到青岚腰间悬挂的短笛，慢慢道："我怕……不能教你吹笛了。"

青岚咬唇用力摇头："不，你答应过我的，不能反悔！不准反悔！"

杨云溪望着她深情含泪的眼睛，一个字一个字地说："答应我，好好活着，好好照顾夕巧。"

瞬间，青岚的眼泪扑簌簌地滴落下来，砸在杨云溪的手背上。她从他的目光里，看到深不见底的悲伤与不舍。她终究是不忍，于是轻轻点了点头，答道："好。"

心中有爱，他便一直存在，从此无惧天地，无惧战火纷飞，铁血峥嵘，生离死别，都不能把他们分开。

杨云溪听到青岚的回答，嘴角轻轻上扬，仿佛心愿达成一般无声浅笑，却在下一刻缓缓合上了眼睛。

青岚见状立刻大声唤道："云溪！云溪！"

此时军医深一脚浅一脚地跑过来，立刻为杨云溪把脉，确认还有呼吸，只是昏了过去，这才又仔细检查起他的伤口来。

"是一种粗制的蝎毒，若是平时倒是不难治，但是他已经中毒数日，而且失血极多，毒入肺腑，想要拔出十分困难。除非……"军医检查完毕，面露为难之色："除非，有什么祛毒灵药，否则……"

青岚听到此处心已经彻底凉了。红花谷中植物稀少，恐怕连普通草药都很难找，更别说是什么祛毒灵药了。

皇上听到军医这么说，心中十分悲痛，刚想开口安慰青岚，忽然抬眼看到她腰间垂着的短笛，登时一愣，开口发问："青岚，云溪的白玉环佩，你有没有带在身上？"

青岚不知皇上何意，伸手自怀中将那块环佩取了出来。

这是杨云溪送给她的定情信物，所以平素她都会垂挂在腰间，但是有了夕巧之后，怕孩子放在嘴里咬，就干脆收在怀中贴身放着了。

皇上伸手将玉佩接了，问道："青岚，你是否还记得，当日朕和你们一起去探风华楼，朕和你都中了迷香，但是云溪却安然无恙？"

青岚隐约记起，于是点了点头："记得。难道是这玉佩？"

皇上把玉佩递给军医，似乎是对众人道："这块玉佩，是云溪的师父所赠，有祛毒清心的功效。"

军医眼前一亮，将玉佩双手接过来，放在鼻下轻嗅，道："这是药玉！看来将军有救了！"

药玉乃上好的暖玉与特殊的草药汁液浸泡，待玉质与药性融合之后，再取出佩戴，虽然外表与一般的玉饰无异，但是确实有祛毒奇效，因为制作这样的一块药玉往往需要数年甚至几十年不等的工夫。

"这个先让他服下，可保一时性命无忧。"军医当即交给青岚一枚祛毒药丸，交代了服用的方法。青岚不敢耽搁，侍候杨云溪服下。

众人返回大军营帐，军医要来烈酒，将药玉浸入其中，又加入数种祛毒药材，一并浸泡两个时辰，然后取出药玉，以文火煎成一碗药汁。杨云溪服了药之后，情况终于渐渐好转。烧退了，脸色有了一点红晕，睡得也安稳了许多。

青岚守在他身边不肯离开，一颗悬着的心终于放了下来。

只要一想到刚刚险些失去了云溪，青岚的心就仿佛刀绞一般，假如救援的大军再晚到一步，又或者是她恰好没有将玉佩带在身上……她不敢想，也不愿意再去回忆。

"那是你师父送给你保命护身的玉佩，你怎么这么傻啊，把它送给我。"

青岚笑中带泪地守在云溪身边，将他的手贴在自己脸颊上，一边抱怨着。

明知道杨云溪此刻或许听不到，可她还是想说，此时此刻，她有太多的话想要对他说。

"若不送你，当日在勤政阁……咳咳……"忽然听到杨云溪嘶哑低沉的声音，伴着一阵咳嗽，"那毒蛇……"

将玉佩送她，本就是为她护身，宫中比起江湖更加凶险。那一次她被毒蛇所咬，若不是恰好有玉佩在身，能暂缓毒性发作，她恐怕就当场丧命了。

见杨云溪醒来，青岚又惊又喜道："云溪你醒了！"

军医曾对她说过，只要杨云溪能够醒来，就证明他体内的毒素已经悉数拔出，再无性命之忧了。

杨云溪又猛地咳嗽了几声，这才渐渐缓过气来。青岚端了一杯水给他，扶着他起身慢慢啜着喝了半杯。杨云溪一抬头恰好看见青岚两眼通红，忍不住心痛道："你几日未休息了？"

青岚似乎还心有余悸："你昏迷整整三日了。"

杨云溪要青岚休息，青岚拗不过他，加之自己实在是太困了，便在床榻上坐下，然后小心地躺在杨云溪身边。

杨云溪却撑着身子坐着，抬手自青岚腰间取过短笛，缓缓吹奏起来。

> 战时甲，旧时裳，红尘深处，弦歌声声诉相思。
>
> 一曲终，风澜断，纵有千丝万缕情，沙场云暮雪连天。

这是一首金陵民间小调，儿时母亲曾轻声哼唱给他听。这个世上最残酷无情的便是战争，可也唯有战争，才能真正消弭战争，为黎民百姓带来真正的平静。

青岚一开始还唇间含笑，看着杨云溪吹奏，不一会儿便架不住疲累，终究还是靠在他的身旁，枕着悠扬婉转的笛声沉沉睡去。

有灵药相助调养，杨云溪的身体恢复得很快。只是前方军情紧急，辽军退走之后，仿佛并不甘心，不久复又集结攻来，领兵之人正是名将耶律斜轸。

众将在主帐中商议军情，皇上端坐正中，目光深邃，让人捉摸不透。潘美手中握着刚刚送来的情报，神色沉重："此次辽军除了主将耶律斜轸，还有耶律沙、耶律休哥等众将。我军刚刚经历过大战，伤亡惨重，大敌当前，需要从长计议。"

皇上看了一眼地图，道："两军相接，需避其锋芒。朕以为，应该取道涿州，绕开辽军前锋，出其不意袭其右军。"

听到皇上如此说，众人便不敢再出言议论，唯有杨云溪沉声道："辽军驻扎于清河以北，此处正是往涿州的必经之路。"

杨云溪言之有理，皇上面色一僵，转而又道："那若是主攻得胜口呢？"

得胜口由辽北院大王耶律奚底率兵驻扎，正是先前将他们围困于红花谷的那一拨辽军。杨云溪刚想说些什么，潘美突然开口道："得胜口并非耶律斜轸领兵，兵力较少，皇上此计甚好。"

杨云溪不知潘美是有意还是无意要打断他的话，虽然觉得此计仍是有些想当然，但既然皇上与主帅都已经同意，他也就不好再说什么了。见众人皆表示赞同，潘美于是开始分配任务。杨云溪因伤未痊愈，不便出战，便派他率军护卫中军主帐，以策万全，随时接应。

用兵贵在神速，半日宋军便杀至得胜口，气势汹汹，但是没想到，竟然扑了个空！前军尚未反应过来，身后辽兵已然杀到，铺天盖地，将他们团团包围。遥望辽军领兵之人，却并不是耶律奚底，而是耶律斜轸！

"糟了，中计了！"

潘美这才意识到落入了辽军的圈套，连忙指挥士兵重新集结突围。而皇上的中军主帐也遭遇猛攻，幸好杨云溪留守于此，率领众人奋力拼杀，才自包围圈里杀出一条血路，护着皇上突围出来。

出了得胜口，终于有机会喘息片刻。杨云溪刚刚指挥将士们停下来休整，就看到杨曦匆忙跑来，面色焦急："杨大哥，你看到青岚姐姐了吗？"

杨云溪的心骤然一紧，当即摇了摇头："没有，她不是和你在一起吗？"

杨曦顿时急了："是，但中途我们遇上小股辽兵，我就让她带着几个重伤员先后撤，等我退敌之后再与他们会合，可是，我这一路找来，都没看到青岚姐姐他们……"

杨云溪立刻从怀中掏出地图铺开，问道："你们是在哪里遇见辽兵，又在哪里失散？"

杨曦蹙眉分辨了片刻，抬手笃定地指了一个地方。

杨云溪二话不说，当即喊人牵来马匹，翻身上马。杨曦见状急忙跟上，一边喊道："等等我，我跟你去！我给你带路！"

两人策马飞驰而去，但一路并未发现青岚的半点踪迹！

一直找到高粱河畔，杨云溪忽然眼前一亮，不顾一切地跳下马去，俯身从地上拾起一物，捧在手心，表情却痛苦起来。

杨曦上前一看，顿时也呆住了！

躺在杨云溪手掌中的短笛染了血，正是青岚之前一直垂在腰间的那一支！

问情诗·平南意

青岚醒来时，只觉得右手手臂火烧火燎般地剧痛，软绵绵的没有半点力气，她试了试，果然是抬不起来了。

青岚睁开眼睛，才看清自己所躺的这间营帐并非宋军制式，软榻上铺了皮毛与毡毯，小桌旁的炭炉上放着小巧的银壶，散发出来的味道却不似在煮水，而是煮茶。

青岚合眼思索，以银壶于火上煨茶，乃是辽人习俗。辽人待客，讲究先汤后茶，汤乃以甘草煮水，而茶则是将团茶用锯子锯碎，以银壶或是铜壶在火上煨煮，无论贫富贵贱，家中都不可一日无茶。

想到此处，她心中忽然一惊，莫非自己此刻正在辽军帐中？

"你醒了？"

男人沉稳醇厚的声音自帐门口传来。男人身穿轻甲，从底服的暗纹来看，官阶不低。他说的是汉话，字正腔圆，与汉人无异，长相却是典型的辽人。

青岚抿着唇点了点头，道："多谢大人相救。"

只记得她随同伤兵营后撤，中途遭遇小股辽兵袭击。她带一部人重伤员先行撤退，但辽兵穷追不舍，她被流箭射中了手臂，一直退到高粱河畔，终因失血过多而失去了知觉。

"你为何会在宋军的伤兵营帐中？"那人又问道。

青岚心中猜想，幸好自己只是寻常百姓装扮，估计对方是将她当成了军中的仆役侍女，于是匆忙为自己编造了一个身份，道："我是岭南人氏，原本随商队往上京贩茶，结果路遇战乱，和商队失散，幸好宋军帐中的军医是我同乡，于是将我收留在伤兵营内帮忙，一边寻找商队其他人的下落。"

那人听了并未怀疑，听说青岚是贩茶的，双目一亮，问道："你懂茶？"

"略懂一些。"青岚点了点头。她确实精通此道，只是不知道此人缘何会问起这个。

那人不说话，而是转身自银壶中倒出一盏茶来，送至青岚面前，问道："你可知这是什么茶？"

青岚恰好觉得口渴，于是接过茶盏抿了一口，舌尖沾了茶水，其中味道便分辨出来："这是嵩山云雾茶，只不过是陈茶，搁了至少有五六年了。"

"太好了！"那人双手一拍，似乎甚为开心，"这下可有救了！"

他看向青岚，目光柔和了不少，道："我叫萧辰，此次南下，是奉了萧皇后之命，前来寻人的。"

青岚目光迟疑，却并未问出口。萧辰便在青岚身旁寻了处坐下，道："你是否知道太原城中有位姓杨的姑娘，精通茶艺，似乎是开了间茶馆。"

青岚心道，在太原开茶馆的，姓杨，恐怕说的是自己。只是辽人情报有误，才将自己当作什么杨姑娘。她当即摇摇头，道："不曾听说。"

"我本奉命去找这位杨姑娘的，可是去了才听说她出远门了，不知何时才会回来。"

萧辰摸着脑袋，说起来有一点庆幸的样子："我还想着，要是找不到人，回去一定会被皇后娘娘责罚，幸好幸好，让我遇上了你。"

耶律沙还说什么不该出手相救宋人之类的，亏得他没听。

青岚见萧辰朴实真诚，又救了自己，有心帮他个忙，于是问道："你们为何要找杨姑娘？"

萧辰有意找她帮忙，所以十分客气："是这样的，最近宫中进了一批新茶，但皇上饮后，却得了怪病……"

青岚反问道："皇上是否有浑身骨骼及关节酸痛，四肢无力，胸中翻腾，但什么都吐不出来的症状？"

萧辰睁大眼睛惊诧道："你怎么知道？太医们都猜测应该是这批新茶所致，可是都束手无策，不知该如何对症下药。"

青岚温和笑道："皇上可爱吃甜食？"

萧辰摇了摇头："几乎不吃。"

青岚想了想又问："皇上是否饮食不定，经常空腹饮茶？"

萧辰点了点头："确实如此。"

青岚这时候胸有成竹道："我明白了。皇上此症其实说大不大，说小不小。一来是那批新茶有些问题，二来也与皇上的生活习惯有些关系。"

萧辰听她这么说，知道她已经弄明白此中情由，连忙追问："如何治疗？"

青岚凝眉不语，心想，她如今身在辽营孤单无援，也无法将自己安全的消息通知杨云溪，恐怕他此刻已是焦急万分了。当务之急，是离开军营，上京那里有卫幽的人在，传递消息会更容易一些。

想到此处，青岚计上心来，道："治疗之法有点麻烦，而且也要看看皇上此时的病情如何才能着手。"

萧辰是个急性子，当即一拍大腿："那好办，我们即刻动身。"

青岚点了点头，抬手一摸腰间，空空如也。她这才发现杨云溪送她的短笛不知何时弄掉了，心中焦急，却并未再说什么。

宋军大败，元气大伤，一路退至雁门关内，怕是没有个一年半载是缓不过来了，皇上在此战中也受了伤。撤兵之前，杨云溪带人接连在周围搜寻青岚数日，仍是活不见人死不见尸。

他虽心急如焚，但一直坚信青岚还活着。于是由杨曦安全将皇上护送至太原，自己则独自一人蓝衣策马，沿着高粱河寻访青岚的下落。从茫茫戈壁，到一望无际的草原，始终没有找到青岚。

而此刻青岚简直要烦闷死了，她原以为萧辰会带她去上京，结果没想到的是，辽帝竟然在陪都南京，于是她的一腔希望顿时化作了泡影。只得询问萧辰，能否让人给自己的家人带个信儿，免得他们担心。

萧辰对青岚倒没什么防备，当即就同意了。青岚思索再三，写了一封平安信，让人送到岭南的广济堂交给雨微醺。其实她此举十分冒险，因为雨微醺不一定在岭南，能否收到这封信还是未知数。只是此刻她已是走投无路，也只能死马当活马医了。

连着赶路数日，青岚随同萧辰终于到了陪都南京。因为这里汉辽混居，一直以来都是贸易繁盛之地，因此，辽人才将其定为陪都，皇室也会时不时地来此居住。

到达南京的第二日，青岚就被萧辰带去面见萧皇后，为此，青岚也换上了一身契丹女子的服饰。这里男女都以长袍为主，圆领窄袖，袍带结于胸前，颜色深重，虽少了几分南国的温柔婉约，但多了几分英姿飒爽。

其实辽帝得的并非什么大毛病，而是所谓的醉茶之症。

"人人皆知饮酒会醉，但其实茶若饮得不太妥当，也一样会醉。"青岚在萧皇后面前侃侃而谈。这是她第一次见到传说中这位比起男儿毫不逊色的巾帼英雄。萧皇后二十七八岁的年纪，美丽高贵，端坐于上位。

"哦？本宫倒是第一次听到醉茶之说。"萧皇后仔细端详着面前这个神情从容端庄的年轻女子。她向来看人眼光独到准确，觉得青岚举止得体，心中倒是先多了几分好感。

青岚扬起嘴角淡淡一笑，用手往桌子上一指："道理不难，比如皇后娘娘桌上的这壶茶……"说着斟了半盏出来，放在鼻下轻嗅，然后接着解释道："看来，前一阵子，宫中进了不少新茶。这是西湖龙井，清明雨前的新茶。"

萧皇后侧头看向身边的侍女，似乎是在求证，侍女点点头，答道："没错娘娘，这确实是今年新进的雨前龙井。"

青岚似乎胸有成竹，见侍女给出确定的答案，于是便道："比起陈茶，新茶的茶汤确实更加醇厚明亮，口感更好。只是，新茶却也有诸多不妥，若饮用时不注意，假以时日，便会出现醉茶之症。"

萧皇后哦了一声，似乎对此颇感兴趣："那此症状要如何医治？"

青岚想了想，语气轻松："多吃甜食，少喝些茶。另外，用饭之后，最好相隔半个时辰左右再用茶。入睡前少喝茶，或是以花茶替代。"

萧皇后叹道："真是愁人，皇上他不太喜欢甜食，最近又尤其爱在晚上喝茶。"

这些情况之前在侍候先帝时就已经遇到过，青岚并不觉得棘手，只笑道："若是不爱进甜食，那常饮些蜂蜜水，或是在饮茶时配些椒盐味道的茶点，也是可以的。"

萧皇后若有所获，连忙看向身旁的侍女，道："记下了吗？"

青岚浅笑着开口插话："若是皇后娘娘需要，我写下来便是。"

萧皇后的忧虑似乎是减轻了一点，说完了正事，便拉着青岚问起了家常："听说李姑娘家中做的是贩茶生意？"

为了隐瞒自己的身份，青岚干脆用回了她原本的名字李秀儿，以避免不必要的麻烦。她点点头，答道："家中曾经开过茶馆，这两年觉得应该多出来走走，于是就到处贩茶。一开始是从南方贩茶到汴京、洛阳的，但是后来听说，上京也有不少达官贵人喜好饮茶，而且需求量很大，所以就打算过来试试。"

"哦？你去过汴京？"

萧皇后似乎是对汴京十分好奇，立刻开始追问起汴京的风土人情。青岚毕竟在汴京生活多年，一一细说，萧皇后听得津津有味。

不知道说了多久，桌子上的茶已经凉透，侍女正要放回炭炉上重温。萧皇后见了，心念一动，又问道："不知道李姑娘可否为我等展示一下江南茶艺？"

青岚欠身应允，挽起衣袖，露出皓腕如雪。辽人饮茶多是烹煮，极少见到如此精细的烹茶技艺，一时间众人都看呆了。待纯白茶汤在茶盏中缓缓荡开，青岚收起动作，捧了茶盏上前，恭敬递于萧皇后面前，笑盈盈道："娘娘请用。"

萧皇后不禁惊诧，轻轻啜吸一口，回味良久，这才感叹道："真没想到，茶竟然是可以这样喝的！"

青岚见萧皇后神情放松释然，看得出心情不错，于是便趁势上前道："娘娘若是喜欢，秀儿可以教授其中诀窍。"

萧皇后心中一喜，道："真的？"

青岚盈盈下拜，仰头道："茶艺，本就该四海一家，兼容并包。况且，秀儿不止想传授宫中众人烹茶技艺，还想在民间开课授艺，将这门技艺发扬光大。"

萧皇后见她言语真诚恳切，禁不住心有所动，赞道："确是个好主意！"

青岚表面上平静从容，但实际上心如波涛，久久不能平静。就在刚刚电光火石之间，她有了一个非常大胆的想法：南京汇聚北方繁华，信息发达，她开课授艺之事，若能传得妇孺皆知，让杨云溪又或者是卫幽得知，便会知道她在此处了。

契丹人也十分爱茶，几乎家家日日不离，待客也以茶为先，只是多以烹煮为主，并未完全识得冲泡之法。得到了萧皇后的同意，在萧辰的帮助下，青岚在南京开设了一家小茶馆，每日会拿出半个时辰，向来人教授茶艺。只是为了不引起不必要人的注意，青岚借口水土不服生了红疹，于是以轻纱覆面，挡住了大半容颜。

萧辰时常过来帮忙，青岚才知道他竟然是萧皇后的幼弟，在他不知道是有意还是无意的"宣传"之下，城中的达官贵人纷纷上门求学，一时间，南京城内口口相传，都知道有位来自岭南的李姑娘，不但治好了辽帝的怪病，还向萧皇后请命，无偿教授众人烹茶之法。

南京城中也有卫幽安插的暗探，只是青岚并不知道联络之法，所以才一直无法与之暗通消息。这番有了名气，自然也引起了暗探们的注意，便依照惯例，将此事与京中其他不寻常的异事写在一起，飞鸽传书，告之远在太原的卫幽知晓。

卫幽并不知道李秀儿就是他们一直在苦苦寻找的陆青岚，只是略觉得这个名字有些熟悉，仿若在何处听过，一边想，便将信函放在了身旁，等到忙完其他事回来，便已经将这件事给忘了。

就这样，青岚在南京等了数日，却仍不见有人寻上门，心中十分失落。她依然习惯地坐在窗口，一只手托着下巴往外眺望，却忽然见到一抹熟悉的蓝影自人群中匆忙而过，她心中一惊，一句"云溪"险些喊出声来，拔腿就往外跑，循着那蓝影而去！

只是冲入人群中，却再也看不到什么蓝影，人人行色匆匆，并无一人是她心心念念盼着要见的那一个。

云溪……你到底在哪里？到底怎样才能将我此刻的行踪告与你呢？青岚心中只觉得无比绝望而悲伤，泪光莹莹，直愣愣地站在原地，望着虚无的某一方向，心中无声呼唤着杨云溪的名字。

"咦？秀儿姑娘？你怎么站在这儿？"

萧辰的声音骤然响起，抬头就看到他策马而立于眼前，她于是用力眨了两下眼睛，收敛了几乎欲夺眶而出的眼泪，复又露出笑容："没什么，只是屋里闷，出来透口气。"

萧辰哦了一声，青岚便抬了抬手，道："萧大人进屋喝盏茶吧！"

说着拎起裙摆走在前面，萧辰望着她窈窕却清瘦的身影，心中万千感慨，却终究无言，只轻轻叹了口气。

青岚挽袖烹茶，挑了萧辰喜欢的云雾茶冲泡，然后送至他面前。

萧辰却不喝茶，只是坐定了抬头看她，语气极为诚恳认真："秀儿姑娘，我要随皇上、皇后一道回上京了。"

青岚这才知道他是来向她告别的，于是笑道："何时起程？我也想去送送萧大人。"

萧辰见她毫无挽留之意，心中一热，当即道："秀儿，有一句话我一直想问你，你可愿意跟我一同回上京？"

契丹民风淳朴豪放，无论男女，对于感情之事都坦诚执着。青岚当即一愣，顿时明白了些什么。她飞快地思索起来，她曾与卫幽传讯，知晓上京暗探的联络之法，绝对可以通过他们，与杨云溪取得联络。

但是转念一想，此去路途遥远，况且越往北，似乎就距离杨云溪越远。

该如何选择？青岚咬着唇望着萧辰思索良久，二者取其一，她自然要选择更加稳妥之法，只是假若那样的话，似乎就要愧对萧辰了。她心中犹豫不决，但最终还是垂下眼眸，轻轻点了点头。

萧辰顿时面露喜色，以为青岚也对他有意，答应他的要求。青岚想了想，还是不忍欺骗萧辰的一片深情，于是又假装不以为然地道："去上京也好，说不定，我家的商队已经到了那儿，正等着我过去跟他们会合呢！"

萧辰脸色一僵，但还是竭力让自己看起来轻松一些："那就这么说定了，你收拾一下，明天我让人来接你。"

青岚点了点头，却禁不住又转头看向窗外，心中无比期待地望着熙攘人群，期待着再看到那一抹蓝影。

圣驾即将出行，自然要有诸多准备，也正因为如此，消息很快在城中传开，就连面摊上都议论纷纷，更有甚者，从辽帝得了怪病说起，一直说到有位来自南方精通茶艺的姑娘突然出现，轻而易举就治好了皇上的病，说得神乎其神，有鼻子有眼。

"你见过那位李姑娘吗？我可是见过的！"

有人吃着面条一边洋洋得意地炫耀："果然是南方似水如画的美人儿啊，那语调、那声音，都要嫩出水儿了！"

"你就吹吧！就你这个样子，李姑娘估计连看都懒得看你一眼。"

"就是，李姑娘那茶馆里接待的大多都是有钱有势、有头有脸的客人，你算哪根葱呀？"

众人一边吃面一边起哄。

坐在角落里的一位客人三口两口吃光了面条，默默取出两枚铜钱按在桌上，起身大步朝着刚刚炫耀的那人走去！

"李姑娘的茶馆在何处？"

他朗声问道，语气冷淡，令人不寒而栗。被问话的那人被吓了一跳，怯怯地抬手指了一个方向："前面街口左转，走到头再右转，前面第三家就是了。"

问话的不是别人，正是杨云溪。他昨日下午就已经到了南京，当即传讯给当地的暗使，原本是要相约见面的，只是正逢城中戒严，耽搁了见面，于是他只能先行落脚，再作打算。没想到肚子饿了出来吃面，竟然让他听到了有关那位李姑娘的传言。

杨云溪怀疑李姑娘就是青岚，但无凭无据，只能匆匆赶去，想要亲自证实一下。他心中无比忐忑，又极为激动，毕竟找了这么久，终于算是有了一点希望。于是脚步飞快，险些撞到了自街角转过来的马车。

他顾不上其他事情，只是欠身道了句"对不起"便匆匆离去。

马车里，静静靠在软垫上小憩的女子忽然感觉到车子停了一下，刚想起身查看，马车便又动了，她于是没动，只是浅浅问道："我们多久会到上京？"

这个马车里的女子正是青岚，与她同车的还有萧辰为她安排的丫鬟，长相极为乖巧可爱，丫鬟笑着答道："最多三五日就到了。"

青岚点了点头，复又合上了眼睛。

在那一刻，他们明明已经相遇，却竟然擦肩而过，浑然未觉。

杨云溪匆匆跑到茶馆门口，却见店面紧闭。他抬手用力敲门，半天都不见有人出来应门。巨大的声响惊动了周围的邻居，有人好心地出来告诉他："刚刚有辆马车把秀儿姑娘接走了，说是要去上京呢！"

秀儿！李秀儿！

杨云溪一愣，青岚留了这么明显的线索给他们，可是，他们却谁都未曾留意！

他恍然大悟，想起刚刚自己险些撞到的那辆马车，当即心中一热，猛然转身，朝着马车行驶的方向追了上去！

青岚，我来了，你要等我！

杨云溪冲出巷口，但却已经不见那辆马车的踪影。他心中懊悔不已，明明近在咫尺，怎么就能错过呢？是追到上京，还是……杨云溪心头掠过无数个念头。面对纷乱的心绪，杨云溪让自己渐渐冷静下来。那辆马车在城中走得不快，一定还来得及！

杨云溪想到此处，便抬眼四处看去，寻得一处比其他房舍稍高的楼宇，当即纵身而上，轻巧地落在屋顶之上。他自怀中取出短笛，吹奏起来！

那支青岚失落在战场上的短笛，曾经沾染过她的血，如今依旧留在他的身边。

他们曾承诺相守相伴，他自战场归来，便要教她吹笛。既然承诺未曾兑现，所以他相信，青岚一定会回到他身边。

笛声悠扬呜咽，似是倾诉不尽的思念，一波连着一波，自他所立之处向外传去，似乎飘到了很远的地方。

青岚原本正在小憩，隐约听到一阵熟悉的笛声，当即一个激灵坐起来，问道："你听到什么声音没有？是笛声？是笛声！"

丫鬟一脸不解，青岚已经反手掀开车帘往外探头看去。笛声越发遥远，渐渐听不清楚，但旋律节奏却是她再熟悉不过的了，青岚当即高声喝道："停车！"

车夫不明所以地要把车停下来，车还没停稳，青岚已经动作敏捷地跳下车，追着笛声传来之处，匆忙跑了过去！

是杨云溪！这样的笛声，一定是杨云溪！

笛声倾诉思念，曲调依旧，是那一日在晋王府青岚迷路时，杨云溪为她引路的那一首。是他在为自己指路！

她跑过繁华的街市，穿过熙攘的人群，直到看到那一抹蓝影缤纷华丽，高高立于屋檐之上，眉目清冷却俊美无双，除了杨云溪，谁还有那样一双浸染了冰雪却始终诚挚深情的眼睛？

杨云溪居高临下，青岚虽然戴着面纱，也换了契丹服饰，可是，他却还是一眼就把她认了出来。他缓缓吹出一个绵长清晰的尾音，然后振臂一跃而下！

蓝影翩然，宛若一只傲然俊美的雄鹰，稳稳落于青岚面前。

青岚的眼中含泪，掩不住聚散离合之后的满目沧桑。杨云溪抬手掠过她的耳畔，指尖微动，遮掩面容的轻纱便飘然落下。少女泪中带笑，凝望着满身风尘的杨云溪，轻声叹道："你终于来了！"

　　杨云溪只觉得胸腔中流淌着无法倾诉的喜悦冲淡了所有的悲伤，千言万语，最终只化作一句："我们回家。"

　　他说着牵起她的手，将沾染了他体温的短笛交到她手中："回家，我教你吹笛。"

　　青岚欣喜地将短笛紧握在手中，任凭杨云溪与她十指紧扣，与他肩并肩前行。

　　云溪，你知道吗？我等你这句话，等了很久，很久。仿佛，有一辈子那么长。

　　我们回家之后，你若想隐居塞外，我帮你洗衣煮饭；你若去保家卫国，我便日日等你归来，等着你教我吹笛，陪你饮酒谈天。

　　直到儿女绕膝，白发斑驳，你我携手相约来生来世，永生永世，我都愿意如同此刻这般——

　　与君诉衷情，唯愿长相守。

后记·缘起

要写这个故事，是因为一首歌。

最初听到，便觉得无比忧伤，却如同歌中所唱，浪漫而真实。

所以，我在无限次"问我还是不是爱上你时，美丽的样子；问你还是不是记得那句，无悔的情诗"的无限次循环当中，写下了最终结尾的那句"与君诉衷情，唯愿长相守"。

这首歌，叫作《问情诗》。来自新版楚留香系列电视剧《桃花传奇》中，关于楚香帅与麻衣圣教圣女张洁洁的一段旷世之恋。

正邪之恋，自古便有之，一如卓一航与白发魔女练霓裳、令狐冲与日月神教大小姐任盈盈，又或者是张无忌与蒙古郡主赵敏。

想写古言，想写一段正邪之恋，但我只猜中了这个开头，却预料不到这个结局。

有人对我说："我还是喜欢晋王赵光义。"我想很多人都跟他一样，因为晋王赵光义具备了言情小说中一切完美的人物设计：他少年时意气风发，嫉恶如仇；成年时沉稳内敛，颇具权谋家的风度。

然而，我却更爱那个蓝衣翩然，一出场就冷傲而又带着一身浓重酒气的杨云溪。

忠、义、勇、信，一念深情，便不离不弃，默然守候。也许看完这本书，你的心里，会记住这样一个深情款款，却又沉默寡言，冷然如冰的蓝衣男子。

杨云溪与陆青岚，一个是正义凛然的御前暗卫，一个是潜伏宫中步步为营的细作。写他们的相识相爱，一路走来，却不只是男欢女爱，更多的是亲情、友情，以至于家国大义。我想，这才是书写文字的人应该承担的责任。

我不想只写一个故事，我更想给你们看他们的人生，看他们的选择，看他们在乱世风云中坚强勇敢满怀希望的样子。

这本书中的很多人物都脱胎于历史，宋太祖赵匡胤、宋太宗赵光义，甚至大将军曹彬、潘美、杨业……每一个人，我都试图还愿他们真实的一面，但是，因为这终究只是一本小说，很多情节，也都来自于我的虚构，比如历史上曾经悬而未决的斧声烛影，我用了一个非常浪漫而残忍的方式来重塑。

南唐小周后设计下毒，宋太祖赵匡胤为了救活弟弟而答应以命换命，我在写到青岚在离去时转头看向皇上的那一眼时，在凌晨时分一个人面对电脑潸然泪下，那是第一次，我为了一个非主角的人而落泪。

历史上，宋太祖是一位卓尔不凡的帝王。他以武将之身，登九五之尊，终结了战火纷飞的乱世局面，开创了有宋一代。同时，他兼容并包，尊重文人，广采谏言，并以杯酒释兵权的方式，结束了节度使、武将拥兵自重的时代。

人是感情动物，再伟大的人，情或许也是绕不过的。白瑾画并不存在于历史中，但却或许存在于每个人的心中。她与赵元朗的爱情最终以一种悲剧的方式结束，空留遗憾，但，正如楚留香在《桃花传奇》中所说的那样："我来过，哭过，爱过。"

这样就够了。

唐小蓝 于 2015 年 2 月